TODO *sobre la* CALIGRAFÍA

TODO

sobre la

CALIGRAFÍA

Parramón

Todo sobre la caligrafía

Proyecto y realización de Parramón Paidotribo

Dirección editorial: María Fernanda Canal
Editor: Tomàs Ubach
Ayudante de edición y archivo iconográfico: Mònica Broto
Textos y coordinación: Queralt Antú Serrano
Realización de ejercicios: Queralt Antú Serrano, Walter Chen, Oriol Ribas, Massimo Polello
También han colaborado: Antoni Argilés Solà, Jean-François Bodart, Julien Breton, Barbara Calzolari, Marco Campedelli, Walter Chen, Silvia Cordero, Monica Dengo, Di Spigna, Claude Dieterich A., Vera Evstafieva, Peter Horridge. Inocuo (Javi Gutiérrez Gil), Chen Li, Christel Llop, Marina Marjina, Gabriel Martínez Meave, Betina Naab, Massimo Polello, Oriol Ribas, María Eugenia Roballos, Anna Ronchi, Ricardo Rousselot, Fabián Sanguinetti, Marina Soria y Steward J. Thomas
Realización de guardas: Queralt Antú Serrano
Diseño gráfico de la colección: Toni Inglès
Fotografía: Estudi Nos & Soto, Katja Seidel, Queralt Antú Serrano
Maquetación: Estudi Toni Inglès (Gemma Grau)
Producción: Sagrafic, S.L.

Segunda edición

Les Guixeres. C/ de la Energía, 19-21
08915 Badalona (España).
Tel.: 93 323 33 11 – Fax: 93 453 50 33
http://www.parramon.com
E-mail: parramon@paidotribo.com

Preimpresión: PACMER, S.A.
ISBN: 978-84-342-3305-8
Impreso en España

Agradecimientos
La Editorial quiere manifestar su agradecimiento a la firma Montana Colors y a Alberto G. Arellano (El Ataúd del Contorsionista), su gentileza por la cesión de imágenes de sus productos y obra, respectivamente, para su reproducción en esta obra.

El deseo de este libro es, página a página, acercar al lector al fascinante arte de la caligrafía. Una breve introducción a la historia de la escritura mostrará que, con ella, el ser humano tiene precisamente historia, gracias al sentimiento humano de buscar, comunicarse y transmitir.

"El habla, *–decía Heidegger–* no es sólo un instrumento que el hombre posee entre otros muchos, sino que es lo primero en garantizar la posibilidad de estar en medio de la publicidad de los entes. Sólo hay mundo donde hay habla, es decir, el círculo siempre cambiante de decisión y obra, de acción y responsabilidad, pero también de capricho y alboroto, de caída y extravío. Sólo donde rige el mundo hay historia. El habla es un bien en un sentido más original. Esto quiere decir que es bueno para garantizar que el hombre pueda ser histórico. El habla no es un instrumento disponible, sino aquel acontecimiento que dispone la más alta posibilidad de ser hombre."

En las páginas siguientes se analizarán los diferentes estilos de caligrafía, los utensilios que se emplean para realizarla y su manejo, así como los diferentes estilos de letra clásicos. Por último, mediante unos didácticos ejercicios paso a paso, el lector podrá adquirir los conocimientos suficientes para, mediante la práctica, lograr una bella escritura.

Asimismo, en el libro encontrará trabajos de excelentes calígrafos. De este modo podrá disfrutar de grandes obras, fuentes inagotables de lectura e inspiración.

Marina Soria, Lenguaje. *2002, 60 x 50 cm. Acrílico,* gesso, *arena sobre tela. Láminas de bronce y plata. Sumi y tinta de nuez sobre papel Arches y papel japonés. Plumas, pinceles y* folded pen, *un instrumento experimental fabricado por la autora.*
La obra se estructura en tres partes bien definidas: una serie de franjas horizontales superiores, donde aparecen signos y símbolos antiguos que representan la época en la que el soporte de la escritura eran la arcilla y la piedra; una sección intermedia, que representa las escrituras realizadas sobre pergamino, vitela y papel; y, finalmente, la era industrial, en la que el soporte son las placas de metal. Esta síntesis de la evolución de la escritura se encuentra atravesada verticalmente por el texto.
En la parte superior aparecen las tapas de un libro antiguo sobre la historia de Roma, los orígenes, que perteneció al padre de la autora.

Los orígenes de la escritura: las protoescrituras

Las protoescrituras son sistemas de símbolos gráficos mediante los cuales se transmiten ideas. No son propiamente escrituras pues carecen de carácter alfabético o de sistema, pero son interesantes tanto para saber cómo se originó la escritura como por ver los grafismos que se empleaban para transmitir un pensamiento. Hay numerosísimas formas que se pueden considerar protoescrituras pero veremos a continuación las tres más relevantes.

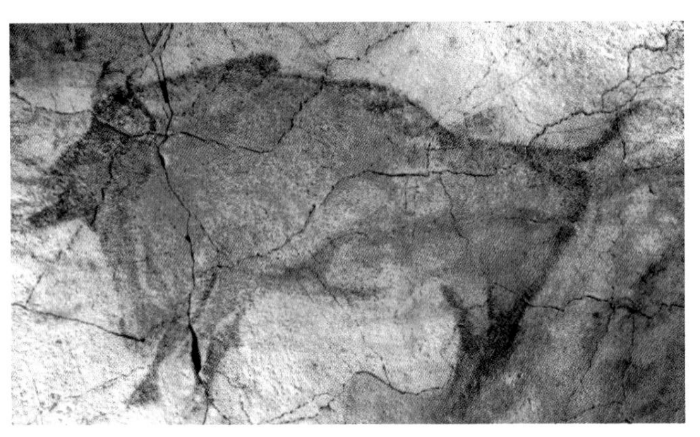

Bisonte pintado en la cueva de Altamira (Cantabria, España). Los bordes están dibujados con negro de manganeso y el interior se ha coloreado con ocres y rojos mezclados con aglutinantes como la grasa animal.

SÍMBOLOS RUPESTRES

Durante la última glaciación encontramos ya diversas pinturas, de hecho formas estarcidas en las paredes de las cuevas. Eran las primeras inquietudes humanas de comunicar un mensaje. En general son mensajes por descifrar pero que parecen decir "*yo cazando un bisonte*". Una excelente muestra de estas pinturas rupestres se pueden admirar en la cueva de Altamira (España), descubiertas en 1868 y donde se conservan pinturas de 20.000 años de antigüedad, del Paleolítico superior. Hay disparidad en si se las puede considerar escritura, pero por ello estos signos son denominados "protoescrituras".

Ilustración donde podemos apreciar una bulla y su contenido, y unas bullas aplastadas dando así, una forma de tablilla donde se grababan unas marcas iconográficas, llamadas logogramas, sobre la superficie de las tablillas donde se especificaban datos del trueque comercial.

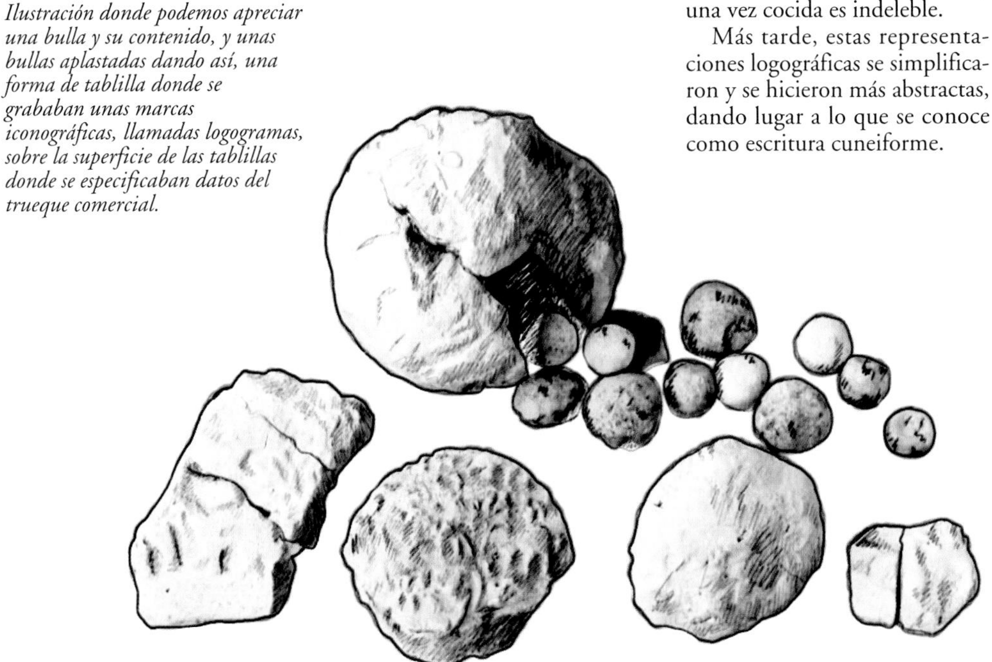

LAS BULLAS DE ARCILLA

La antigua Mesopotamia, de alrededor de hace cinco milenios, es considerada uno de los orígenes de la civilización humana. Dentro del contexto histórico del descubrimiento de la rueda, el torno de alfarería y otras novedades técnicas en una incipiente sociedad agrícola y ganadera, coexistían a una y otra parte del río Tigris dos estados: Sumeria, entre los ríos Tigris y Éufrates, y Élam, al este del Tigris, cuya capital era Susa. Estos pueblos utilizaban un sistema de bolas de arcilla huecas *(calculi)*, que se han denominado "bulla". Estas bolas eran unos recipientes que albergaban fichas de diferentes formas según un valor comercial convenido. Se simbolizaban los bienes de tres maneras diferentes: esferas, conos y cilindros; y así se contabilizan bienes, tierras o ganado. Cuando convenía se rompía la bulla y se podía ver la lista de los bienes contada. Este sistema de transacciones se fue haciendo cada vez más complejo, y sobre la superficie de la arcilla se grababa iconografía: eran los llamados logogramas (del griego *logos*= conocimiento, y *graphos*= escritura), sistema basado en signos o iconos, de representación esquemática (y no fonética) de un objeto real, tanto de cantidad como en calidad (las cosas contratadas). Así los sumerios representaban con una forma triangular con cuernos, la cabeza de un buey; y cuantas más formas triangulares se veían más cabezas de ganado se mostraban.

LAS PRIMERAS TABLILLAS DE ARCILLA

Con el tiempo dieron con una solución más práctica, aplastar esta bola de arcilla y dibujar en ambas caras el contenido del contrato: "*qué, cuánto y cuándo*". Surgen así las tablillas de arcilla. Como se trataban de tablillas numéricas no se puede considerar escritura propiamente dicha, sino cálculos y símbolos pictográficos. Los mesopotámicos recurrieron a la arcilla por su abundancia ya que la madera o la piedra eran escasas, además es un material plástico fácil de trabajar, de marcar y de borrar en caso de error, y una vez cocida es indeleble.

Más tarde, estas representaciones logográficas se simplificaron y se hicieron más abstractas, dando lugar a lo que se conoce como escritura cuneiforme.

MESOPOTAMIA. LA ESCRITURA SUMERIA

En la ciudad de Uruk, ubicada a orillas del río Éufrates, llegaron a habitar unas cuarenta mil personas. Pasó de ser la ciudad más importante de Sumeria, que controló una amplia parte de Mesopotamia, a convertirse en la primera gran potencia de la historia. Se considera que, en Uruk, hace cuatro milenios apareció la escritura. Este hecho coincidió con el desarrollo de las ciudades. Los primeros escritos de sumerio datan del 3300 a.C., y fueron documentos contables, contratos y registros de inventarios. La escritura nació de la necesidad de conservar el rastro de intercambios comerciales.

LA ESCRITURA CUNEIFORME

Las primeras tablillas de arcilla eran pictográficas, pero hacia el 2500 a.C., estos pictogramas se habían ido sintetizando y abstrayendo hasta llegar a una escritura de signos llamados cuneiformes. Las primeras escrituras cuneiformes se realizaron en tablas de arcilla donde se grababan pictogramas en columnas verticales con una caña muy fina denominada cálamo. Una de sus extremidades se cortaba en forma de punta o al bies, así la caña dejaba una marca triangular al hendirla en la arcilla húmeda, en forma de cuña, palabra derivada del latín *cuneus*, y de ahí viene su nombre, cuneiforme: escritura en forma de cuña. La caña también era un material que abundaba en las tierras pantanosas de Mesopotamia. Estas tablas de arcilla luego eran cocidas o recicladas cuando aún estaban frescas. Las tablillas más grandes tenían once columnas y podían medir unos 929 cm². Una de las caras de la tablilla era lisa mientras que la otra era convexa, para evitar que se borrase por la presión la cara escrita al girarla para escribir al otro lado de la tablilla. Más tarde, además de arcilla empezaron a usarse otros materiales para escribir sobre ellos, como la piedra, vasijas de barro y paneles revestidos de cera.

La escritura cuneiforme fue posteriormente adoptada por los babilonios, los elamitas, los hititas, los asirios y los acadios; se empleaba en toda la extensión del territorio para escribir la lengua sumeria.

Inscripción con escritura cuneiforme, vista de forma ampliada. British Museum, Londres. Foto Jan van der Crabben.

Inscripciones de Ganjnameh, Persépolis, Irán. El embajador español en Persia, García Silva Figueroa, descubrió en 1618 en las ruinas de Persépolis, cercanas a Shiraz, un tipo de escritura desconocida hasta entonces en Occidente. Estas inscripciones eran geométricas, de forma triangular y todas iguales. Durante tiempo se creyó que sólo eran decoraciones o ornamentaciones. Las inscripciones de Ganjnameh fueron grabadas sobre granito y están divididas en dos secciones: la de la derecha, fue encargada por Darío I; y la de la izquierda por Jerjes, ambas en el siglo IV a.C. Estas inscripciones fueron la clave para el desciframiento de la escritura cuneiforme. Foto de Mary Loosemore.

LA CIVILIZACIÓN EGIPCIA

Geográficamente, podemos delimitar el antiguo Egipto a lo largo del cauce del río Nilo, ocupando tres zonas claves: el valle del Nilo, el delta y El Fayum, además de Nubia, Palestina y Siria, y hasta las más alejadas islas de Creta y Chipre. La civilización egipcia se desarrolló durante más de 3.000 años. Comenzó con la unificación de varias ciudades del valle del Nilo, alrededor del 3150 a.C., y terminó en el 31 a.C., cuando el Imperio romano conquistó y absorbió Egipto.

Respecto de su escritura, los jeroglíficos, hubo dos tipos: la hierática y la demótica.

Minnakht (detalle). Relieve sobre piedra calcárea del 1323 a.C. (1,48 × 0,89 × 55 m). Musée du Louvre, París (Francia).

LOS JEROGLÍFICOS EGIPCIOS

No hay un consenso sobre el origen de los jeroglíficos egipcios. Así como hay una evolución de la escritura cuneiforme, los jeroglíficos egipcios parecen aparecer de repente hacia el año 3150 a.C. Podría ser que hubiera habido influencia sumeria, pero no se conoce con seguridad pues hay profundas diferencias entre los jeroglíficos egipcios y los pictogramas cuneiformes. Mientras que la escritura cuneiforme evolucionó hacia formas angulares abstractas, los jeroglíficos conservaron a lo largo de su historia toda su belleza figurativa así como su complejidad representativa.

Piedra Rosetta. British Museum, Londres (Reino Unido). Se trata de una losa de granito negro (118 × 72 × 27 cm). Contiene unas inscripciones en tres escrituras diferentes: en jeroglíficos egipcios, en escritura demótica y en griego. Datada del siglo II a.C., la piedra Rosetta permitió al egiptólogo francés Jean-François Champollion descifrar la escritura jeroglífica.

LAS ESCRITURAS HIERÁTICA Y DEMÓTICA

La denominada hierática se hacía a base de jeroglíficos; para escribirla usaban el pincel, la pluma y la tinta sobre alfarería, madera, cuero o tejidos, pero en especial sobre papiro. Fue una escritura muy usual para tomar notas de actos administrativos, textos científicos, literarios y religiosos. Al principio su disposición era vertical pero rápidamente se aprecian textos dispuestos en horizontal. Se puede apreciar una clara diferencia en los manuscritos de 1000 a.C., donde en los textos religiosos el tipo hierático se consagra como escritura, por esta razón los griegos la denominaron *hieratikós*, que significa “hierro”, “sagrado”.

La escritura demótica que su nombre viene de la palabra griega *demotikós* (de uso popular, de *demos*= pueblo). Proviene de los griegos y apareció en Egipto después del 650 a.C., siendo usada para los documentos cotidianos, era la escritura popular. Fue la escritura usada en la llamada piedra Rosetta, que data del II siglo a.C. En 1799, el capitán Pierre-François Bouchard hizo entrega al Instituto del Cairo de esta pesada losa de granito negro que había encontrado tras hacer unos trabajos de nivelación cerca de Alejandría. En el Cairo fue estudiada por científicos de la expedición Bonaparte, pero fue Jean-François Champollion quien, en 1822, logró descifrar la escritura de los jeroglíficos mediante la técnica de la comparación de cartuchos (que son los nombres de los faraones que siempre figuran enmarcados). Ello fue posible dado que en la piedra Rosetta lleva tallado el mismo texto, un decreto del rey Ptolomeo V del 196 a.C., en jeroglíficos (la escritura de los dioses), en escritura demótica y en griego (que eran las escrituras del pueblo).

Fragmento del Libro de los Sueños, *procedente de Deir el-Medina (Egipto), del periodo de la XIX Dinastía, c 1275 a.C. British Museum, Londres (Reino Unido). Es conocido con este nombre pues en él se narran diferentes sueños y sus interpretaciones. Cuando la interpretación era desfavorable, se escribía el texto en tinta roja. Está escrito en escritura demótica sobre papiro, y la posición en que están dirigidos los pictogramas indica el sentido de lectura.*

El escriba sentado. *Museé du Louvre, París (Francia). Esta conocida estatuilla recuerda a los funcionarios que dominaban la escritura. Gracias a su labor, hoy se conocen muchos datos económicos, históricos, sociales, etc., que han permitido a los historiadores saber cómo eran la forma de vida de aquella civilización.*

LOS ESCRIBANOS EGIPCIOS

La dificultad de representación de los jeroglíficos así como el alto índice de analfabetismo (se cree que sólo un uno por ciento de la población sabía leer y escribir) hacía que la escritura fuese sólo accesible a una élite muy limitada que conocía la práctica de la lectura y escritura. Era un estatus muy envidiado, pues la escritura garantizaba la inmortalidad de lo allí expuesto. De modo que los altos cargos y los escribanos eran dedicaciones muy deseadas y difíciles de alcanzar. Los estudios para ser escribano y asimilar los numerosos jeroglíficos llegaban a durar unos doce años. Para su aprendizaje se usaba la técnica de la repetición: dictados, copias y más copias de grandes textos del período clásico. Un papiro termina con estas palabras: “*La profesión de escriba es principesca. Su recado de escribir y sus rollos de papiro dan al escriba bienestar y riquezas*”; “*El hombre perece, su cuerpo vuelve al polvo (...) pero el libro hará que su recuerdo sea transmitido de boca en boca*” (*Papiro Chester Beatty IV*).

LA DIRECCIÓN DE LA ESCRITURA EGIPCIA

Los jeroglíficos egipcios se leían tanto de derecha a izquierda como en sentido inverso; el escribano colocaba los signos en disposición a la lectura, de manera que si en una línea de jeroglíficos los signos (personas, animales, etc.) miran hacia la derecha, quiere decir que la dirección de la lectura es de derecha a izquierda. Tenían una gran predilección por la simetría, así que a menudo escribían la misma inscripción a un lado u otro a fin de permitir la lectura en ambas direcciones.

La escritura china

Es posiblemente la expresión escrita que, aun teniendo una notable alteración a lo largo de los siglos, ha mantenido más su sentido original. En China, la escritura tradicional es la que nos interesa como caligrafía, aunque, más que de una, debe hablarse de varias caligrafías, ya que se emplean distintos estilos según su uso social. Para los chinos, la caligrafía es un arte muy venerable, tanto o más que la pintura. En la cultura china una buena caligrafía es motivo de admiración y prestigio para quien la practica.

EVOLUCIÓN

De las escrituras vivas, la china es la más milenaria. Los rastros más antiguos que se han descubierto son los signos *jia gu wen*, de la época de la dinastía Shang, grabados sobre huesos o conchas de tortuga, los llamados "huesos oraculares", y que están datados en el siglo XIV a.C. De los 4.500 signos *jia gu wen* descubiertos hasta hoy, sólo unos mil han sido identificados y se ha podido rastrear su evolución hasta el carácter actual.

A lo largo de los tres milenios los caracteres chinos, en sus distintos estilos de escritura, aumentaron progresivamente de aquellos 4.500 signos de la dinastía Shang, a los 10.000 en la dinastía Qin (221 a 206 a.C.); para el siglo XII llegaron a 23.000; hacia el siglo XVIII casi 49.000, y en la actualidad existen unos 55.000 signos, de los cuales sólo 3.000 son de uso común.

Hueso oracular (siglo XIV a.C.) con inscripciones de signos jia gu wen, *la escritura china más antigua, muy sintética, sobre una concha de tortuga.*

Pintura y caligrafía obra de Shitao (1641-1720). Shitao fue un gran teórico de la pintura china, trabajó sobre el concepto de "trazo único de pincel", aún hoy muy utilizado. Su obra teórica más importante fue Manual de pintura. *Obsérvese que, dentro de la obra, el artista también plasmó su caligrafía, hecho habitual en la pintura china.*

Para intentar subsanar el alto índice de analfabetización que había en China (un 80 % en 1949) el gobierno de la República Popular generalizó la instrucción creando una versión simplificada, que redujo así la escritura a 515 caracteres más sintetizados. De este modo se consiguió así una alfabetización de los adultos que se cifraba en un 81% en el año 1995, según la UNESCO. En China continental las escrituras tradicionales sólo son conocidas por los estudiosos. Sin embargo, esta reforma ha sido muy criticada e inaceptada por otras comunidades chinas, como la de Taiwán o la establecida en otros países, por la pérdida enorme de identidad y de tradición en una característica muy venerada de la cultura china como es la escritura.

LA FORMA DE LOS CARACTERES CHINOS

Los caracteres chinos se pueden clasificar en:

1. Figuras simples que pueden de ser: a) de las imágenes, representación estilizada de los objetos, sin la menor indicación de la pronunciación; y b) de los símbolos.

2. Figuras compuestas o asociación de varios caracteres, que pueden de ser: a) los agregados lógicos o aglomeración de varios caracteres cuyos sentidos se combinan pero que no dan indicaciones de su lectura; y b) de los composiciones fónicas, asociación de dos elementos gráficos: indica el sentido y el otro la pronunciación.

Ideograma de la caligrafía china hecho con pincel, el modo tradicional y artístico de escribir. En la parte superior se aprecia el sello de color rojo que equivale a la firma del autor, o a la del propietario. El sello es a su vez caligrafía, de un estilo más sintético. En la cultura china la caligrafía tiene un alto valor artístico que honra sobremanera a quien la practica.

CÓMO SE ESCRIBE LA CALIGRAFÍA CHINA

De forma breve, algunas de las reglas que hay que tener en cuenta para escribir los rasgos de cada carácter son: 1) Como el sentido de la escritura es vertical, se empiezan a escribir los caracteres de arriba hacia abajo, primero los trazos superiores y luego el resto, los trazos horizontales inferiores en última instancia. 2) Se escriben los trazos centrales primero, luego los laterales, y éstos de izquierda a derecha. 3) Si hay trazos que rodean a otros se escriben primero los del interior y luego los trazos exteriores que los rodean. 4) Se escriben primero los trazos horizontales que son cruzados por otros verticales. 5) Cuando dos trazos curvos se cruzan en forma de X hay que escribir primero el trazo derecho y luego el izquierdo. 6) Los trazos cortos y pequeños, se escriben al final del carácter.

二 一 二

女 く 女 女

中 丨 冂 口 中

雨 一 丆 𠔼 而 雨 雨 雨 雨

馬 一 厂 F 𫝀 𫠣 馬 馬 馬 馬 馬

Ejemplos del orden de escritura de algunos caracteres chinos. En la primera columna se aprecia la letra completa, en las siguientes los distintos pasos en el orden correcto.

EL SIGNIFICADO EN LA CALIGRAFÍA CHINA

La escritura china, basada en sus inicios en ideogramas que sugerían formas muy sintéticas extraídas de la realidad, ha ido evolucionando a lo largo de miles de años hasta los distintos estilos de escritura actuales. En el recuadro se muestran unos conceptos muy simples escritos en el estilo Chin wen, propio de la dinastía Qin (221-206 a.C.) y en la escritura estándar actual. Se puede apreciar la estilización de la palabras; así la figura del hombre y la sencilla definición de cárcel con la figura del hombre cerrada en un recuadro, y del mismo modo la forma de buey que recuerda la cornamenta del animal.

La escritura antigua todavía se emplea para diseñar los sellos que se emplean en la cultura china como firma o signo de propiedad de un documento. Todos los estilos de la escritura china son muy interesantes para practicar la caligrafía.

Significado	Chin wen	Escritura actual
Sol	日	日
Montaña	山	山
Buey	牛	牛
Hombre	人	人
Cárcel	囚	囚

EL ORDEN DE LA ESCRITURA

Debe tenerse en cuenta el sentido de la escritura de los caracteres chinos. Estos se escriben en líneas verticales y de derecha a izquierda.

En la escritura china se considera que hay ocho trazos fundamentales y es fundamental el orden de la ejecución de éstos. Dichos trazos son: 1) tilde; 2) raya horizontal de izquierda a derecha; 3) línea vertical, de arriba a abajo; 4) gancho, doblado hacia arriba; 5) clavo, de izquierda a derecha; 6) cola, de arriba a abajo, y de derecha a izquierda; 7) rasgo corto, de arriba abajo y de derecha a izquierda; y 8) rúbrica, de arriba a abajo y de izquierda a derecha.

LOS MATERIALES

Para la práctica de la caligrafía china necesitaremos un mínimo de materiales, los llamados "cuatro tesoros del escritorio": el papel de arroz, los pinceles chinos *(bi)*, la tinta china *(mo)* y el tintero de piedra *(yan)*; así como instrucciones básicas antes de su escritura. También es muy importante la disposición del espacio de trabajo.

Debe tenerse a mano todo el material sobre una mesa muy estable, a una distancia cómoda pero suficientemente alejada del papel para no mancharlo. Debido a que el papel de arroz es muy delgado y la tinta frecuentemente traspasa el papel, para evitar manchar la mesa y obtener una mayor densidad de la tinta es recomendable colocar debajo del papel una pieza de fieltro negro.

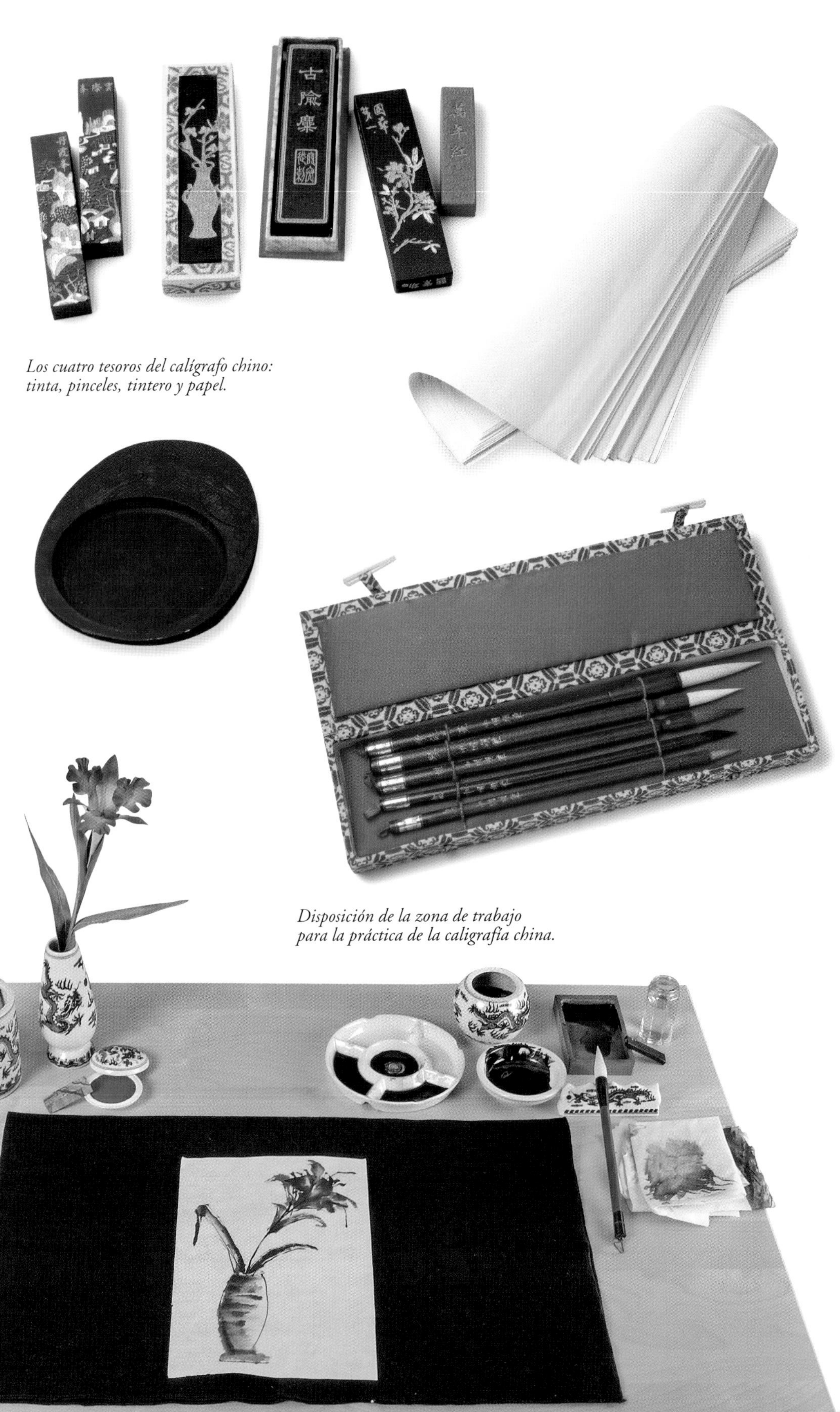

Los cuatro tesoros del calígrafo chino: tinta, pinceles, tintero y papel.

Disposición de la zona de trabajo para la práctica de la caligrafía china.

Tanto para disponer los útiles de escritura en la mesa como para transportarlos, los calígrafos chinos utilizan estas prácticas esterillas, aunque debe tenerse la precaución de no guardar los pinceles húmedos.

LA POSTURA

Es muy importante también la posición del cuerpo. Es común practicar la caligrafía china en cuclillas, es decir, que los glúteos se acerquen al suelo y descansen sobre los pies. La espalda debe estar totalmente derecha y recta pero no en tensión. La mesa debe estar bastante baja por debajo del ombligo. Si es difícil encontrar una mesa baja o trabajar en cuclillas, también es posible trabajar en una silla, pero para ello hay que sentarse en la punta de la silla ocupando sólo la mitad, los pies deben estar más atrás que las rodillas y la distancia entre los talones debe ser de un puño, colocando la punta de los pies (dedos) más abierta que los talones, para así poder controlar mejor la fuerza del trazo.

La caligrafía china requiere mucha tranquilidad y meditación, así que debe trabajarse en un espacio cómodo, tranquilo y bien iluminado; y para la meditación se realizan trabajos de respiración. Hay quien se ayuda con música; en este caso es preferible oír cantos de monjes por su constante repetición, ayudando así a una respiración controlada.

La posición del cuerpo es muy importante. En una posición sentada, más propia en Occidente, debe tenerse la espalda totalmente derecha y recta aunque relajada y ocupar la punta de la silla con los pies por detrás de las rodillas. La distancia entre los talones debe ser como de un puño, manteniendo la punta de los pies más abiertas para controlar así la fuerza del trazo.

La escritura árabe

El árabe es una de las escrituras más universales y con más historia por ser la escritura sagrada del Islam. Al estar condenada por el Corán la representación pictórica de Alá, la caligrafía tiene una gran relevancia en esta cultura religiosa, siendo además el medio de transmisión del Islam, por lo que está muy expandida fuera de su región original. El alfabeto árabe se define como consonántico y tiene sus orígenes en la escritura persa, aramea y nabatea.

Página de una de las 52 Epístolas de los Hermanos de la Pureza, *procedente de Basora (Irak), con representación de imágenes y caligrafía árabe del siglo XII.*

LA IMPORTANCIA DE LA CALIGRAFÍA ÁRABE

En el mundo musulmán, la caligrafía también participa en todos los ámbitos de la vida cotidiana, al ser instrumento de transmisión de la fe islámica. Buen ejemplo de ello se ve en la Arquitectura; en las construcciones más emblemáticas como las grandes mezquitas o en palacios como la Alhambra de Granada, el visitante puede disfrutar de la extraordinaria ornamentación basada en la caligrafía que llena paredes de estucos y azulejos con versos y citas del Corán, como el emblema nazarí "No hay más vencedor que Dios", o poemas totalmente integrados, en las paredes de las estancias, llegando incluso a formar puertas o ventanas.

LOS ORÍGENES

La caligrafía árabe es la síntesis de varias y diferentes evoluciones de la escritura persa, aramea y nabatea. La caligrafía actual proviene de la caligrafía nastaliq, que tiene origen en Persia a finales del siglo XIV y fue creada por el escribano Mir Ali al-Tabrizi.

El árabe tiene también una gran tradición de caligramas con bellos poemas; los caligramas son representaciones figurativas, como por ejemplo, pájaros, mediante el uso exclusivo de caligrafía, de esta forma no incumplen la ley coránica. Tiene también esta lengua una gran tradición de componer caligramas en la artesanía textil, tanto en alfombras y tapices como en murales cerámicos y en utensilios cotidianos, como vasos, jarras o platos.

Manuscrito de un Corán de Al-Ándalus. Los trazos más gruesos en el centro de la página son de estilo cúfico. Siglo XII.

Fragmento de una inscripción en árabe sobre cerámica metalizada de Persia. Principios del siglo XIV. Fundação Calouste Gulbenkian (Lisboa, Portugal).

Bol de origen persa con una inscripción caligráfica árabe. Finales del siglo XII. Fundação Calouste Gulbenkian (Lisboa, Portugal).

Detalle de un arco de la Alhambra totalmente adornado con caligrafía (Granada, España).

LOS ÚTILES DE ESCRITURA

Los útiles tradicionales que se emplean para la caligrafía árabe son la caña o la pluma, pero con un corte inclinado dirigido hacia la izquierda. El material que antaño se utilizaba como soporte de escritura era el papiro y el pergamino, por influencia del usado en Egipto, pero en el momento en que los árabes tuvieron acceso al descubrimiento chino del papel, produjeron una gran diversidad de manuscritos en este soporte, gracias a ser un material más barato y de fácil elaboración.

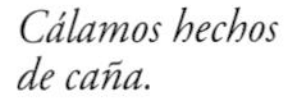

Cálamos hechos de caña.

Basmala o composición caligráfica creada por Shaykh Aziz al-Rufai. Las basmalas inician habitualmente las azuras del Corán, pero han sido muy desarrolladas con usos ornamentales, en este caso con la forma de una pera.

Obra de Monireh Zarnegar, donde se usa el árabe en un diseño contemporáneo para un trabajo de cartelismo.

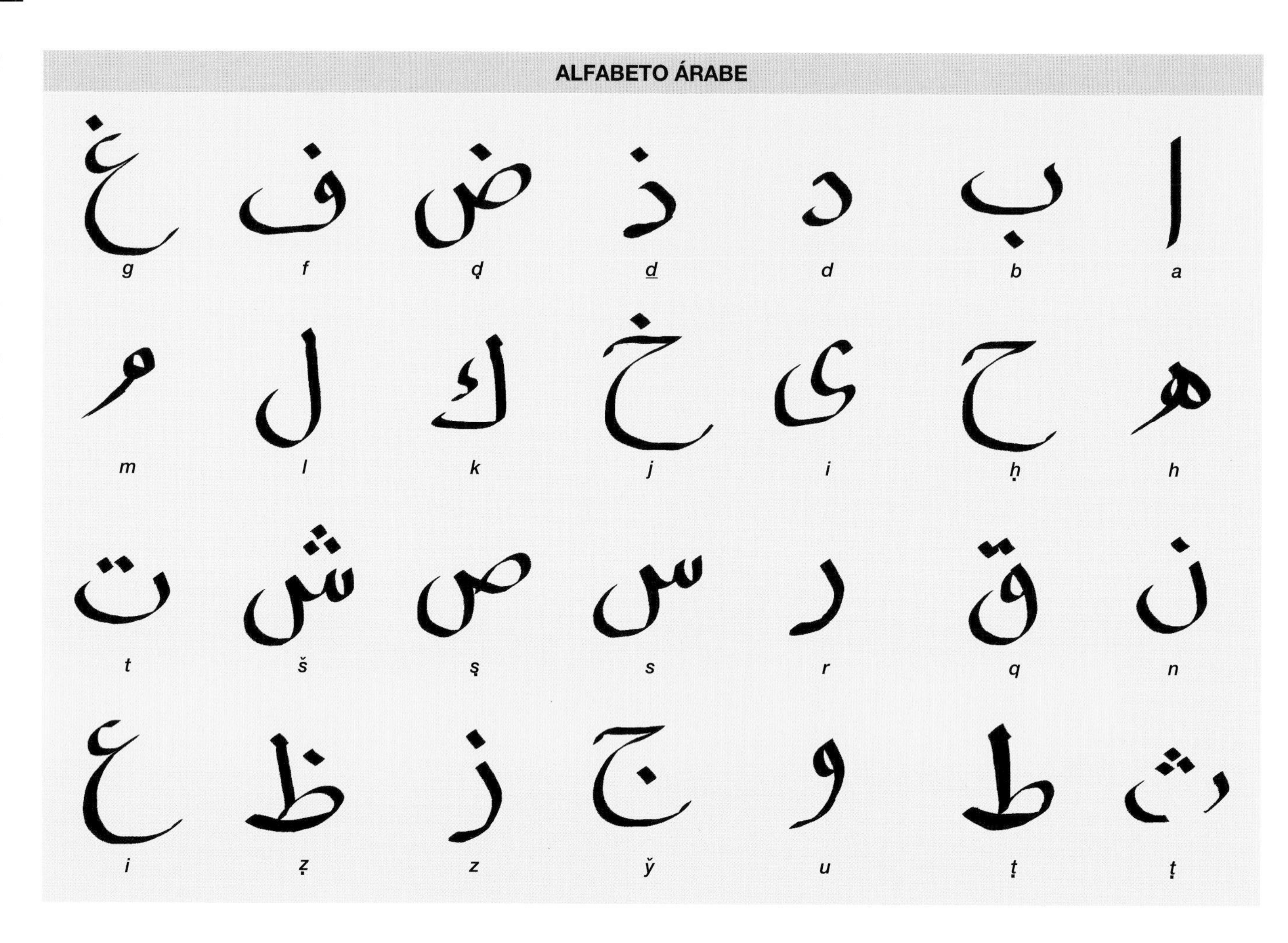

CARACTERÍSTICAS ESENCIALES DEL ÁRABE

Una característica formal muy importante es que esta caligrafía se escribe de derecha a izquierda, en cursiva y ligada. En esta escritura no hay uso de mayúsculas, se escribe siempre en minúsculas. Otra característica es su alfabeto consonántico, es decir, no emplea vocales, como ocurre en las lenguas semíticas. El alfabeto árabe consta de 28 consonantes.

Caligrafía de Nevit Dilmen creada a partir de una obra clásica. Se compone de la repetición de la letra Qaf ocho veces y la Alif dieciseis veces.

LOS PRINCIPALES ESTILOS

También el árabe, a lo largo de los siglos, ha sufrido una evolución en los estilos que brevemente vamos a describir.

CÚFICO

Es el estilo más antiguo y su característica más representativa son sus formas geométricas, donde las curvas se convierten en rectas y con ángulos muy pronunciados. Muestras de este estilo se encuentran frecuentemente en su aplicación más arquitectónica enmarcando ventanas, puertas o en los mosaicos o en baldosas.

Caligrafía escrita en farsi (persa) en el estilo cúfico contemporáneo por el calígrafo Stewart J. Thomas. El texto reza: "En el mundo, no del mundo".

NASJ O NASJI

Es el estilo más extendido pero es también el básico. Se trata de un estilo en cursiva derivado de la antigua escritura preislámica. Servía para escribir de forma rápida los manuscritos; es por ello un estilo muy simple, en cursiva y fácil de escribir. Es el utilizado en la actualidad, tanto en los tipos de imprenta como en los teclados de los ordenadores.

La escritura árabe en estilo nasj es la usual en la actualidad en los medios de comunicación. Sin embargo, con ella pueden efectuarse bellos ejercicios de caligrafía como la del calígrafo Stewart J. Thomas. El texto dice: Eshq *que significa "amor" o "deseo". Está escrito de forma circular creando así una mandala.*

RUQ'A

Deriva del nasj, y es aún más común y más elemental. Es el estilo más usado cotidianamente en el Magreb (occidente árabe). Se escribe usando aún menos espacio que con el nasj, la escritura es más condensada y tiende a superponer sus formas para ocupar el menor espacio.

Caligrafía escrita en el estilo ruq'a creada por Mehmed Izzet Efendi (1841-1904), que se caracteriza por su sencillez de trazo.

Caligrafía escrita en farsi por Stewart J. Thomas en el estilo diwani, muy apreciado por la estilización de sus rasgos y su armonía composicional jugando con el interletraje. El texto dice: "Pensamientos buenos, discurso bueno, acción buena".

Caligrafía árabe realizada en estilo thuluht, creada por Mehmed Izzet Efendi (1841-1904), se caracteriza con su barroquismo, con numerosos signos diacríticos y ornamentaciones.

THULUTH

Escritura que también deriva del nasj, pero a diferencia del estilo ruq`a es un estilo ideado para la ornamentación, de modo que es una escritura más armónica y bella. Las letras se alargan o se acortan en función del espacio usado de soporte. Una característica es que en este estilo de escritura los espacios en blanco dejados por las largas ascendentes de las letras se rellenan con signos diacríticos o simplemente con ornamentación, logrando así una resultado armónico.

DIWANI

Este estilo inventado por el calígrafo Husam Rumi es una caligrafía aún más barroca y ornamental que el estilo thuluth. Se escribe alargando todavía más los trazos horizontales y acortando a su vez el espacio entre algunas letras, creando así un gran contraste en el interletraje, entre condensados y extendidos. La forma más natural de escribir en este estilo consiste en no levantar –en lo posible– el cálamo del papel; crear sin pausa, logrando así un efecto gestual en la escritura.

Obra de Queralt Antú, realizada en estilo de escritura nasj a guache y con una yema de huevo sobre papel Ingres negro. El uso de huevo mezclado con el guache produce un efecto brillante y con relieve sobre la lámina negra.

CÓMO SE ESCRIBE LA CALIGRAFÍA ÁRABE

Para la escritura árabe se debe preparar la mesa de trabajo de la siguiente manera. Se disponen los utensilios a la derecha del papel. Recordar que el árabe se escribe de derecha a izquierda, así que es mejor tener despejada la parte izquierda de la mesa. Para su escritura puede hacerse uso de instrumentos clásicos cómo el cálamo (caña) que en árabe de llama *qalam* aunque los musulmanes de China usaban el pincel chino para realizar sus caligrafías. Ambos instrumentos son excelentes para realizar una buena caligrafía árabe. Más actual es el uso de plumas metálicas preparadas para la escritura del árabe o rotuladores en forma de pincel.

Para la práctica de la caligrafía árabe con cálamo o pluma metálica, éstos deben tener la punta preparada con una inclinación a la izquierda, así se logra la letra cursiva deseada.

Para la práctica tradicional de esta escritura mediante el pincel chino, éste debe estar perfectamente vertical y con la punta perpendicular al papel, y a más o menos 4 centímetros del pelo del pincel. Se sujeta entre el pulgar, el dedo medio y el índice con la mano arqueada.

La caligrafía árabe es muy fluida y con formas muy orgánicas; es preferible que, al escoger un papel, éste no sea rugoso o con mucha textura ya que el trazo podría no salir armónico. Para la caligrafía árabe es preferible el uso de papeles más bien satinados.

LA CALIGRAFÍA NASTALIQ

La caligrafía actual de este estilo proviene de la nastaliq, que tuvo origen en Persia a finales del siglo XIV y fue creada por el escribano Mir Ali al-Tabrizi. Por la enorme complejidad de la caligrafía nastaliq, es muy difícil obtener una fuente para ordenadores que funcione correctamente.

La composición caligráfica de las firmas de los ocho principales sultanes otomanos es conocida como tugra y representaba la realeza del imperio. Fue desarrollada a partir del siglo XVI. La que se muestra está creada por Micha L. Rieser y dice: "Mahmud Han el hijo de Abdulhamid es siempre victorioso".

La escritura hebrea

El hebreo es una lengua semítica occidental y, al igual que el árabe, es un alfabeto consonántico. El hebreo consta de 22 consonantes y se usan signos complementarios para marcar las vocales, tal como ocurre en el árabe, son los puntos vocálicos. También, como aquélla lengua, se escribe de derecha a izquierda.

Página de un libro del Antiguo Testamento escrito en hebreo, encontrada en el Kurdistán y datada a principios del siglo XI.

LOS ORÍGENES

La primera inscripción conocida en hebreo antiguo data del año 925 a.C. El hebreo fue la lengua con la que se escribieron muchos libros de la Biblia. A partir del siglo IV a.C. el hebreo fue perdiendo terreno con el arameo y casi se extinguió. En la actualidad es una lengua recuperada por el movimiento sionista en el siglo XIX y hoy es la lengua oficial, junto con el árabe, de Israel y la hablan más de seis millones de personas. La escritura recuperada es el llamado "hebreo cuadrado", que deriva del arameo y de la escritura fenicia, data del siglo III a.C. y era la usada por los judíos en Babilonia. La escritura aramea fue muy importante en la historia, entre otros motivos, por ser la lengua de los apóstoles y de Jesucristo; fue también la lengua de los evangelios.

En 1945 tres pastores beduinos que vivían en el desierto de Judea encontraron en las cuevas de Qumran, dentro de unas tinajas, los manuscritos más antiguos del Antiguo Testamento que se conocen: los Manuscritos del Mar Muerto, que datan de mediados del siglo I. Estos manuscritos fueron escritos en alfabeto arameo con tinta sobre pergamino.

Inscripción procedente de la Sinagoga del Tránsito (siglo XIV) expuesta en el Museo Sefardí (Toledo, España).

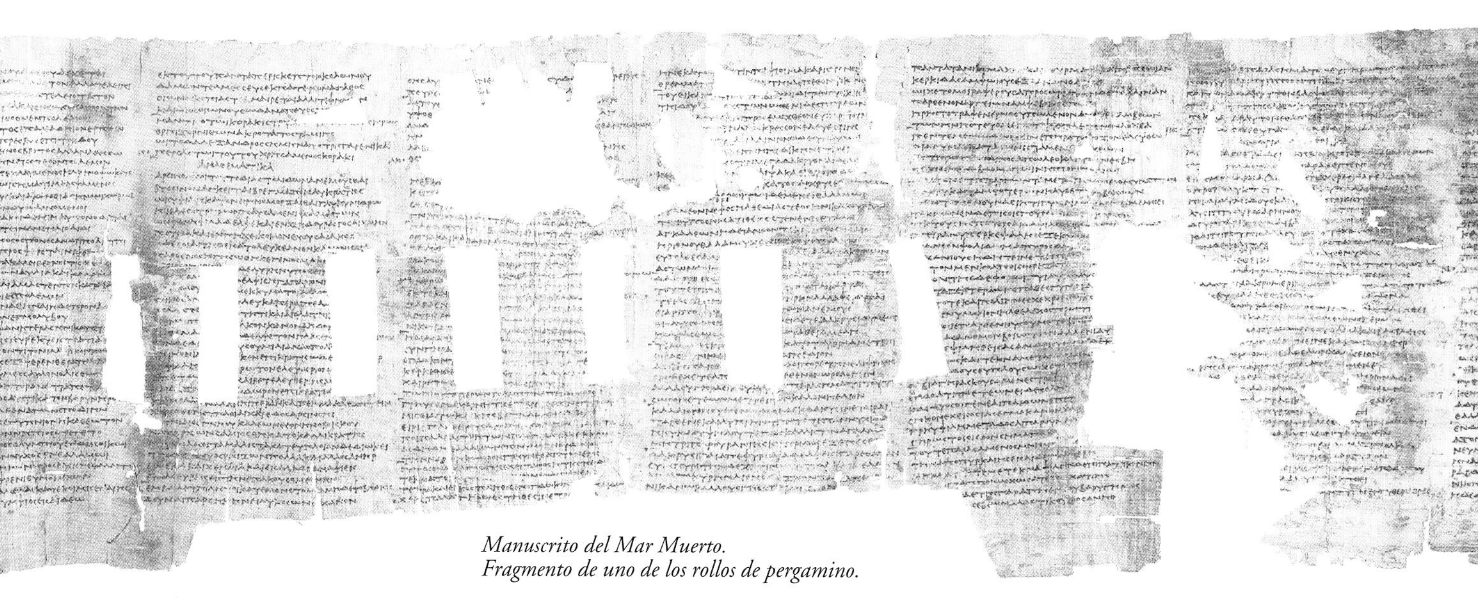

Manuscrito del Mar Muerto. Fragmento de uno de los rollos de pergamino.

El alfabeto hebreo con el nombre de las letras y su equivalencia al alfabeto latino. Está dispuesto de derecha a izquierda, la dirección de escritura de la escritura hebrea.

Letra "alef" escrita con dos utensilios diferentes. En el primer caso se ha usado la esponja pues su textura rota permite dejar transparencias en el trazo y por su ancho es muy adecuada para escribir el hebreo. En el segundo caso se ha usado un utensilio de madera, con la punta recta, que permite un gran control a la hora de escribir los trazos rectos y densos del hebreo.

Las escrituras hindúes: el sánscrito

El subcontinente indio, con sus sucesivas y milenarias culturas y su enorme población, también constituye un mundo propio en el que a lo largo de los siglos se han desarrollado diversas escrituras y sus correspondientes caligrafías. No suficientemente conocidas en el conjunto de Occidente, se quiere ofrecer en esta introducción una pincelada sobre su abasto y origen. De este modo el lector que le interese puede empezar a descubrir nuevas posibilidades de desarrollar su afición.

Fragmento de un texto escrito en sánscrito donde se aprecia la regularidad de la caligrafía.

EL ORIGEN

Las escrituras de la India tienen su origen en la escritura aramea. Las escrituras más antiguas que se tienen constancia son la kharoshti y la brahmi.

El sistema kharoshti tuvo su máxima vigencia entre los siglos V a.C. y III d.C.; era un sistema silábico y se escribía de derecha a izquierda.

El sistema brahmi se utilizó desde el siglo V a.C. al V d.C. También era un sistema silábico con valores vocálicos añadidos y, aunque en su origen se escribía de derecha a izquierda, a partir del siglo III a.C. experimentó un cambio de dirección. El sistema brahmi es el más importante en la historia de la caligrafía hindú, ya que de ella derivan la gran mayoría de los aproximadamente doscientos sistemas de escrituras indios, como por ejemplo el bengalí, el tamil, el gugarati o el devanagari, que es la más extendida.

Inscripción tamil, datada en el siglo VIII, perteneciente al templo Kailasanatha en Kanchipuram (India).

Trabajo de caligrafía creada por Steward J. Thomas en sánscrito y escrito en devanagari, en que se emplean dos tintas de colores tierra.

UN MODELO: EL SÁNSCRITO

El sánscrito, que derivó de lenguas más antiguas, es asimismo en la actualidad una lengua clásica. Tanto su forma oral como la escrita han derivado hacia multitud de lenguas y formas de escritura en el inmenso y poblado subcontinente indio. Puede afirmarse que casi todas las lenguas de este territorio derivan del sánscrito, siendo el devanagari la forma más extendida de escritura. Pese a que existen numerosos ejemplos esculpidos en los templos y monumentos o extensos escritos sobre diversos soportes con diferentes tintes y herramientas, el sánscrito ha tenido una larga tradición oral. En los últimos siglos y también por la influencia británica, tomó preponderancia la forma escrita del devanagari, si bien las formas del punjabí, el bengalí o el tamil entre otras también están muy extendidas. Para ver con más detalle el modelo de escritura nos centraremos en el alfabeto devanagari.

Esta escritura se efectúa de derecha a izquierda. El devanagari sánscrito tiene dos variantes: la samhitapātha que se escribe con ligaduras y la llamada padapātha que se escribe con las letras separadas. El alfabeto sánscrito consta de 48 fonemas, unos vocálicos (simples y diptongos) y otros consonantes. También antiguamente se empleaba una acentuación, no de tipo fónico, sino un acento de altura, como también sucedía en el latín o el griego. De cara a la caligrafía también debe tenerse en cuenta, pues en los alfabetos neohindúes casi no se emplean los acentos.

Muestra de caligrafía en sánscrito con un estilo artístico realizada por el calígrafo Stewart J. Thomas.

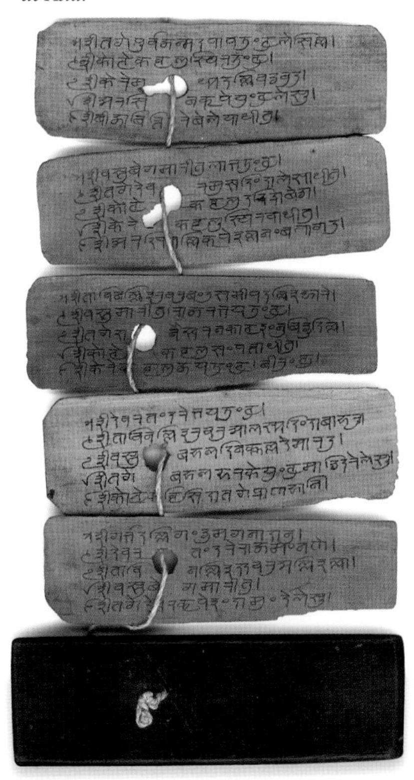

Parte de un manuscrito sobre hoja de palma en varias lenguas indostánicas, entre ellas el sánscrito. La hoja de palma era un soporte habitual en el sur de Asia.

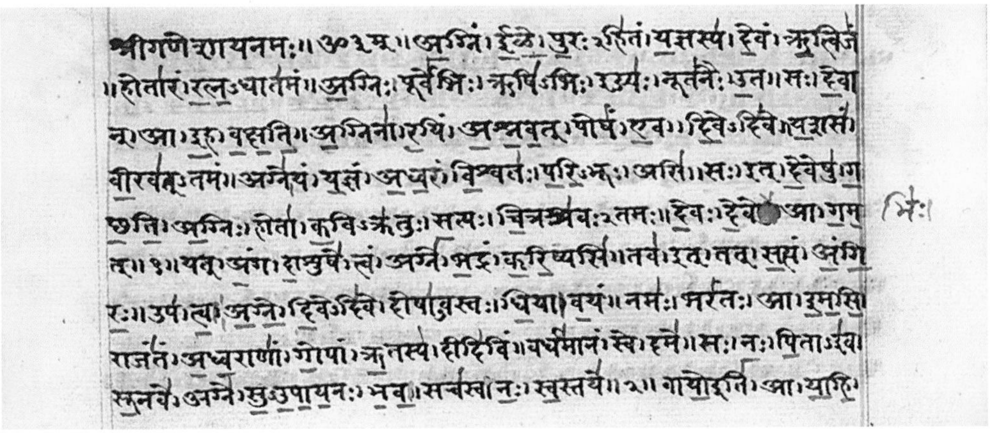

Página escrita en sánscrito del Rigveda, colección de himnos sagrados dedicados a los dioses que fueron escritos en sánscrito védico. Este texto está caligrafiado en sánscrito sobre papel, con acentos védicos y correcciones hechas en tinta roja.

La escritura cirílica

La escritura cirílica, originada en el siglo VII, constituye en la actualidad el sistema de escritura de millones de personas en varios países del este de Europa y también en la Rusia asiática, así como en todos las tierras donde la extinta URSS tuvo influencia. Pero al igual que en el resto de escrituras, también se desarrolló una caligrafía y de igual modo origina toda suerte de ejercicios artísticos.

EL ORIGEN

La escritura cirílica parte de la invención de un nuevo alfabeto por parte de los santos Cirilo y Metodio alrededor de 862-863 para traducir la Biblia y otros textos a las lenguas eslavas por encargo de un misionero del Imperio bizantino en Bulgaria. Se cree que fue san Clemente de Ohrid, a petición del rey eslavo de Moravia, quién deseaba una escritura para traducir la Biblia independientemente de las tres escrituras aceptadas por la Iglesia romana, que eran el hebreo, el griego y el latín, las tres lenguas de Cristo. La nueva escritura que se inventó y se utilizó era la llamada glagolítica, alfabeto inspirado en la escritura griega minúscula.

A partir de esta surgió la cirílica que más adelante, entre los siglos IX y XII, fue adoptada como escritura oficial por la Iglesia ortodoxa rusa.

ALFABETO CIRÍLICO

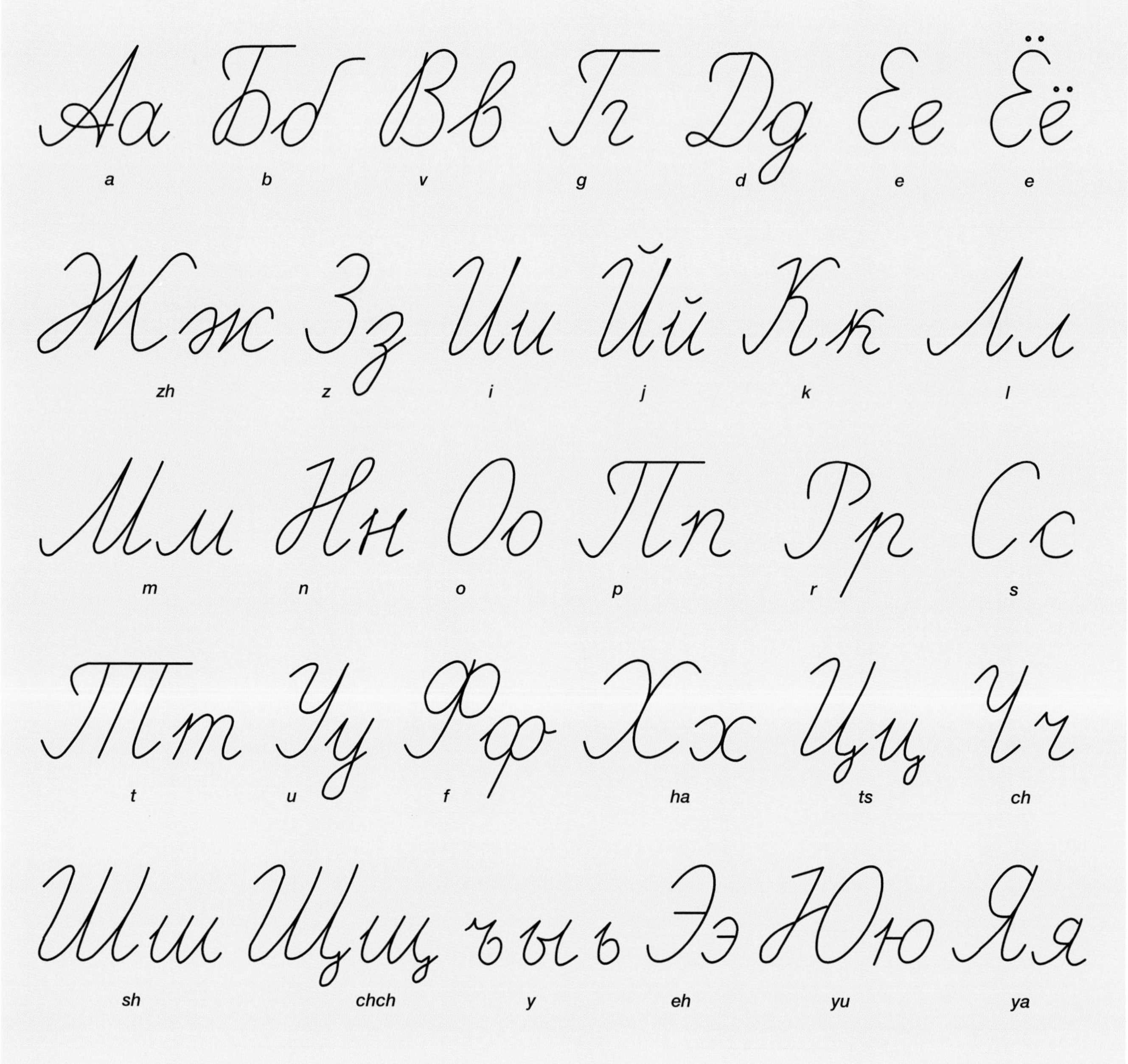

Аа a · Бб b · Вв v · Гг g · Дд d · Ее e · Ёё e

Жж zh · Зз z · Ии i · Йй j · Кк k · Лл l

Мм m · Нн n · Оо o · Пп p · Рр r · Сс s

Тт t · Уу u · Фф f · Хх ha · Цц ts · Чч ch

Шш sh · Щщ chch · ъ ы ь y · Ээ eh · Юю yu · Яя ya

LA EVOLUCIÓN

La escritura glagolítica constaba de 43 letras. En la actualidad, tras todas las reformas sufridas, incluida la acontecida en 1918 en que se eliminaron letras, el alfabeto cirílico actual consta de 30 letras.

El alfabeto cirílico se emplea en muchos idiomas de naciones de Europa y Asia, en especial el ruso, pero también el ucranio, el bielorruso, el serbio, el macedonio, el búlgaro, el kazajo y el mongol, entre otros. El alfabeto ruso es una variante del cirílico y consta de 33 letras.

Carta escrita en cirílico sobre corteza de abedul, procedente de Novgorod (Rusia) c 1100-1120.

Obra de Marina Marjina caligrafiada en ruso antiguo, en el estilo Ustav, donde podemos ver un excelente trabajo de iluminación de las letras con imágenes de inspiración rusa.

Caligrafía titulada El Sol, *de un poema de Maximilian Voloschin en ruso antiguo, en el estilo Ustav. Podemos también apreciar en la obra la utilización de pan de oro para iluminar la escena. Trabajo de Marina Marjina.*

Obra titulada Iastochka *(golondrina), de la serie* Nombre de pájaros *de la calígrafa Vera Evstafieva. Esta obra se creó con pincel y tinta, y permite apreciar la huella de las cerdas del pincel en el extremo de los trazos, dándole un aspecto más oriental.*

Caligrafía en ruso de la palabra "vorobey" (gorrión). Obra de la serie Nombre de pájaros *de la calígrafa Vera Evstafieva. Surgió del proyecto "Caligrafía al aire", en la que varios calígrafos se reunieron en un parque y en ese entorno escribieron nombres de pájaros. Vera usó una pluma creada con caña de bambú y tinta, así logró unos trazos rotos donde se aprecian las líneas creadas por las vetas de la madera.*

Los utensilios iniciales de la caligrafía

La historia de la escritura es también la de sus utensilios. A cada época le corresponden un material de soporte y un instrumento de escritura para esgrafiarla, tallarla o pintarla. Los materiales que se pueden incidir o pintar, ya sean de origen orgánico (animal o vegetal) o inorgánico (piedras o metales), han marcado la evolución de la escritura. La historia de los instrumentos de escritura se puede dividir en útiles para trabajar en seco y para utilizar con tinta. Se verá la evolución técnica desde el estilo y el cincel a la pluma de ave, la plumilla de bronce de los romanos, de acero en el siglo XIX, hasta la estilográfica y otros instrumentos de la actualidad.

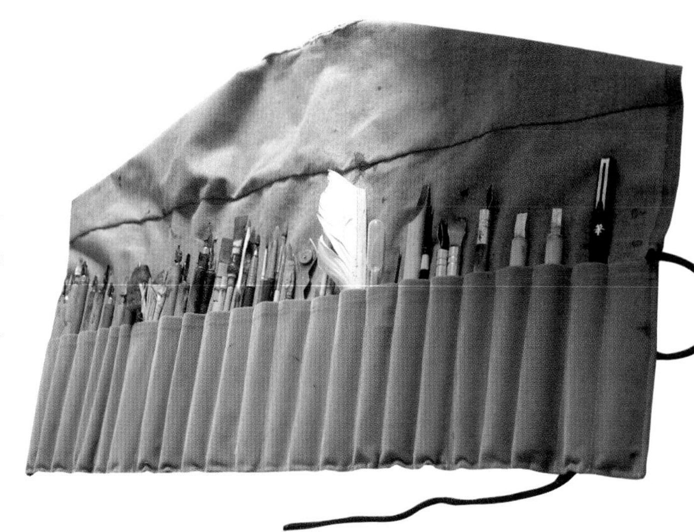

Instrumentos del calígrafo Massimo Polello. En el estuche se encuentran automatic pens; *pinceles; plumillas con sus mangos, una pluma de ave, un tiralíneas* butterfly; folden pens *creadas por el autor; hay cálamos y otros instrumentos experimentales. Massimo Polello guarda sus instrumentos en una funda textil que, además de secar los instrumentos, permite enrollarlos en su interior y de este modo facilita su transporte.*

ESCRITURA EN SECO

La escritura en seco aún se practica en la actualidad, sobre todo en fachadas y esculturas, pero los utensilios han cambiado totalmente, ahora se usan mucho los instrumentos mecanizados. En este capítulo nos centraremos en los instrumentos tradicionales y se mencionan los más importantes, si bien son poco empleados en ejercicios de caligrafía recreativa dado que se emplean en materiales duros como la piedra, la arcilla tierna o la madera. Dichos instrumentos son el cincel, el buril y el estilo, e incluso el cálamo, como se verá más adelante, aunque hoy en día podrían utilizarse otros en función del material sobre el cual se trabaje.

EL CINCEL

Es la herramienta que se usa para cincelar, es decir, para labrar la piedra o para cortarla mediante la percusión que se efectúa con una maza o un martillo adecuado. El uso más frecuente del cincelado lo encontramos en las culturas antiguas, como la romana, cuyos canteros esculpían a golpe de cincel las letras capitulares romanas sobre la piedra de los monumentos.

EL BURIL

Se trata de una herramienta de grabado, un punzón metálico afilado de corte fino y a bisel que se usó en las primeras escrituras, donde se grababan signos incididos sobre la tablilla de barro o arcilla.

El cincel es un instrumento de corte metálico que se usa para labrar la piedra. A causa del uso, el filo de corte se deteriora con facilidad, por lo que es necesario afilarlo con frecuencia.

EL ESTILO

Es una herramienta en forma de punzón, hecha de marfil o de hueso, con el cual se escribía mediante la técnica del rayado en tablillas enceradas. Para borrar lo escrito, se aplicaba con fuerza el otro extremo del punzón, que terminaba en una forma redondeada y plana, sobre la cera. El estilo metálico se conocía bajo el nombre de *graphium.*

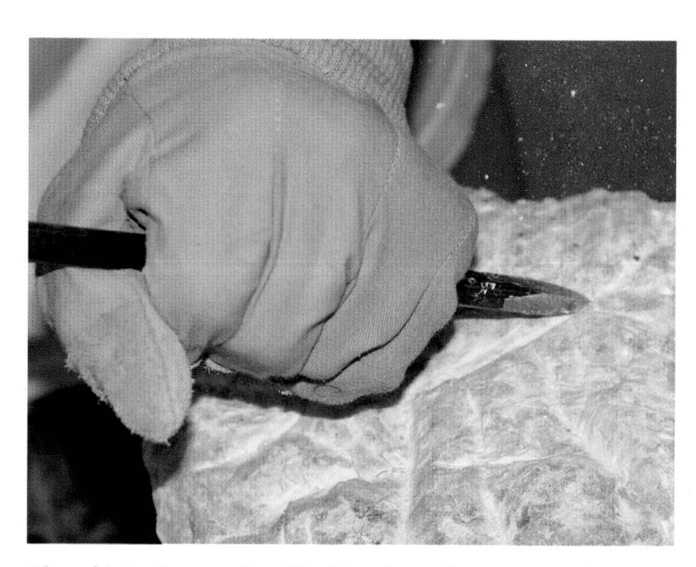

El uso del cincel es por golpeo. Tradicionalmente los canteros escribían previamente con un pincel la caligrafía sobre la piedra que luego labraban con el cincel. Para trabajar, se coloca el cincel en el lugar donde se quiere labrar la piedra y, con la ayuda de un martillo, se procede a golpear e incidir. Para el uso del instrumento conviene proteger bien la mano. Foto de Andrew Magill.

Uno de los soportes más antiguos para la escritura, las tablillas de arcilla, eran escritos con un instrumento de cierta dureza, bien un cálamo de caña o también un buril metálico.

ESCRITURA CON TINTA

Son los más comúnmente empleados en caligrafía dado que tienen un uso inmediato sobre soporte de papel u otros, como el pergamino, que pueden trabajarse fácilmente sobre una mesa, sin requerir excesivo espacio.

Desde hace muchos siglos, por esta razón de comodidad e inmediatez, la humanidad comenzó a escribir con instrumentos que requerian un colorante –la tinta– para trazar sobre un soporte absorbente y más o menos ligero, que en Occidente y más en concreto en Próximo Oriente y la zona del Mediterráneo primero fue el papiro, luego el pergamino, y siglos más tarde, cuando se conoció el proceso de fabricación inventado en China, el papel. Estos materiales de soporte eran más fáciles de escribir y luego de guardar que las tablillas de arcilla que se escribían en seco, más voluminosas y menos prácticas.

Letterform, *obra creada por el calígrafo francés Claude Dieterich A. con varios instrumentos diferentes. Entre ellos están el pincel y las plumillas metálicas y flexible para escritura* copperplate.

LOS PRIMEROS UTENSILIOS

En la primera parte de este apartado describirán los instrumentos más antiguos, los iniciales de la caligrafía en Occidente. Estos son el cálamo, instrumento que ya era usado, de forma distinta, para grabar en las tablillas de arcilla. Más adelante, ya en la alta Edad Media, se utilizó para escribir ciertas plumas seleccionadas de aves. En ambos casos, estos utensilios, si bien es posible encontrarlos en el comercio, suelen confeccionarse porque es sencillo hacerlo y, en muchos lugares no son fáciles de conseguir.

Otro instrumento utilizado desde muchos siglos atrás es el pincel y todas sus variantes. Es el instrumento de escritura por antonomasia en el Lejano Oriente y también en otras culturas, pero no se describe en este primer apartado dado que su uso común ha perdurado más que ningún otro. Por ello se ha dedicado un apartado para describirlos.

LOS UTENSILIOS ACTUALES

Los demás instrumentos de caligrafía con tinta son ya mucho más modernos y se utilizan en la actualidad o como mucho hasta hace pocas décadas, como sería el caso de la plumilla metálica. De todos modos, desde hace décadas, la escritura a mano, desde siempre muy cuidada por los profesionales, los escribanos, se ha tornado una actividad artística para muchas personas. Es en este contexto que se han rescatado el uso de antiguos instrumentos de escritura para tinta y se han introducido muchos otros que inicialmente no eran concebidos para un uso artístico, como podría ser el caso de los espráis o el tiralíneas de dibujo lineal. Todo ello es cuanto se va a descibir en los apartados que siguen.

Caligrafía árabe realizada con cálamo en el estilo thuluth por Steward J. Thomas. El cálamo de caña es el instrumento básico en la caligrafía árabe.

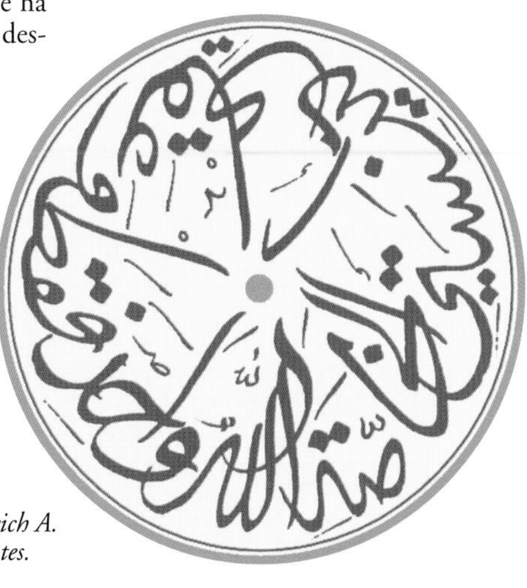

EL CÁLAMO

El nombre de este útil proviene del término latín *calamus*. Para su uso con tinta, consiste en un trozo de caña con un extremo cortado en forma de punta o al biés con una hendidura en medio. Con dicho corte se consigue la alternancia entre trazos gruesos y finos, característica de la mayoría de estilos caligráficos.

El cálamo se usó durante toda la Antigüedad para escribir en seco en tablillas de barro por su fácil y económica obtención (ver recuadro), dado que era un material que abundaba en las tierras pantanosas de Mesopotamia, en las riberas del Nilo, del Tigris y del Éufrates. En la cultura romana, se le conocía con el nombre de *arundo*.

El cálamo fue el instrumento usado en la escritura árabe: donde fue muy apreciado. Encontramos referencias en el Corán (96, 1-5): "*¡Lee, en el nombre de tu Señor, que ha creado, ha creado al hombre de un coágulo de sangre! ¡Lee! Tu Señor es el Dadivoso, que ha enseñado el uso del cálamo, ha enseñado al hombre lo que no sabía*".

Siglos después, el cálamo fue reemplazado, poco a poco, por el uso de la pluma de ave. Hoy en día, el cálamo únicamente tiene un uso artístico para la escritura, siendo apreciado por la textura de su trazo, sus transparencias y sus aguas.

EL CÁLAMO Y LA ESCRITURA CUNEIFORME

El cálamo fue el instrumento utilizado para la escritura cuneiforme, pues era un útil de fácil uso sobre una superficie blanda como la arcilla, así la caña dejaba una forma triangular en la arcilla húmeda, en forma de cuña, llamada *cuneus* en latín, de ahí viene su nombre de esta escritura: cuneiforme.

El cálamo era el instrumento usado en la escritura árabe. El cálamo es muy interesante porque crea transparencias y su trabajo es especialmente bello sobre papel rugoso por las texturas que llega a crear. Foto de Miskan.

Cálamo ya preparado para su uso. En las tiendas de bellas artes se pueden comprar ya cortados y preparados para su uso.

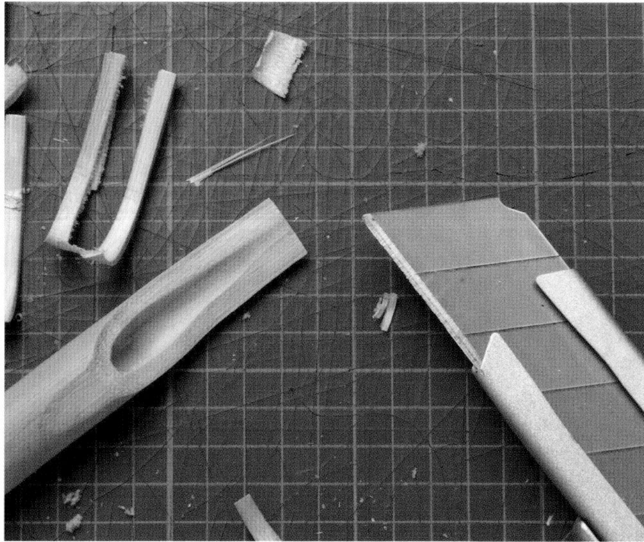

1, 2, 3. *La secuencia muestra cómo se realiza el segundo corte, hecho al biés; el modo de extraer la médula y cómo se realizan los acabados del extremo de la caña sobre la tabla de corte.*

4. Apertura de una hendidura en la caña que luego permita abrirla por agrietamiento.

5. Realización del corte final, ligeramente inclinado.

6. Lijado de la punta.

CÓMO PREPARAR UN CÁLAMO

En su elaboración se emplea la caña que crece comúnmente en la zona mediterránea. Es importante que la caña esté bien seca antes de su empleo. Para ello hay que dejar secar la caña entre un tiempo mínimo de 6 meses y un año en un lugar seco, mejor si está soleado. Pasado ese tiempo, debe limpiarse y cortarse según las instrucciones siguientes.

MATERIALES

- Caña seca
- Una sierra pequeña o un cúter.
- Papel de lija.
- Una placa de madera lisa o una tabla de corte *(cutting mat)* o bien una superficie dura para poder cortar.
- Chapa de aluminio o de lata de bebida.
- Tijeras para cortar metal.

PROCESO DE PREPARACIÓN

Tras tener la caña bien seca y limpia, hay que cortarla en trozos rectos de 15 o 20 cm de largo, longitud cómoda para la mano y para su buen manejo. Al cortar, hay que evitar que coincida con un nudo de la caña, pues sería muy incomodo para la escritura. Para realizar dicho corte, se usa un cúter grande o una sierra y se efectúa el tajo sobre la superficie de madera o la tabla de corte, con mucha precaución para no dañarse.

El segundo tajo se efectuará al biés sobre la tabla de corte. Hay que extraer también la médula de la caña, si no, ésta impediría el flujo de la tinta.

LA HENDIDURA

A partir del primer corte recto, se procede a abrir con cuidado la hendidura longitudinal. Dicha hendidura debe hacerse por agrietamiento del material y no mediante una incisión; al abrir se notará que la caña se parte de forma recta y limpia. Esta hendidura sirve para que la tinta ascienda por capilaridad al cargarla y para que, al escribir, ésta fluya correctamente.

Al final se realiza un corte que debe ser ligeramente inclinado y hacia adelante. Esto facilita que la punta tenga un filo agudo, lo que permitirá escribir con trazos finos, muy delgados.

Para asegurar que el corte esté completamente limpio, se recomienda lijar un poco la punta para asegurar la total suavidad, y así un trazo limpio en el papel.

MONTAJE DEL DEPÓSITO

Ahora se va a crear el depósito, que consiste en una pieza metálica la cual sirve para acumular tinta en el extremo de la caña; de esta forma no hace falta recargar la tinta tan frecuentemente. El depósito se colocará en el interior hueco de la caña. Con las tijeras se corta una lata de bebida o una placa de aluminio de similar grosor, para que sea flexible. Debe obtenerse una tira fina de aproximadamente medio centímetro de ancho, variable según el tamaño de la caña pues su interior debe permitir que se pueda introducir. Se dobla ligeramente la tira metálica, y se le da una forma de S, que se introduce en la caña.

Por último, hay que tener muy presente que, tras cada uso de la caña, ésta debe limpiarse de la tinta sobrante y guardarla en un lugar seco.

Fotograma del DVD para la exposición Leonardo da Vinci: la vera immagine *(2005-2006) donde se aprecia el fluir de la tinta desde el interior de una pluma de oca sobre el papel en un trabajo del calígrafo Massimo Polello. La pluma de oca es muy flexible y permite escribir con gran fluidez.*

TIPOS DE PLUMAS

Durante la Edad Media, para escribir se usaron plumas de varias aves, como el faisán, el ganso, el águila, el pavo real o el cuervo. Las plumas se clasifican por su situación en el ala del ave: de este modo se habla de primarias, secundarias, terciarias, etcétera.

La pluma es una herramienta muy ligera y flexible, por lo tanto su uso es muy preciso, por ello se debe practicar mucho con ella antes de lograr buenos resultados. Es excelente para la caligrafía pues se puede utilizar tanto para escribir con tinta como con guache o con acrílicos.

En los últimos tiempos ha renacido el uso de la caligrafía con pluma de ave, aunque el empleo de este instrumento es mucho más difícil que el de la pluma convencional.

LA PLUMA DE AVE

Se desconoce cuándo empezó a usarse la pluma de ave, pero en el British Museum de Londres se puede apreciar su uso por los escribas en pinturas egipcias. Pero, sin duda, su período de esplendor empezó cuando, hacia 190 a.C., el soporte de pergamino fue reemplazando al papiro hasta entonces en uso. A medida que el consumo del papiro fue creciendo, subió mucho el precio y por ello se buscaron otros soportes más asequibles para escribir, a tal necesidad se debe principalmente el empleo del pergamino.

La pluma de ave es muy flexible y muy ligera lo que permite escribir bellos trazos con fluidez y gran soltura. Por la belleza de su trazo y su economía, su uso se extendió por un largo período.

Curiosamente, si está interesado en la práctica de la caligrafía con este instrumento debe tener presente un par de consideraciones: una de ellas es que si se es diestro debe hacerse uso de las plumas del ala izquierda, pues la inclinación de su astil es a la derecha y es la correcta al manejo con la mano derecha y viceversa. La otra premisa es que las plumas de ave pueden conseguirse básicamente de dos formas: o ir a la tienda de bellas artes habitual a ver si tienen plumas de ave ya cortadas y preparadas para su escritura, o bien dirigirse a una tienda de carne de ave del mercado o a un criadero de aves de corral y manipular uno mismo la pluma tal como se indica a continuación.

PREPARAR UNA PLUMA DE AVE

Este instrumento muchas veces no se encuentra en tiendas de arte o de material de bellas artes, de modo que si se desea usar primero hay que prepararla. A continuación se explica como debe procederse.

LA ELECCIÓN

Conviene trabajar con varias plumas a la vez, para al final del proceso seleccionar las mejores y desechar las defectuosas. Las plumas se eligen por su dureza, dimensión y peso de su extremo y la mejor época para recoger plumas es cuando las aves tienen muda.

Tras elegir las plumas más grandes y duras, se les realiza un corte al biés en la punta a todas ellas con ayuda del cortaplumas o con el cúter y se colocan en ceniza caliente; esta técnica se llama maceración.

LA LIMPIEZA

Luego, para poder escribir con comodidad, hay que quitarle las barbas a la pluma, para ello hay que sostenerla con fuerza y de un tirón eliminarlas. Si se precisa, puede utilizarse unas tijeras o el lomo de un cuchillo para acabar de quitar los restos y alisar la pluma.

Tras este paso se debe limpiar el interior de la pluma y eliminar la médula. Para ello, se usa un alambre doblado en U o bien un palito largo, de modo similar a cuando limpiamos el oído con bastoncillos.

Finalmente se elimina la película exterior del astil de la pluma raspando con el cortaplumas para pulirla, a este proceso se le llama *clarificación.*

Para efectuar más exhaustivamente la clarificación de la pluma, se atan varias con hilo de algodón para embalar u otro similar y se bañan los extremos en agua hirviendo con sal durante aproximadamente unos 15 minutos.

Durante esta fase del proceso hay que estar muy atento que no se quemen las plumas, pues al ser muy ligeras, no pesan y flotan; asimismo los extremos no deben tocar los bordes de la olla ya que se quemarían. Luego, una vez que las plumas se han ablandado se procede a su raspado con el cortaplumas con cierta presión. Tras su raspado, deben dejarse secar por completo al aire.

El uso de la caligrafía con pluma de oca ha renacido y ello puede apreciarse en el trabajo de Silvia Cordero titulado Árbol de letras, *que ha usado este instrumento con tinta china sobre papel texturado, logrando un bello trabajo con caligrafía* gestuale.

MATERIALES NECESARIOS

- Plumas de oca, ganso o pavo.
- Un instrumento de corte de hoja fija con mango (cúter) o un cuchillo pequeño de hoja de acero lo más recta posible. Antiguamente al instrumento usado para cortar las plumas de ave se le llamaba *cortaplumas*.
- Una placa de madera lisa o una placa de corte o *cutting mat*.
- Chapa de cobre, bronce o aluminio, o simplemente chapa de lata de bebidas.
- Un recipiente o una olla para hervir agua.
- Cenizas calientes.
- Hilo del tipo de algodón o similar.
- Tijeras para cortar metal.

EL ACABADO

El proceso es casi idéntico a la preparación de los cálamos visto en páginas anteriores, pero la pluma es mucho más delicada que aquel instrumento y se debe extremar la precisión en los cortes para que no se dañe. Hay que practicar un corte oblicuo a la pluma y luego se cortan los laterales; mediante este corte se le da el grosor deseado.

Ahora se procede a realizar la hendidura; para ello, se practica una incisión en la punta sin casi presionar en el corte y, con la ayuda de una cuchilla, se hace palanca en dicho corte.

Por último se corta la punta; para ello se coloca la pluma apoyada sobre la tabla de corte o *cutting mat* a 90º, y se le practican dos cortes: uno oblicuo a la tabla de cortar, el corte de afilado de la punta de la pluma, y el otro perpendicular respecto a la tabla.

CONSTRUCCIÓN DEL DEPÓSITO DE TINTA

Ahora hace el depósito, que consiste en una pieza metálica que servirá para acumular tinta en el extremo de la pluma, método que permitirá escribir de forma más fluida y no recargar con tanta frecuencia. El depósito se coloca en la parte interna y hueca de la pluma. Con las tijeras para metal se corta de una lata de bebida una tira fina de medio centímetro de ancho aproximadamente, según el tamaño de la pluma. Se dobla ligeramente la pieza de metal flexible dando forma de S y luego se introduce en la cavidad de la pluma; esta pieza debe quedar inmovilizada y permitirá retener la tinta en la punta de la pluma. Tras esto, la pluma de ave está lista para utilizar.

1. *Los pasos básicos de elaboración de una pluma seleccionada empiezan por el corte del astil al biés y la eliminación de la parte de barbas que se desee para trabajar con comodidad. Para ambas operaciones se puede usar un cúter o un cortaplumas. Si se estima oportuno pueden eliminarse todas las barbas o conservar una parte de ellas.*

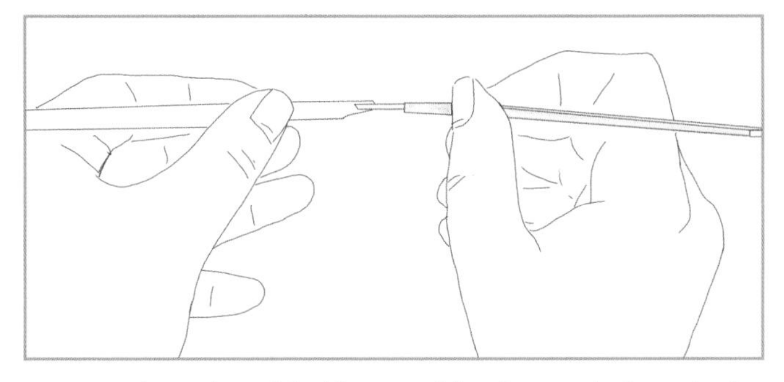

2. *Luego se limpia la médula del interior del astil con ayuda de un alambre o un bastoncillo.*

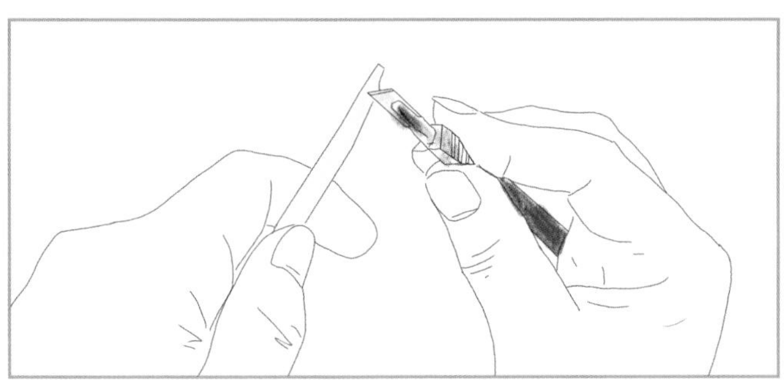

3. *A continuación se practican unos cortes oblicuos en los laterales de la punta de la pluma. Hecho esto, se hace una fina incisión en la punta sin apenas apretar. Haciendo palanca en el corte, este se abrirá ligeramente.*

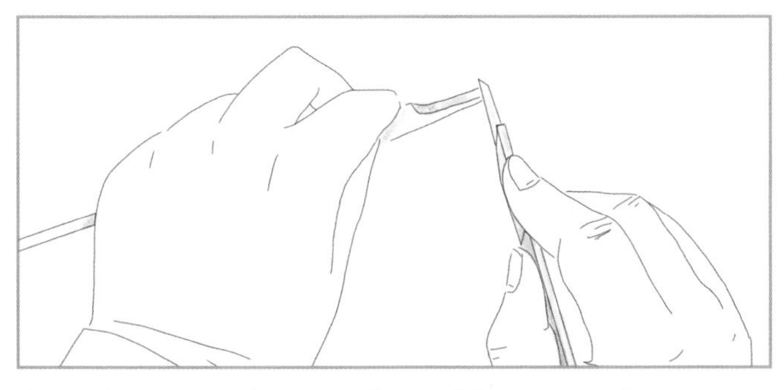

4. *Por último, se corta la punta en función del grosor que se desea.*

Una pluma de ave terminada y detalle de su punta con la incisión.

Las plumas metálicas

La pluma metálica es el resultado de la búsqueda de un instrumento que fuera más duradero, manejable y sobre todo práctico, pues mediante el uso del depósito se redujo mucho las recargas de tinta, haciendo así la escritura más fluida.

Logotipo de Fontanella caligrafiado con plumilla metálica. Es una creación del calígrafo Ricardo Rousselot. La pluma metálica permite caligrafiar con trazos uniformes.

Fontanella

LA PLUMA METÁLICA Y SU ORIGEN

Contra lo que pueda creerse, la pluma metálica no es un instrumento reciente y ya se hallan vestigios de ellas en la tumba del faraón Ramsés II. En concreto, una pluma de cobre del siglo XIII a.C., lo cual demuestra que los egipcios ya hacían uso de ellas. Su uso se prolongó durante la cultura romana, en que se han hallado plumas de bronce de forma similar a las plumas de ave.

LAS PLUMILLAS MODERNAS

La primera pluma metálica "moderna" documentada aparece en el siglo XVII, en Francia, realizada por el joyero parisino Nicholas Bion (1652-1733). En 1700 inventó una plumilla, un instrumento que colocó como punta de escritura en el cañón de una pluma de ave. No era un inventor de ninguna innovación técnica importante, pero fue muy apreciado por la exactitud de sus instrumentos y de la técnica excelente con los cuales eran manufacturados. A él se le debe el manual *Ingénieur du Roi pour les instruments des mathematiques*, con descripciones muy bien ilustradas, reeditado varias veces.

Pero fue durante la revolución industrial del siglo XIX, en que la pluma metálica alcanzó su época de esplendor, y fue el británico John Mitchell quien patentó las primeras plumillas de acero en 1822. Entre fines del siglo XVIII y comienzos del XIX empezaron a fabricarse plumillas de acero en serie.

En 1830 Joseph Gillott creó en Birmingham una industria donde se fabricaban plumillas metálicas en serie. Estas puntas o plumillas, como comúnmente se las conoce, se sujetan a algún tipo de soporte en forma de mango o portaplumas que las sostiene para escribir y permite sumergirlas en un tintero para su carga de tinta. Mediante este tipo de plumilla se puede escribir caligrafía de distintos estilos: carolingia, gótica, humanística, cancilleresca y redonda entre otras muchas.

Plumilla actual decorativa que imita a las creadas por Nicholas Bion. Se aprecia la pieza metálica que se adapta como punta de escritura en el cañón de una pluma de ave.

Plumillas de diferentes tamaños de la serie de Joseph Gillott. En 1830 Gillott creó en Birmingham una industria donde se fabricaban plumillas metálicas en serie. Las aquí fotografiadas son óptimas para realizar trazos muy finos ideales para florituras, caligrafía de pequeño tamaño o dibujos de gran precisión.

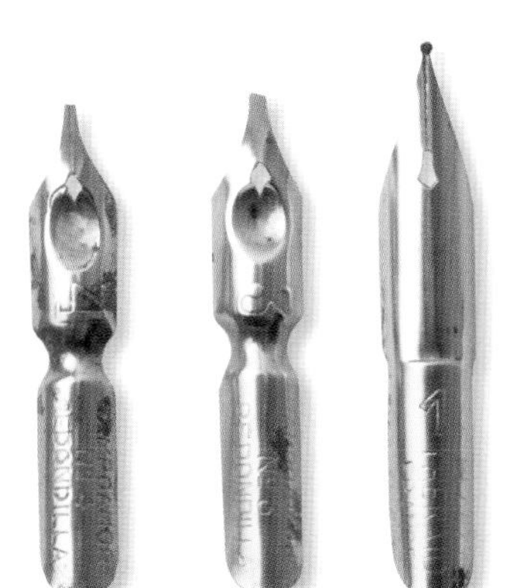

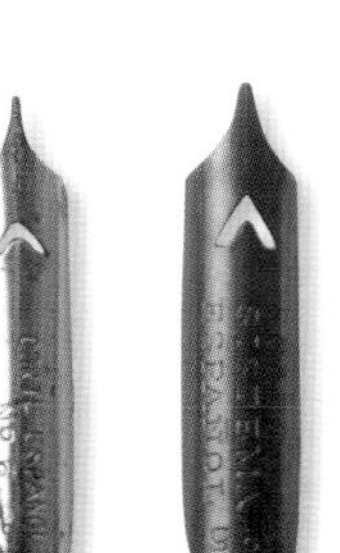

Las primeras plumillas son de la marca Brause de 2 y 4 mm de ancho. La siguiente es una plumilla flexible Brause nº 361. La cuarta y la quinta son plumillas Campoamor, de 3 y 4 mm, para caligrafía redondilla. La sexta plumilla es de 1,25 mm de la marca francesa Blanzy Treraid y se presenta también con depósito. Las tres de la derecha son plumillas "Corte español".

Plumillas Brause de 0,5, 1,5 y 5 mm de ancho. Las plumillas Brause tienen incorporadas un depósito que permite cargar tinta y así tener más autonomía al escribir caligrafía.

Plumilla Mail Pen de la marca inglesa Brandauer & Co nº 138.

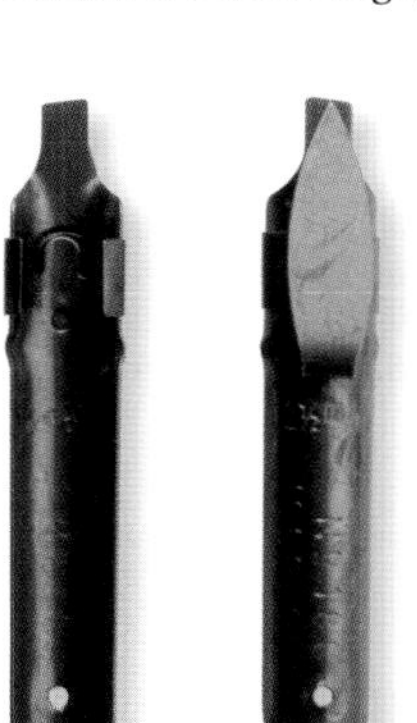

Plumilla Brause en que se aprecia el frontal y dorso, con detalle del agarre del depósito metálico.

CLASES DE PLUMILLAS

En la actualidad es posible adquirir plumillas metálicas en establecimientos de bellas artes o en papelerías. Tienen depósito cargador de tinta en la parte superior, lo cual permite una escritura homogénea sin tener que recargar en el tintero de forma tan frecuente. Estas plumillas se clasifican en milímetros de grosor, dato que va grabado sobre el metal. Para su empleo se debe adquirir también un mango donde encajarla.

Las más frecuentes de encontrar y las que se recomiendan para caligrafiarla son las plumillas de la marca Brause. Son interesantes por la gran variedad de tamaños que se fabrican, desde 0,5 a 5 mm, y por que disponen de un depósito que facilita la escritura. Este deposito se carga de tinta y permite no tener que cargar tan frecuentemente la plumilla en el tintero.

MANGOS

Actualmente podemos encontrar mangos de madera, de plástico e incluso metálicos. Y los hay lisos, con texturas, monocromos y multicolores, es decir, para todos los gustos. En el extremo del mango se halla una pieza metálica insertada donde se encajan las plumillas.

Detalle de mango con palanca. Esta palanca permite fijar e inmovilizar la plumilla al mango.

Plumilla insertada en el mango de madera.

Plumilla oblicua. Su forma ayuda a trabajar con gran precisión pues permite ver la escritura sin que la mano y el mango la oculten. Son idóneas para escribir letra inglesa o Copperplate.

Detalle de una plumilla con cargador de latón situado por detrás.

Plumillas con mangos intercambiables.

Ésta plumilla de la marca Brause tiene 5 puntas y sirve para dibujar partituras. Por su forma permite hacer las 5 lineas del pentagrama totalmente paralelas de un solo trazo.

LA PLUMA ESTILOGRÁFICA

La primera pluma estilográfica se patentó en 1827 y fue creada en París por un joven inventor rumano llamado Petrache Poenaru.

Más adelante Lewis Edson Waterman, que nació en 1837 en Decatur (Nueva York), fue uno de los personajes clave en la historia de la pluma estilográfica pues inventó el alimentador.

EL FUNCIONAMIENTO

El alimentador consiste en una pieza colocada debajo del plumín que permite un mejor flujo de tinta por capilaridad, que así baja de forma homogénea y evita los odiosos borrones, creando así la llamada *Fountain pen* (o *pluma fuente*). Al contrario que las antiguas, ésta es automática y con ella no es necesario mojar la plumilla en un tintero a cada momento. Las plumas fuente llevan un cargador interno, llamado cartucho de tinta o convertidor, y la tinta fluye mediante el principio físico de la capilaridad. La patente fue registrada en 1884, siendo la predecesora de las plumas estilográficas actuales.

PLUMAS ESTILOGRÁFICAS PARA CALÍGRAFOS

En la actualidad existen también plumas estilográficas preparadas especialmente para la práctica de la caligrafía pero, en lugar de depósito recargable, emplean un cargador recambiable de modo que no hay que usar tintero. La gama más reconocida es la Art Pen de la marca Rotring. Son unas plumas muy interesantes pues se comercializan con una gran variedad de plumines, incluso para los calígrafos o usuarios zurdos.

Otras de las plumas estilográficas interesantes que podemos encontrar con facilidad son las de punta de pincel chino. Se trata de plumas con cartucho pero con la punta de pincel. Excelentes para trabajos más libres e incluso para dibujo. Se comercializan también con varios tonos de tinta.

Pluma estilográfica Montblanc, marca de gran calidad. Este modelo tiene un plumín con cobertura de oro e iridio, que garantiza la máxima dureza y trazo nítido. En la ilustración inferior puede observarse el plumín por su cara superior e inferior para apreciar el acabado.

Patente de la Fountain pen *de Waterman. El dibujo muestra el cargador interno o alimentador, que suelta la tinta de forma homogénea por el principio físico de capilaridad.*

Pluma estilográfica modelo script 1,5 mm de la marca Pelikan.

Plumas estilográficas con la plumilla biselada, una para diestros y la otra para zurdos o bien para la práctica de la caligrafía árabe.

Plumas estilográficas con punta de pincel chino; se venden con diferentes colores de tinta, en este caso vemos el ejemplo en tinta negra y en tinta naranja.

Diferentes automatic pen *de 2, 3 y 4 puntas de la marca Brause. Son muy interesantes por su depósito en forma de rombo, cargan una gran cantidad de tinta y permiten hacer trazos de gran tamaño. Las puntas permiten crear una textura muy elegante y divertida a la vez, se pueden crear bonitas letras o formas orgánicas de un solo trazo.*

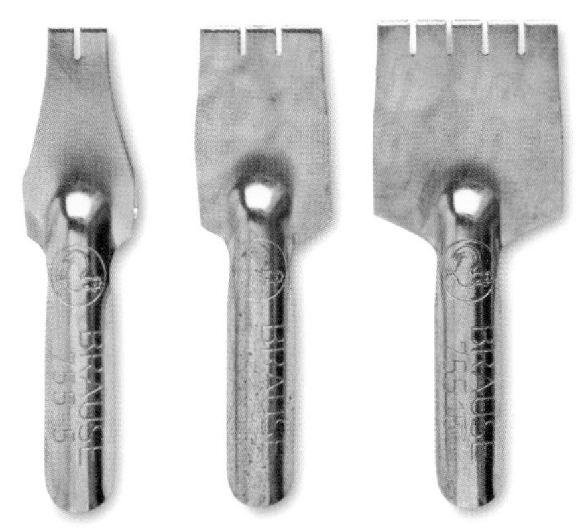

AUTOMATIC PEN

Las *automatic pen* o plumas automáticas son más anchas que las normales y están provistas de un depósito mayor de forma romboidal. También podemos encontrar plumillas automáticas metálicas de dos o más puntas. Se trata de unas plumillas de punta ancha dividida a su vez en dos o más puntas gemelas que permiten escribir con múltiples trazos a la vez, creando un efecto curioso e interesante. Son ideales para escribir letras de tamaño grande.

LA COLA-PEN

Se trata de una herramienta que imita la *automatic pen* y que está confeccionada con la chapa de una lata de bebida de aluminio. Es una herramienta muy interesante, de reciente creación, y muy usada en caligrafía experimental para trabajos donde interesa que el trazo de la escritura sea ancho. De confección artesanal, se encuentra a la venta en páginas de internet, pero podemos crear nuestra propia *cola-pen* muy fácilmente.

Caligrafía realizada con una automatic pen *flexible, que puede ser adquirida comercialmente bajo el nombre* Folden pen, *o confeccionada en casa como la* cola-pen *que vamos a mostrar a continuación.*
Obra Infinito *creada por el calígrafo Marco Campedelli en tinta sobre papel. Puede apreciarse la expresividad del trazo así como sus errores, pero que en casos como éste trabajo embellecen el resultado.*

Dos páginas del libro manuscrito Polvere *con poemas de Alda Merini, obra de la calígrafa Anna Ronchi. Trabajo realizado en guache, acuarelas y papel de oro. Escrito con varios instrumentos experimentales, plumas metálicas y* automatic pens.

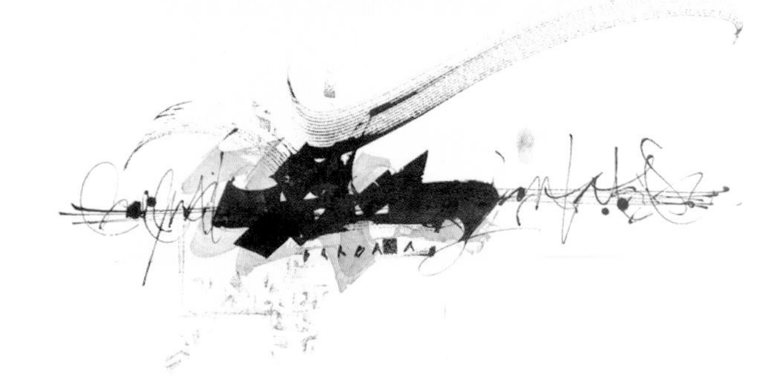

Trabajo de Christel Llop titulado Caligrafía abstracta. *Esta obra, de 50 × 65 cm, está escrita en tinta negra usando plumillas metálicas y* automatic pens *de varias puntas sobre papel acuarela. La obra se completa con elementos en colage. En esta obra se aprecia el resultado de una* automatic pen *de varias puntas, su trazo ancho de líneas paralelas. El resultado confiere formas muy orgánicas.*

MATERIALES

- Una lata de bebida vacía.
- Tijeras para cortar chapa.
- Un cúter.
- Alicates de punta plana.
- Alicates de corte.
- Palitos de madera.
- Cinta aislante.

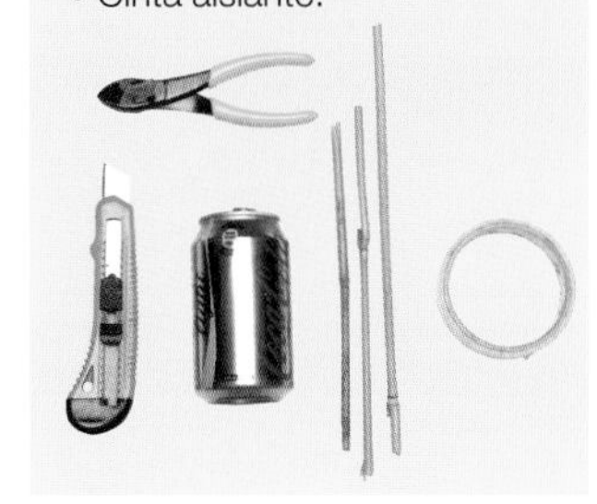

PROCESO DE CONSTRUCCIÓN

En resumen, la construcción de una *cola-pen* se forma doblando y manipulando un pequeño trozo del metal de la lata, una superficie doble con una arista cortada por donde entra la tinta por capilaridad y luego la va soltando a medida que se escribe. Esta arista ancha produce efectos muy interesantes al escribir caligrafía.

1. *Antes que nada debe lavarse la lata, mejor con agua caliente, para quitar restos de la bebida que por su densidad de azúcar suelen ser muy pegajosos. Luego se corta el metal usando el cúter sobre la lata colocada horizontal, con mucho cuidado de no dañarse. Se cortan los extremos y luego, sin que se abolle el metal se abre el cilindro en un sentido longitudinal.*

2. *Una vez que se ha obtenido una lámina flexible de metal de la lata, se procede a recortar las irregularidades y rebabas mediante unas tijeras.*

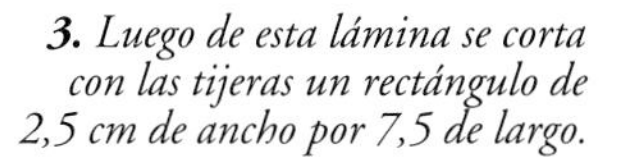

3. *Luego de esta lámina se corta con las tijeras un rectángulo de 2,5 cm de ancho por 7,5 de largo.*

4. *Después se dobla este rectángulo por la mitad.*

5. *Y se doblan las esquinas en la parte del doblez en forma de triángulo equilátero sin que se lleguen a tocar, dejando un espacio en medio.*

6. *Con las tijeras se iguala el reborde sobrante.*

7. En la mitad de la pieza se practican unos cortes pequeños, de menos de un tercio del ancho, con cuidado de no cortarla del todo.

8. Ahora se doblan las esquinas de los cortes realizados hacia adentro, igual que la vez anterior.

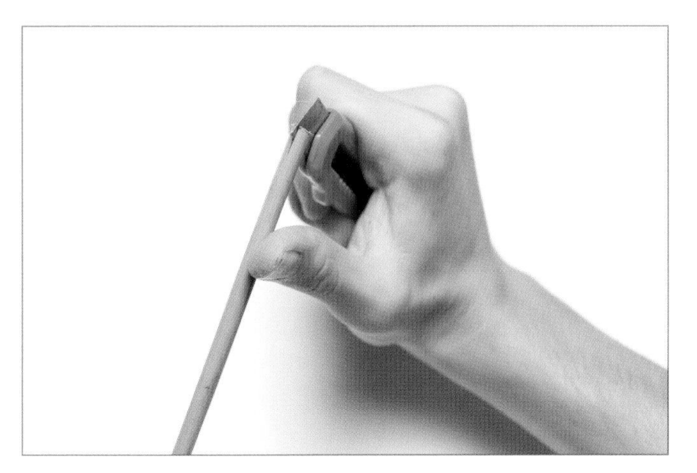

9. Luego se corta el palito por uno de los extremos en la mitad de su grosor, de forma longitudinal, usando el cúter. Al realizar el corte, debe irse con cuidado para no lastimarse. No es necesario hacer un corte muy profundo.

10. A continuación se inserta la lámina doblada dentro del corte. Es importante que los primeros extremos doblados queden en la parte superior.

11. Se corta la lámina sobrante. Si se desea, se puede doblar envolviendo el palito en vez de quitarla.

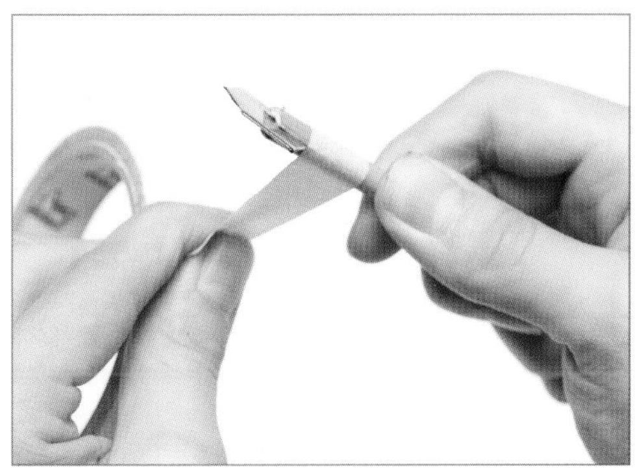

12. Con la cinta adhesiva aislante se sujeta la cola-pen *al palito. Se debe apretar fuerte de modo que no permita la movilidad de la plumilla.*

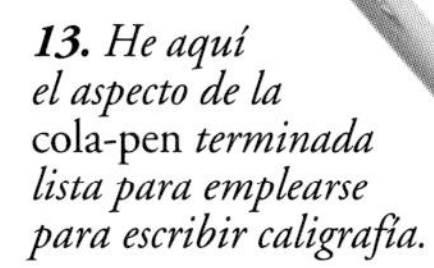

13. He aquí el aspecto de la cola-pen *terminada lista para emplearse para escribir caligrafía.*

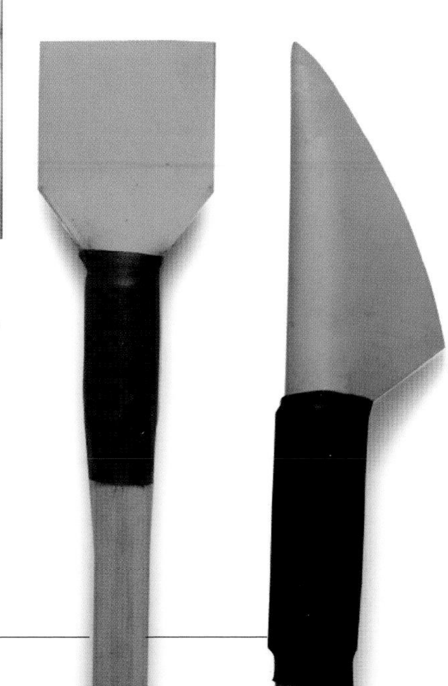

Pluma y tiralíneas modificados para practicar caligrafía.

El pincel

Se trata de uno de los instrumentos básicos del calígrafo. Es una herramienta muy versátil y con muchas posibilidades por la gran variedad que hay en el mercado, incluidos los de origen oriental: chinos y japoneses.

Gusto Italiano

Logotipo de Gusto Italiano para el packaging *y etiquetado de una botella de vino para el mercado americano. Fue creado a pincel por el calígrafo Chen Li para Remo Mellano, de Turín (Italia). En el trazo podemos apreciar la soltura del pincel así como su característico contraste entre fino y trazo grueso.*

CALIDADES Y USOS

La calidad del pincel se basa en el tipo de pelo: entre otros muchos, los hay de pelo de cabra, que son de poca dureza y flexible; de marta; de liebre, duro y muy flexible; de crin de caballo, que por su dureza es muy adecuado para trabajos de gran formato.

También es muy interesante valorarlos por su forma y tamaños: los hay de punta de corte recto y planos como el pincel de punta carrada, muy adecuados para la rotulación; de punta ancha y de punta cuadrangular, que permiten bien el trazo enérgico; de punta redonda, que permiten trazos finos en contraste con trazos gruesos; y los hay también con la punta en forma de abanico.

El tamaño de los pinceles se indica en el mango del pincel mediante un código numérico pero por desgracia no hay una gama estándar y cada fabricante usa su propia nomenclatura.

CÓMO SE APRECIA LA CALIDAD

La calidad de un pincel se valora por la cantidad de agua o pintura que acumula en el mechón de pelos y por que durante la pincelada el trazo sea homogéneo y continuo. En cambio, un mal pincel o mal conservado pierde pelos o cerdas en cada trazo y, tras realizar la pincelada, el mechón no recupera su forma original o bien los pelos se bifurcan.

De izquierda a derecha, por la forma del mechón: pincel cuadrado; redondo; de lengua de gato; y carrado.

PINCELES DE ACUARELA

Los pinceles para acuarela se caracterizan por tener el pelo más blando, un mechón denso y deben cargar una gran cantidad de agua. Reiteramos que es muy importante la calidad del pelo del mechón, pues es esencial que recupere rápidamente su forma original tras levantarlo del papel. El pelo de más calidad es el de marta Kolinsky (de Rusia) porque es muy fuerte, en contrapartida los pinceles son muy caros. Pero otros tipos de pelo también muy indicados para la práctica de la caligrafía, son el de cabra y el de liebre, ya que son flexibles y tienen poca dureza. Otros pinceles de pelo natural de calidad son de los de pelo de oreja de buey o el pelo de meloncillo; éstos se distinguen por su textura marrón oscuro y beige. Por supuesto, son mejores los pinceles de pelo natural que los sintéticos, aunque hay algunos de estos últimos que imitan de forma bastante fiel el pelo natural y por supuesto son más económicos.

Detalle del empleo de un pincel fino en un trabajo de Oriol Ribas. Para lograr un resultado correcto, el mechón del pincel ha de formar una punta bien fina.

VENTAJAS

Los pinceles de acuarela permiten realizar caligrafías de trazos muy finos, y gracias a las diferentes transparencias que caracteriza la acuarela, es idóneo para la práctica de caligrafías con superposición.

PINCEL, ESTRENO Y CUIDADO

Antes de empezar a trabajar con un pincel nuevo, éste debe limpiarse bien con agua para eliminar la cola que le ponen los fabricantes y es aconsejable humedecerlo antes de cada uso. Por supuesto, su lavado tras su uso debe ser meticuloso, con agua y jabón en el caso de las pinturas al agua, o con disolventes en el caso de óleo o pinturas indisolubles, aunque este tipo de pinturas no son muy aptas para la práctica caligráfica, por su largo tiempo de secado y difícil manipulación.

Tras limpiarlos, se deben guardar en un bote con la punta hacia arriba. Cuidar y limpiar correctamente los pinceles alarga notablemente su vida.

El pelo de las brochas no es tan fino como el de los pinceles. En general, es más tosco, duro y grueso, por lo que la caligrafía resultante suele tener textura y es menos precisa, pero hay trabajos en que ese efecto es el que se requiere.

Hay que limpiar los pinceles meticulosamente con agua y jabón, enjuagarlos con agua abundante. Al final, para eliminar el exceso de agua y recomponer la forma original del mechón, hay que aplicar una suave presión con la yema de los dedos y añadir un poco de jabón. Así conservará su forma hasta una nueva utilización.

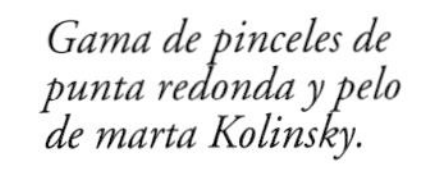

Gama de pinceles de punta redonda y pelo de marta Kolinsky.

LAS BROCHAS

Por su forma plana y más ancha que un pincel, las brochas son muy interesantes para la rotulación o la práctica de caligrafía de letras de gran tamaño.

EL PINCEL DE PUNTA DE CAUCHO

Existen pinceles con la punta de caucho, y los hay de diferentes durezas; así, el gris es más duro que los de caucho blanco. Y los hay de diferentes tamaños y formas: pueden ser de punta cónica o acabada en forma piramidal. Según la punta elegida, se crea un tipo de trazo u otro. Lo interesante en la práctica de la caligrafía es que son flexibles y totalmente lisos. Esto permite controlar el trazo y a su vez, por el tipo de material, permite crear texturas sobre todo en pinturas densas como el guache.

Pinceles de punta de caucho. Su punta es muy lisa y son interesantes para crear texturas. Son idóneos para experimentar en la práctica de la caligrafía, sobre todo con pinturas densas como el guache.

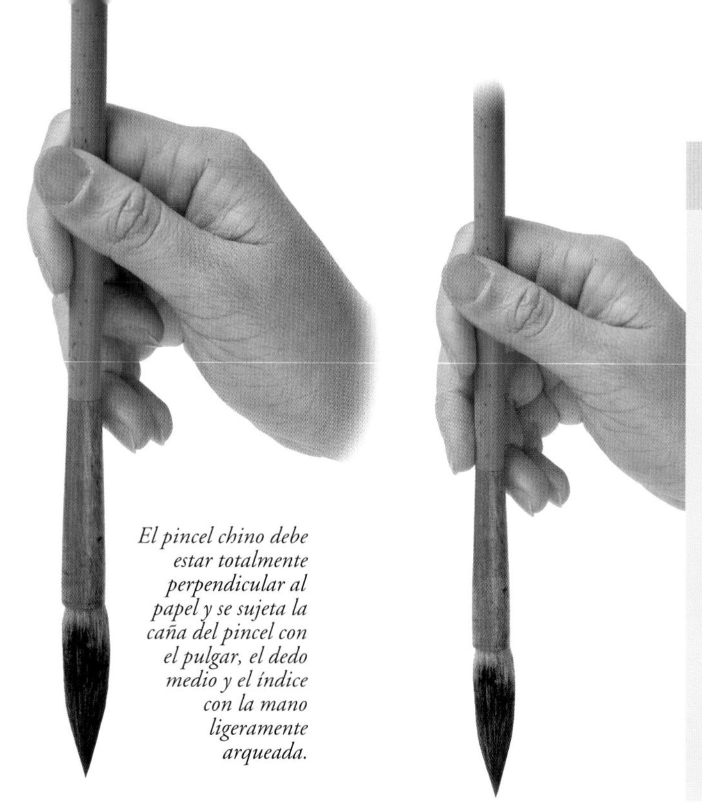

El pincel chino debe estar totalmente perpendicular al papel y se sujeta la caña del pincel con el pulgar, el dedo medio y el índice con la mano ligeramente arqueada.

EL MANTENIMIENTO DEL PINCEL

En el cuidado del pincel chino hay que ser muy meticulosos y eliminar los rastros de tinta con agua, dejándola caer siempre en la dirección de la caña y luego eliminando con los dedos su exceso. A continuación se debe mantener en posición vertical sujetándolo con el mechón hacia abajo, colgándolos, por el lacito que acostumbran a tener en el extremo superior hasta que esté completamente seco. Los pinceles chinos son muy delicados y se pueden estropear si no se cuidan y se guardan con el mechón bien recto y nunca dentro de un bote con el mechón de pelo hacia abajo.

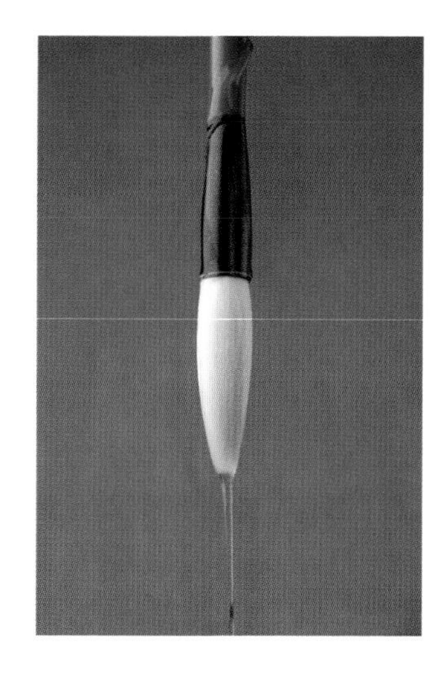

Para evitar que se pudra el delicado pelo de los pinceles chinos, tras su lavado debe escurrirse y secar bien el mechón.

LOS PINCELES ORIENTALES

"En la caligrafía china, el pincel es como una varita mágica". Chang Kuang-bin.

Se estima que el pincel chino comenzó a emplearse entre el 250 y 210 a.C., en tiempos del emperador Shi Huang Di de la dinastía Qin. El pincel va muy ligado a la cultura china y es unos de "los cuatro tesoros" del artista chino. Ser calígrafo, pintor y poeta es un rango máximo en el estatus social chino tradicional. El pincel chino permite gran precisión y tiene un uso muy espontáneo. En la cultura china se afirma que el pincel es capaz de "captar" la energía del calígrafo y reflejarla en el trazo. Si el calígrafo tiene mucha energía positiva, el trazo sale con la tinta muy brillante; si al contrario no está concentrado o con poca energía, el trazo sale mate y sin potencia. Por ello, para realizar un trabajo de caligrafía china, se requiere una meditación y ejercicios de respiración previos.

Un buen pincel oriental se caracteriza por tener una punta muy afilada, producto de una confección laboriosa. Al comprar un pincel oriental se debe tener muy en cuenta la calidad del pelo. Cuanto mejor sea el pelo, más retención de agua y tinta tendrá el mechón, y siempre debe usarse con él tinta china auténtica de calidad.

LA PREPARACIÓN DEL PINCEL

Antes de estrenar un pincel nuevo, éste se debe preparar ya que los pelos del mechón tienen un apresto que lo mantiene rígido y que no permite trabajar. Primero hay que mojarlo bajo un chorro de agua abundante dejándola caer en la dirección de la caña al mechón, de este modo se va disolviendo, a la vez que con los dedos se va apretando con delicadeza el pelo y también girándolo para eliminar el apresto de forma homogénea. Si al apretar los pelos con los dedos el mechón forma una línea recta, significa que el pincel es de buena calidad. En cada uso, antes de entintar se debe humedecer el pincel.

CÓMO ASIR EL PINCEL CHINO

Para usar el pincel chino deberemos sujetarlo muy firmemente y en posición vertical, a 90º del papel, y colocar los dedos de modo que se sujete la caña con el pulgar, y el índice y el corazón por fuera. Debe quedar sujeto con firmeza, pero para tener un movimiento enérgico no hay que apoyar el codo en la mesa.

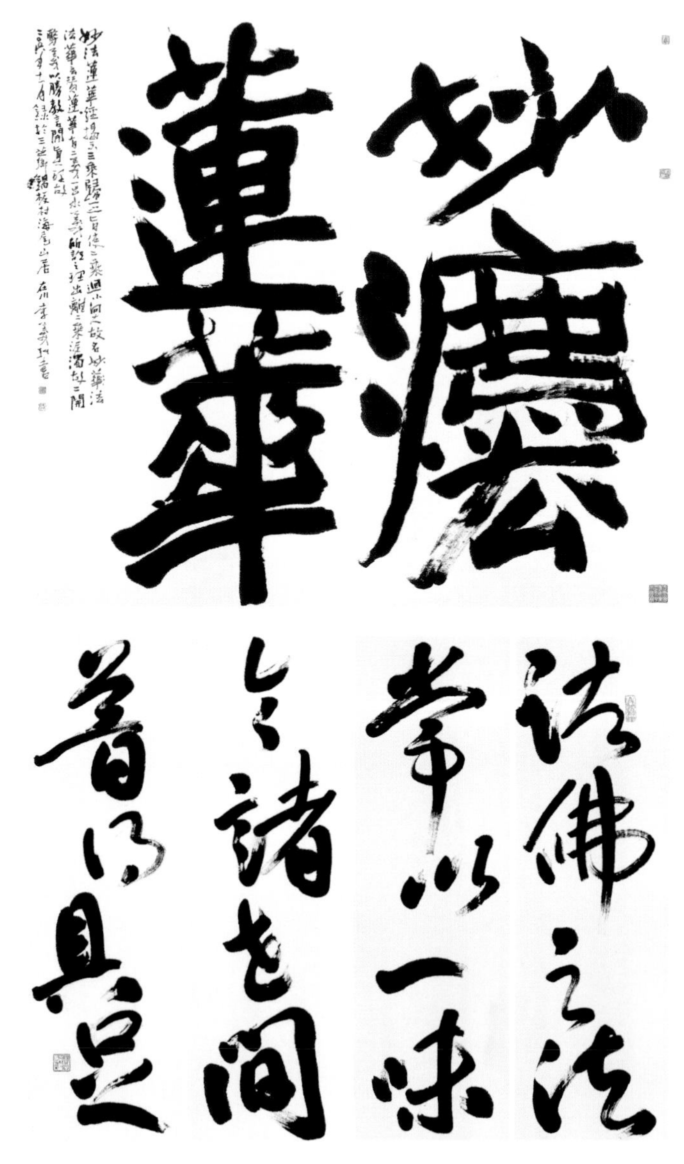

Dos obras del calígrafo Chang Kuang-bin donde podemos apreciar la escritura mediante el uso del pincel oriental.

Otros instrumentos para caligrafiar

La caligrafía más actual invita a experimentar, así muchos instrumentos y objetos que tenemos en casa son susceptibles de ser usados para la escritura. Ofrecemos varios ejemplos.

EL TIRALÍNEAS

Se trata de uno de los instrumentos básicos del calígrafo y además muy apreciado. El tiralíneas era la pieza que venía con la caja de compases y rara vez se usaba tras la invención del Rotring; al descubrirse su potencial en la práctica de la caligrafía, no podrá dejarse de usar.

Su trazo incontrolado lanza tinta como bellas explosiones, creando irregularidades interesantes. Su uso es frecuente en logotipos o carteles actuales.

Existen varios tipos de tiralíneas: los estrechos, frecuentes en las cajas de compases, poseen un largo cargador de tinta que tiene mucho juego y movimiento y con él se puede conseguir tanto trazos muy gruesos como muy finos. Existen también tiralíneas anchos que permiten un mayor control del trazo. Dentro de los tiralíneas anchos existe el llamado "Butterfly", ya difícil de encontrar en las tiendas de bellas artes, pero el más preciado por los calígrafos por su gestualidad y mayor control del trazo. Se puede adquirir por internet sin problemas.

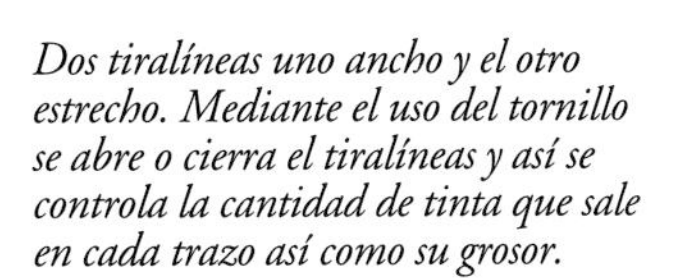

Dos tiralíneas uno ancho y el otro estrecho. Mediante el uso del tornillo se abre o cierra el tiralíneas y así se controla la cantidad de tinta que sale en cada trazo así como su grosor.

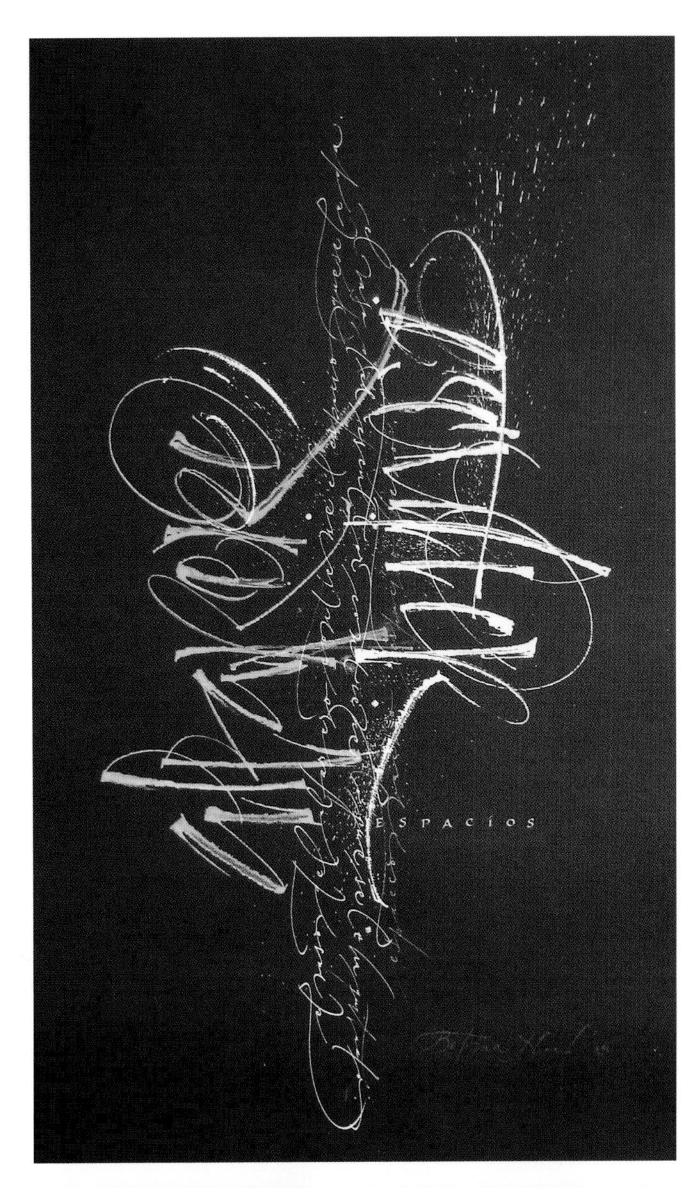

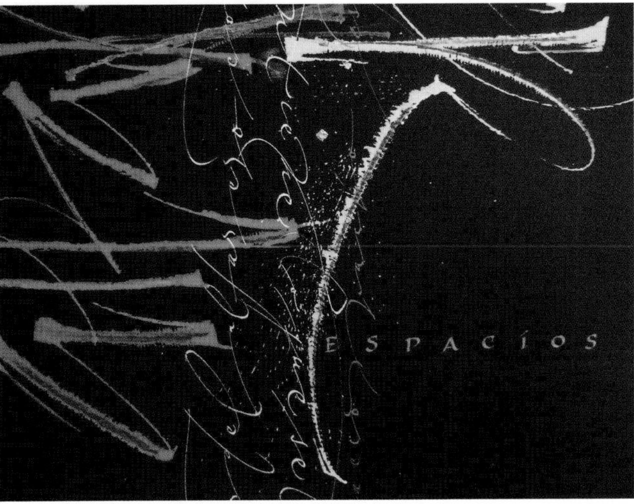

Bellísima obra creada con la combinación del uso de tiralíneas y pluma metálica por la calígrafa Betina Naab en el año 2005 (50 × 70 cm). Puede apreciarse mejor el trabajo en el detalle. Según la autora, la idea que originó esta pieza fue la concepción opuesta del espacio que manejan el alfarero y el escultor. Uno trabaja con el espacio vacío y el otro con el espacio lleno.

ESPONJAS CON MANGO

Consiste en un trozo de esponja plana con un mango para facilitar su uso. Son muy interesantes para la caligrafía, pues se pueden comprar de diferentes gruesos lo que se puede lograr letras de gran formato anchas y uniformes.

TROZOS DE MADERA

Cualquier trozo de madera o una ramita pueden ser también un útil muy bueno para caligrafiar. Permiten diferentes grosores y, al igual que la caña o cálamo, dejan un trazo con transparencias y textura peculiar.

La esponja es sintética pero absorbe gran cantidad de tinta o pintura por lo que tiene suficiente autonomía para la caligrafía. Tiene la punta recta pero se puede hacer un corte biselado con un cúter o unas tijeras.

EL RÍMEL DE OJOS

Otra posibilidad para lograr efectos puede ser el empleo del lápiz del rímel de ojos, cuyas cerdas, que puede dar como resultado un trazo con mucha textura.

INSTRUMENTOS DE ESCULPIR O DE GRABAR

Se puede también probar la caligrafía con los instrumentos de esculpir o grabado. Son ideales los de madera por su trazo texturado.

LÁPIZ CORRECTOR

Un lápiz corrector permite obtener un trazo irregular con pequeños goterones que pueden aportar expresividad, en especial sobre un fondo negro.

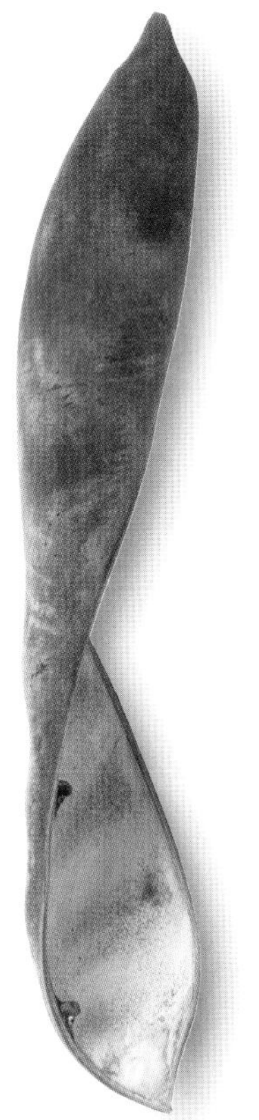

En la naturaleza podemos encontrar infinidad de objetos, maderas y trozos de ramas, con las que experimentar.

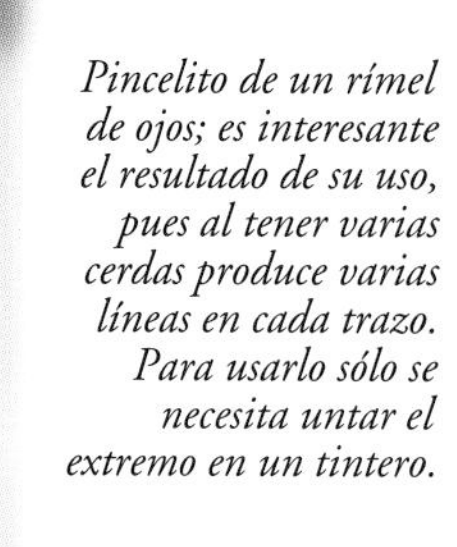

Pincelito de un rímel de ojos; es interesante el resultado de su uso, pues al tener varias cerdas produce varias líneas en cada trazo. Para usarlo sólo se necesita untar el extremo en un tintero.

Este instrumento, preparado originalmente para trabajar el barro, es válido también para experimentar con trazos.

Cartel de la diseñadora Catherine Zask donde pueden verse trazos realizados con una pipeta. Como se puede apreciar, el trazo es muy peculiar.

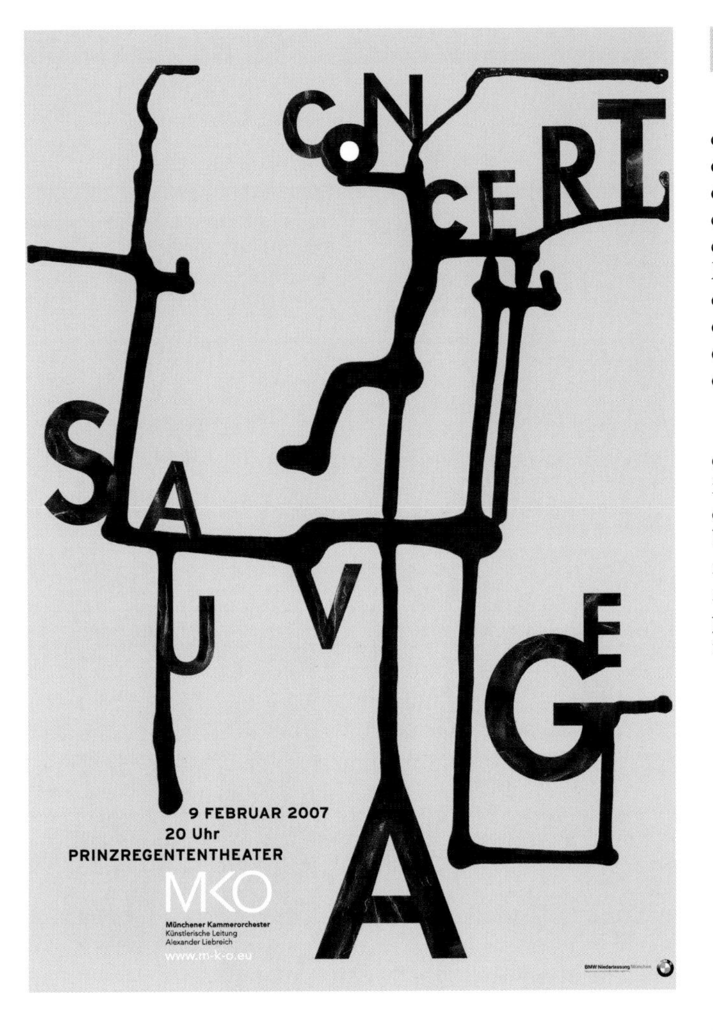

Muchos calígrafos, como Antoni Argilés, se fabrican instrumentos con maderas y trozos de lata flexible que permiten conseguir efectos sorprendentes.

PIPETAS

Es muy interesante el resultado del uso de las pipetas blandas de plástico, frecuentemente usadas en gastronomía o como cuentagotas, pero en la caligrafía el resultado es muy divertido. Mediante la presión del extremo de la pipeta se controla la salida de tinta. Debido al largo mango, el trazo resultante es fino pero con constantes goterones.

Todas estas herramientas se caracterizan por ofrecer trazos irregulares, experimentales y cada uno será único e irrepetible. Lo interesante es experimentar, y sin duda aún quedan muchos instrumentos por ensayar, tarea a la que se invita al lector a descubrir personalmente.

Pipeta blanda de plástico que el calígrafo Massimo Polello regaló a la autora durante un workshop *en Italia.*

Escritura con pipeta de la palabra "experiment". Como puede verse, el trazo resultante es muy característico.

Espráis y rotuladores

Actualmente hay otros útiles y empleos que, si bien no son muy usuales en la caligrafía, son válidos para su práctica más contemporánea. Aunque se podría considerar el arte del *graffiti* y los *tags* como la caligrafía más moderna, en la Antigüedad ya hubo numerosos casos de rotulación en fachadas y espacios públicos; hoy, estas prácticas son habituales en nuestras ciudades.

LA CALIGRAFÍA DEL *GRAFFITI*

Frecuentemente, los *graffiti* incluyen textos en su creación. El modelo caligráfico más usado es la escritura gótica, así que los grafiteros tienen un creciente interés en el estudio de la letra. Para realizar *graffiti* y otros tipos de rotulación se emplean los espráis y los rotuladores.

Rotulador de pintura con base de agua y un tamaño punta de 15 mm que se comercializa en varios colores. Pese a su grosor, para su uso en calligraffiti puede considerarse fino. Todos los materiales que se muestran son fabricados por Montana Colors, empresa especializada en productos para caligrafiar por este método.

Los rotuladores de punta ancha como los que se muestran son ideales para la creación de caligrafía de gran formato. Emplean pintura con base de agua en varios colores y tienen puntas de 30 y 50 mm, respectivamente.

LOS ROTULADORES

Existen rotuladores con la punta en forma de pincel que son ideales para la práctica de la caligrafía *gestuale*, pero, para crear *tags*, el más empleado es el Taker, de ahí proviene la palabra *tag* (firma en espacios públicos). Los Taker son rotuladores o trazadores gruesos con la punta biselada ideales para caligrafía de gran formato. Si la letra está formada de trazos rectos, como la gótica, su manejo es mejor, más natural y fácil.

LOS ESPRÁIS O AEROSOLES

En el mercado se comercializan numerosas marcas y colores de espráis o aerosoles, que es el término más académico para denominar este útil. Consiste en un bote lleno de un gas y de pintura que salen al exterior impulsados por la presión del primer fluido cuando se acciona la válvula de la parte superior del recipiente. La válvula es a su vez la cabeza difusora, también denominada boquilla o con el término inglés *cap*. Los espráis se llenan con distintos gases impulsores, pero desde hace años se exige que estos sean respetuosos con el medio ambiente. Se suministran con distintas presiones, baja o alta, y en formatos de distinta capacidad.

Desde comienzos de la última década del siglo XX existen firmas que fabrican espráis exclusivamente para hacer *graffiti* y que suministran muchos modelos de boquillas y diversos formatos, desde diminutos para llevar en la palma de la mano hasta de grandes capacidades para cubrir zonas amplias. Ya dentro de la especialidad del *graffiti* y del *calligraffiti* se fabrican distintas calidades de pintura, para distintos soportes, de más o menos opacidad, así como unas gamas de colores muy extensas, de más de cien tonos, incluidos los metálicos, los translúcidos y los fluorescentes con mayor o menor opacidad.

Con frecuencia, los grafiteros incluyen junto a sus figuras letras creadas por ellos mismos, aunque en otras ocasiones buscan estilos antiguos, como la letra gótica. Para efectuar los rellenos de amplias superficies, o bien los ribetes y los brillos que necesitan trazos finos y precisos, emplean distintas boquillas.

Esprái Classic de pintura sintética. Utiliza un sistema hembra de baja presión y se comercializa en varios colores.

EL EMPLEO

Su uso no es fácil y requiere una cierta práctica, pero para facilitar su empleo, los espráis se proveen de difusores de diferentes acabados que facilitan mucho el trabajo.

Los distintos trazos que se precisan (finos, medios, gruesos y muy gruesos) se consiguen intercambiando las boquillas y acercando más o menos el esprái al soporte, para así controlar el grosor y la forma del chorro de pintura.

Entre los distintos modelos de difusores, que tienen diferentes denominaciones según los fabricantes, existen en forma biselada que imitan el trazo de una pluma, por lo que son los ideales para escribir y, si el tubo es móvil, se puede cambiar la dirección del trazo; en otros difusores el agujero de salida de la pintura es muy pequeño por lo que se controla bien el trazo y sin presionar mucho se consiguen buenos resultados; otros difusores son ideales para hacer trazos gruesos y rellenos rápidos; también se fabrican difusores, como los llamados *needle cap*, que disponen de una pieza tubular adicional que produce que la pintura salga proyectada a más distancia y de este modo permite pintar y trazar a cierta distancia o altura.

La fabricación de espráis especializados en calligraffiti *se ha diversificado en distintos formatos qué además, permiten acoplar en sus válvulas tipo hembra toda una gama de difusores con los que se logran distintos tipos de chorro de pintura. La gama abarca desde botellas de 30 ml que caben en la palma de la mano hasta envases de 750 ml que permiten cubrir superficies grandes. La gama de colores, muy amplia, de casi 150 referencias, incluye tonos metalizados y fluorescentes.*

PROTECCIÓN

Un inconveniente del uso de los espráis es que las micropartículas de pintura y gas que salen del difusor y se esparcen en el aire pueden ser nocivas e incluso tóxicas. Por lo tanto, para su empleo, es necesario colocarse una mascarilla para no inhalarlas. Los mismos fabricantes de los espráis comercializan mascarillas adecuadas para impedir que la vaporización más diminuta que pueda alcanzar el aerosol perjudique la salud del usuario. Son muy prácticas las de silicona por su adaptación al rostro.

LA CORRECTA UTILIZACIÓN

Otra punto que conviene resaltar es la recomendación de hacer un buen uso de estos útiles para la creación de obras con un valor artístico en lugares adecuados. Durante mucho tiempo, esta forma de expresión artística ha sido mal vista y hasta perseguida por considerarse una forma más de vandalismo. La virtud creativa, espontánea y hasta transgresora de las obras que con estos útiles se logran siempre deberían respetar los espacios y propiedades ajenos para que se vayan reconociendo cada vez más los valores que quieren exponerse.

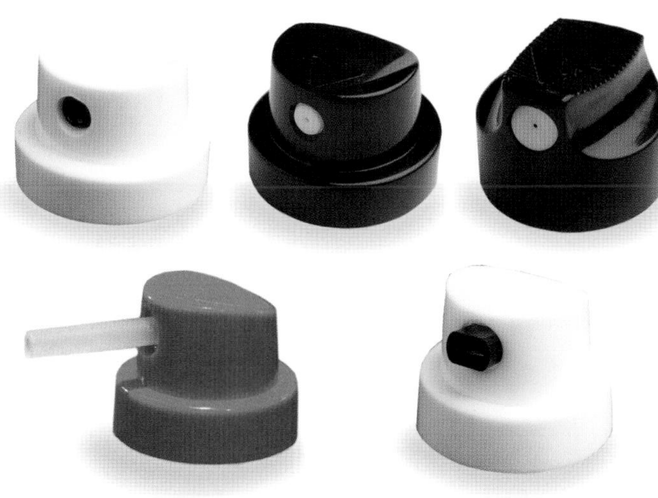

Los difusores son una pieza capital en el calligraffiti. *Montados en los distintos tipos de esprái proporcionan trazos de distinto calibre, algunos para líneas muy precisas, o incluso con pintado biselado, ideal para escribir pues imita el trazo de una pluma.*

Máscara con filtros intercambiables. Protege frente a vapores y gases. Hecha de silicona, se adapta bien a la cara, resultando muy cómoda.

Las tintas

Pigmentos de diferentes marcas presentados en frascos.

La calidad de una caligrafía, aparte de por la destreza del calígrafo, está marcada también por la calidad de los instrumentos usados y las tintas empleadas. Una buena tinta es más brillante, más intensa y hace resaltar el resultado de las obras.

MATERIALES DE BASE: LOS PIGMENTOS

Las primeras tintas eran fabricadas con pigmentos. Su empleo es prehistórico como se demuestra en las pinturas rupestres. En ellas se empleaban pigmentos que se hallaban en el entorno, como el negro de manganeso para teñir y pintar las paredes. Los pigmentos son unos colorantes en forma de polvo fino que se obtiene de sustancias orgánicas o bien inorgánicas como algunos minerales. Así, por ejemplo, los colores amarillo, rojo o color tierra se obtienen del óxido de hierro (Fe_2O_3), el verde del óxido de cromo (Cr_2O_3) o el rojo intenso se conseguía del insecto *Dactylopius coccus*, comúnmente llamado "cochinilla".

EL USO DE PIGMENTOS

Para su empleo, los pigmentos deben ser mezclados con resinas en tintas solventes o con aglutinantes para las tintas al agua, y así se constituyen los diferentes tipos de pinturas o patinas. Durante el proceso de preparación, adquieren una consistencia más líquida y un aspecto pastoso. Antiguamente se usaba la yema del huevo por su alto brillo como aglutinante proteínico. Si se van a usar pigmentos o pinturas como el guache o el acrílico, es aconsejable mezclarlos con yema de huevo. De este modo se logrará un efecto de mayor fluidez en la pintura, gran brillo, y se ralentiza su secado, lo que permite su modelado. Además, mediante su uso, se logra volumen en su trazo y un aspecto suave y satinado.

LA COCHINILLA

La acuarela roja o bermellón se extrae de la cochinilla *(Dactylopius coccus)*, un insecto frecuente en zonas con cactus pues se alimentan de ellos. De la cochinilla se obtiene un colorante vivo de gran calidad. El pigmento de la cochinilla se utiliza para muchos fines: los pictóricos y los caligráficos pero también como aditivo alimentario. Como curiosidad, el colorante usado para los yogures con sabor a fresa contiene su pigmento.

Obra de María Eugenia Roballos, El notario. *Está realizada con nogalina y témperas sobre papel Arches Aquarelle utilizando plumas Mitchell y tiralíneas.*

LOS ORÍGENES DE LAS TINTAS

La tinta es un líquido a base de pigmentos y colorantes. En la Antigüedad se empleaban tintas naturales como, por ejemplo, la de la sepia, molusco de la familia de los cefalópodos que segrega un líquido marrón muy oscuro, casi negro.

Las tintas más antiguas que se conocen proceden de China y estaban hechas de negro de humo. Se cree que tienen su origen hacia el 2500 a.C. o incluso antes. El negro de humo es un pigmento negro que se obtiene del hollín; mezclado con un aglutinante se convierte en tinta apta para la escritura, y fue la primera que se empleó.

Mediante la mezcla de la yema de huevo con el pigmento se logra una mayor fluidez en la pintura, un brillo más intenso y, lo más interesante, volumen en su trazo. Esta fórmula fue muy usada para la creación de capitulares, también denominadas iluminaciones, letras que encabezaban un texto y que por lo general estaban muy decoradas.

LA TINTA CHINA

La tinta china se presenta en forma de barra, llamada *sumi,* y para su preparación líquida se debe frotar en el tintero de piedra, llamado *suzuri*. Su composición proviene de polvo de carbón vegetal muy molido, que se apelmaza y compacta con un aglutinante con base acuosa, como las resinas vegetales. De este modo se forman unas barritas en forma de lingote prensadas y se dejan secar hasta alcanzar una consistencia sólida. En este estado puede durar años, siglos sin perder sus propiedades. Para saber si la barra de tinta china es de buena calidad, debemos fijarnos en que su tacto sea liso y regular y en que, al diluirla con agua, produzca rápidamente una tinta negra intensa.

Para una mayor comodidad se venden también tintas ya diluidas y preparadas para su uso en frascos.

El proceso de preparación de la tinta china es largo y su intensidad dependerá de dos factores: de la cantidad de agua que se utilice y del tiempo que se frote. Como curiosidad cabe decir que las barras sumi *vienen marcadas con el nombre del fabricante o con paisajes de lugares emblemáticos del paisaje chino.*

La nogalina es un tinte natural que se obtiene de la nuez; sirve para teñir pero también puede usarse para escribir. Con nogalina se escriben trazos marrones de diferentes intensidades según la cantidad de agua añadida.

TINTAS MODERNAS

Actualmente encontramos diversas marcas de tintas para escribir que son la herencia de otras creadas durante el siglo XX, en que se buscaba la tinta de secado rápido a base de alcohol. Los logros más importantes fueron los de la marca Parker, en su tinta Quink, que en la actualidad sigue siendo una muy buena tinta. La característica de este tipo de tintas para la escritura es su negro intenso, que varía según el fabricante y por que al secarse en los bordes del trazo, se puede apreciar un cierto halo de color azul, amarillo o de ocres. Hoy podemos comprar tintas preparadas para caligrafía de color negro pero también de otros colores, como azul, o el marrón, e incluso metalizados, como el dorado.

LA TINTA "INVISIBLE"

Como anécdota explicaremos cómo escribir con tinta invisible. Es decir, tinta que, después de cierto lapso de tiempo, desaparece. La composición de ésta tinta mágica es el jugo de limón. Al escribir con este líquido, el resultado es transparente e invisible. Para lograr leer un texto escrito en tinta invisible, su soporte debe calentarse, por ejemplo pasando una plancha eléctrica, y las letras van a ir apareciendo ante nuestros ojos de forma sorprendente.

Portada del disco El ataúd del contorsionista, *proyecto musical de Alberto González Arellano, realizada con tinta invisible de jugo de limón. Se visualiza y se fija al aplicar una fuente de calor.*

Tinta de la marca Abraxas fabricada con pigmentos orgánicos procedentes de plantas.

Tintas para caligrafía de la marca Winsor & Newton de color negro, verde esmeralda y rojo escarlata.

LA TINTA FERROGÁLICA

Fue sin duda la tinta más usada en Occidente por su fácil empleo en contraposición a otras más antiguas que, por ser demasiado densas y pesadas, no era válidas para su uso con la pluma de ave. En la actualidad existen soluciones mejores y ya ha sido totalmente sustituida, pero es innegable su gran importancia en la historia de la caligrafía. No se conoce desde cuándo se usa la tinta ferrogálica, hecha con tanato de hierro. Se ha encontrado un papiro datado en el siglo III, entre otros documentos, donde se explica una receta de cómo obtenerla.

Tinta Quink de la marca Parker, y tintero de tinta dorada de la marca Winsor & Newton preparada para la práctica de la caligrafía.

Tintero actual decorado al estilo de los tinteros antiguos.

Los colores y otros materiales para caligrafiar

En la caligrafía artística es muy común el empleo de colores pues enriquecen los resultados notablemente. Además de las tintas, también se pueden emplear, con la debida preparación, otros muchos medios de color como la acuarela, el guache y la pintura acrílica. Asimismo, otros productos auxiliares de bellas artes también pueden emplearse insospechadamente para la realización de caligrafía.

Trazo realizado con acuarela, se puede apreciar la textura transparente ideal para crear trazos superpuestos.

ACUARELAS

Las pinturas a la acuarela se trabajan diluidas en agua. Por ello, su característica principal es la transparencia, que variará según la cantidad de agua que haya en la mezcla y a veces dejan ver el fondo del papel (blanco), que actúa como si fuera otro tono. Se emplea la pintura por capas transparentes, a fin de lograr mayor brillantez y soltura en la composición que se está realizando.

La luminosidad de su uso viene marcado por la cantidad de agua que se le aplique. De modo que si se utiliza con poca agua el resultado será más opaco y menos luminoso que si se usa con mayor cantidad, en cuyo caso aparecerá muy transparente y luminoso. Mediante la superposición de trazos se pueden hacer más profundas las tonalidades de color. La intensidad de la acuarela se puede modificar añadiendo o quitando agua. En su composición, la acuarela se compone de pigmentos orgánicos o inorgánicos aglutinados con goma arábiga o miel. La calidad de la acuarela se puede identificar por la de los pigmentos utilizados para fabricarla, y según sean éstos, tendrán más o menos resistencia a la luz y se decolorararán menos.

Las acuarelas se pueden comprar en forma de pastilla o en tubo o en una solución líquida ya preparada llamada anilinas.

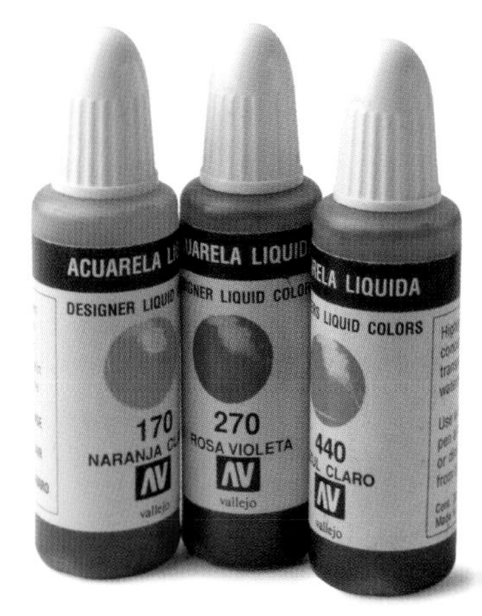

Anilinas preparadas de varios colores. Además de su uso como acuarelas pueden usarse también para teñir gracias a su transparencia. En otros tiempos era frecuente el uso de las anilinas para "colorear" fotografías e incluso hay filmes antiguos que se colorearon fotograma a fotograma con este producto.

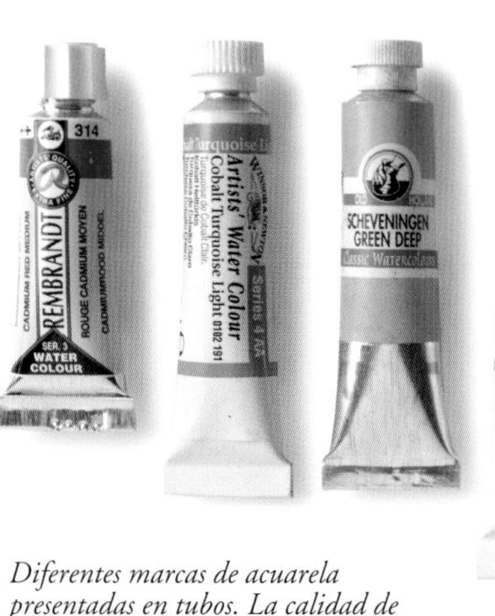

Diferentes marcas de acuarela presentadas en tubos. La calidad de la acuarela es la misma.

LA APLICACIÓN EN LA CALIGRAFÍA

Por su transparencia, la acuarela es ideal para crear superposiciones en la caligrafía. Se pueden crear interesantes texturas mediante la superposición de textos. Para trabajar se utilizan instrumentos como el pincel, el cálamo o la esponja con mango.

La acuarela se puede comprar en forma de pastilla, de forma individual o bien en cajas ya preparadas donde se presentan los colores más usados.

EL GUACHE

De forma muy simple podría decirse que el guache es como una acuarela pero opaca. Al igual que aquélla, su disolvente también es el agua. Pero a diferencia de la acuarela, no es transparente por lo que pueden pintarse colores claros sobre colores oscuros sin que estos se transparenten. La composición del guache es la misma en las acuarelas, al igual que su uso. El guache se comercializa en dos formatos: en frascos y en tubos.

El guache, para su uso en caligrafía, debe mezclarse con agua hasta lograr la densidad deseada. De hecho ésta debería ser más espesa que una tinta pero el trazo no debe salir fluido. También ayuda la mezcla con huevo, tanto para la fluidez de la pintura, como por su brillo. Para trabajar con este tipo de pintura en caligrafía, hay que ayudarse de un pincel fino para cargar la plumilla. Si la plumilla lleva depósito, con el pincel se carga éste de pintura.

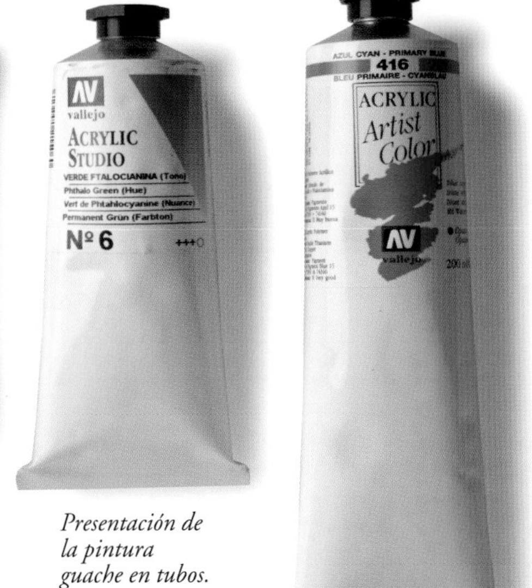

Presentación de la pintura guache en tubos.

Frasco de guache blanco, muy útil para corregir posibles errores y para escribir sobre superficies oscuras.

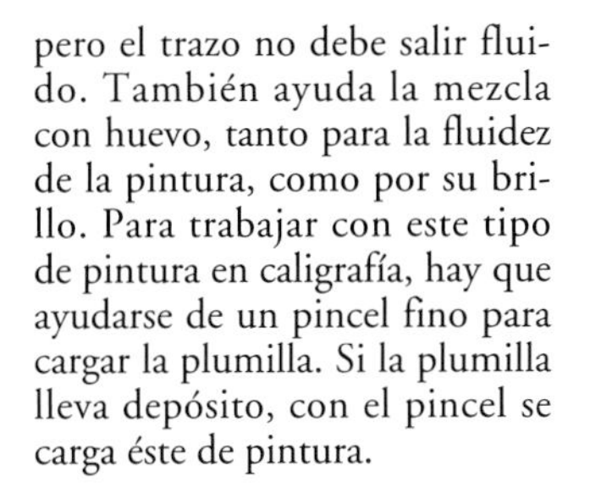

Orquídea y naranja, *obra del calígrafo Chen Li a partir de unos poemas de Tang. Realizada en acrílico sobre lienzo.*

El acrílico se vende en dos formatos: en botes, que pueden ser de plástico con o sin dosificador, y en tubos.

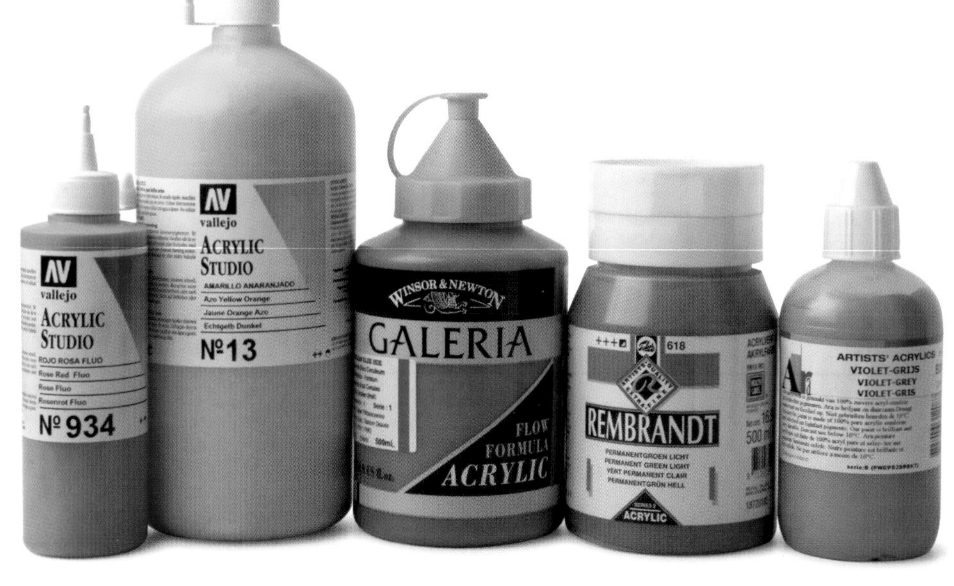

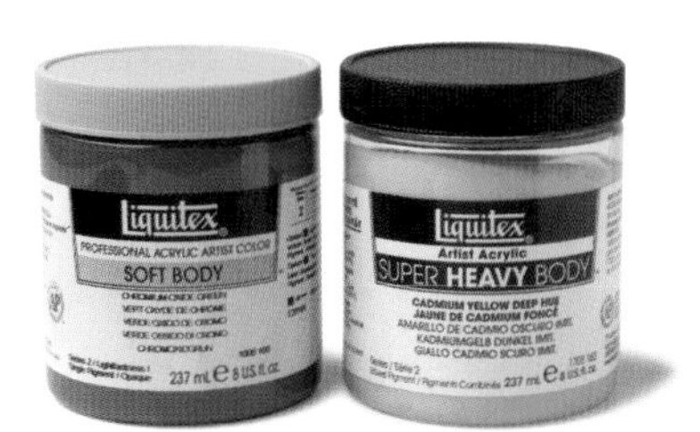

EL ACRÍLICO

La pintura acrílica data de la primera mitad del siglo XX y fue desarrollada paralelamente en Alemania y en Estados Unidos.

Se trata de una pintura a base de pigmentos aglutinados en una emulsión de polivinilo acrílico. Es una pintura de secado rápido y su diluyente es el agua. Aunque son solubles en agua, una vez secas son resistentes a la misma y no se pueden manipular. Debe tenerse en cuenta que, al secarse, su tono se modifica ligeramente, aunque más que en el óleo. Pero por su rápido secado, su precio, su elasticidad y su fácil manejo su uso en caligrafía es más común que el del óleo.

EL EMPLEO DEL ACRÍLICO

Para emplear el acrílico se mezcla en agua hasta lograr una densidad que permita un trazo fluido. Al igual que con el guache, es posible también la mezcla con yema de huevo tanto para la fluidez de la pintura como por su brillo, y gracias a ella se conseguirá más volumen en el trazo. Para usar este tipo de pintura en la caligrafía, se debe emplear un pincel fino para cargar la plumilla; si la plumilla lleva depósito, el cargador se carga de pintura con el pincel.

Al finalizar el trabajo hay que limpiar la plumilla a fondo con abundante agua, pues los restos de pintura luego son más difíciles de eliminar si se han secado.

La goma arábiga es una resina vegetal de aspecto ambarino que se obtiene de varias especies de acacias, en especial de la Acacia senegal.

La goma arábica siempre tiene impurezas que deben ser eliminadas meticulosamente antes de su uso, para ello se tamiza con la ayuda de una media o un retal de seda.

LA GOMA ARÁBIGA

Para crear el agua engomada, se mezclan pigmentos, acuarela o guache con goma arábiga. Esta solución fija los pigmentos; es de secado rápido y crea una película brillante y transparente.

La goma arábiga es una resina vegetal y el aglutinante glucídico más conocido y empleado. La materia prima es originaria del Sudán y el nombre recuerda que los árabes fueron quienes lo comercializaron.

LOS BARNICES

A parte del uso convencional de los barnices, que es proteger las pinturas, se pueden emplear para escribir con ellos, y obtener efectos tan interesantes como escritura brillante sobre una superficie mate.

El barniz crea un trazo transparente e insoluble. En el mercado existen barnices mates y brillantes, y estos últimos son aún más transparentes que los mates.

EL LÁTEX

Un efecto parecido al del barniz se puede lograr mediante el uso del látex mezclado con pigmentos, acuarela o guache. El látex es un médium vinílico que al igual que el barniz puede ser mate o brillante y tiene un aspecto lechoso. Es de secado rápido y, aparte del aspecto brillante que adquiere el trazo, puede aportar un matiz de volumen muy atractivo.

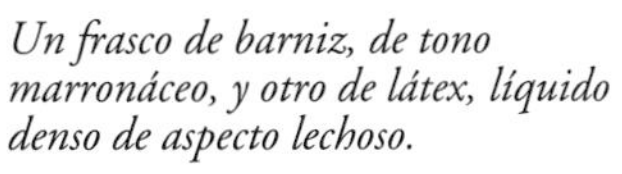

Un frasco de barniz, de tono marronáceo, y otro de látex, líquido denso de aspecto lechoso.

EL PAN DE ORO

En la antigua Grecia ya hubo documentos decorados con pan de oro. Este uso pasó de Grecia a Egipto, donde hubo especialistas en esta práctica y eran llamados "los escribanos de oro".

Fue una práctica muy extendida a partir de la baja Edad Media, pero por su excesivo coste su uso quedó restringido a manuscritos nobles.

El pan de oro es una presentación en láminas extremamente finas de este metal, individuales o agrupadas en una especie de librillo. En la actualidad se puede adquirir pan de oro auténtico, que es más caro que las láminas de pan de oro falso. También existe pan de oro transfer, pan de plata auténtica y falsa, y láminas de pan de cobre.

El pan de oro permite hacer auténticas iluminaciones. Se trata de la decoración en oro u otros metales de las capitulares. Se puede aplicar de forma plana o con relieve. Tradicionalmente se hacía en relieve, y así es como se obtiene el efecto más atractivo, pues de este modo se consiguen más reflejos de luz. Para lograr el relieve, el pan de oro se aplica mediante aprestos especiales como por ejemplo el *gesso* o bien el acetato de polivinilo (PVA). Luego se coloca el pan de oro sobre una base adhesiva. Antiguamente se utilizaba un aglutinante glucídico, es decir, un componente del azúcar. El pan de oro debe aplicarse antes que los colores pues, a veces, un pigmento puede ser adherente y podría mancharse de partes no deseadas de la laminilla de oro y estropear el manuscrito. El pan de oro no es un material fácil de usar y debe procurarse que no se rompa dado su elevado precio.

Iluminación de un Libro de Horas conservado en el Fitzwilliam Museum (Cambridge, Reino Unido) hecha en el siglo XIV con pan de oro. Puede apreciarse, incluso en una fotografía de la obra, el reflejo y la luz que aporta la aplicación de pan de oro.

Obra Yo y la montaña, *del calígrafo Chen Li. Caligrafía de unos poemas de Tang en la que se empleó pan de oro sobre acrílico.*

Hoja de pan de oro. Se comercializa en láminas extremamente finas, individuales o agrupadas en un librillo.

Papeles y soportes más usuales

En la caligrafía el soporte más empleado para trabajar es el papel en sus muchas variedades aptas para esta especialidad artística. Pero a lo largo de este apartado se irán viendo otros muchos soportes, unos antecedentes del papel y otros más especiales e incluso asombrosos.

EL ORIGEN DEL PAPEL

Sin duda, uno de los grandes inventos que China ha aportado a la humanidad es el papel. Se data entre el 150 y el 200 a.C. y el inventor fue T'sai-Lun, un oficial eunuco del emperador chino Ho'Ti. Su uso se extendió con rapidez por varias regiones de China. La pasta usada para su fabricación procedía de la madera de morera *(Broussonetia papyrifera)* y del bambú. Este papel tiene una gran capacidad de absorción y es idóneo para la práctica de la caligrafía china. En la actualidad, los papeles más usados son el Xuab Zhi y el Loo Wen Xuan, que tienen textura veteada en forma vertical y un tacto aterciopelado muy indicado para la caligrafía. Por lo común se llama "papel de arroz" a los papeles orientales, pero en realidad es una denominación falsa, pues aunque existe, por su fragilidad y color no se usa para la caligrafía.

Lámina grabada que muestra el proceso de fabricación tradicional del papel Shiuan, que se elaboraba a partir de la corteza de árbol de la morera de papel y del bambú.

LA FABRICACIÓN DEL PAPEL

A lo largo de la historia han habido varios procesos diferentes de fabricación del papel. La técnica occidental que se usó durante más tiempo, hasta 1850 más o menos, fue directamente heredada de la oriental. Su fabricación se hacía con varias fibras vegetales, sobretodo de celulosa y trapos. Se trituraban las fibras y los trapos y se introducían dentro de tinas con agua y cal para iniciar un proceso de fermentación y maceración hasta que resultaba una pasta de aspecto lechoso. Con esta pasta se elaboraban las hojas de papel, sumergiendo en la tina un tamiz o malla metálica que al extraerla formaba una capa de fibras, la hoja, que se dejaba secar colgada en una cuerda.

Los fabricantes de papeles, para diferenciarse, empezaron a diseñar sus propios sellos o logotipos, que colocados en el tamiz durante el proceso de fabricación dejan la llamada marca al agua en el papel. Esta forma de marcaje sigue en vigencia y en el momento de elegir uno u otro lo identifica.

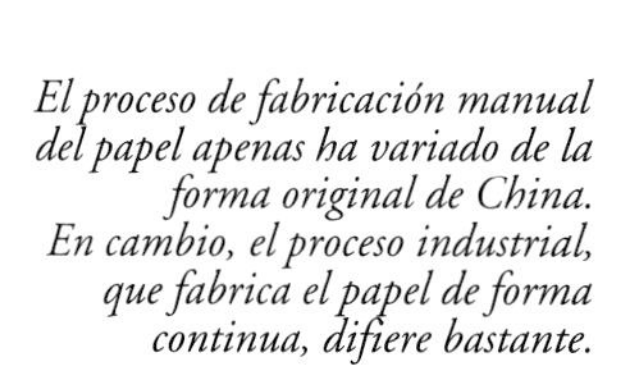

El proceso de fabricación manual del papel apenas ha variado de la forma original de China. En cambio, el proceso industrial, que fabrica el papel de forma continua, difiere bastante.

LA MARCA AL AGUA

La marca al agua, también conocida por su nombre en inglés *watermark*, es un sello integrado en el papel que se logra durante el proceso de fabricación mediante la colocación de un dibujo de metal en el tamiz o malla metálica de extracción de las hojas de pasta de papel. Este dibujo en el tamiz ocasiona una distinta deposición de fibra en la hoja que tiene más transparencia que el resto del papel y se aprecia bien a contraluz.

El uso de marca al agua en el papel es frecuente encontrarlo en los papeles de arte más prestigiosos y conocidos, como Arches, Fabriano, Conquerour, Galgo o Guarro, y constituyen una garantía de reconocimiento del papel. Por ser un elemento que dificulta la falsificación, es muy frecuente su uso como medida de seguridad en documentos bancarios o en billetes de banco.

Arriba y a la derecha, distintas marcas al agua de fabricantes de papeles que pueden emplearse en caligrafía.

EL PAPEL ADECUADO PARA LA CALIGRAFÍA

Hay una inmensa variedad de papeles en el mercado, pero no todos son adecuados para la práctica de la caligrafía. Un papel demasiado satinado puede hacer resbalar la plumilla y por ello el trazo no será el mejor; y a la inversa, un papel con demasiada rugosidad puede impedir la fluidez del trazo. Otro impedimento frecuente es encontrar papeles con demasiada celulosa, que facilita la aparición de una pelusilla que obstruye la plumilla e imposibilita la práctica de la caligrafía. Para caligrafía destacan los papeles verjurados, que al mirarlos a contraluz presentan una rejilla, como una verja, de líneas muy finas; y el papel vitela que imita la textura de la piel de ternero y no muestra líneas a contraluz.

Son recomendables los papeles de marcas como Arches, Ingres de Canson, Rives, Fabriano, Schoeller, Galgo, Johannot y Lana. Todos estos fabricantes suministran papeles vitela y verjurados de gran calidad muy recomendables para la práctica de la caligrafía.

El color del papel abre un abanico de posibilidades artísticas; en el mercado se pueden encontrar extensas gamas de papeles de color. Se pueden elegir colores claros y hacer uso de tintas o acuarelas sin problemas; y en los papeles de colores oscuros se pueden conseguir muy buenos resultados con guache o acrílicos.

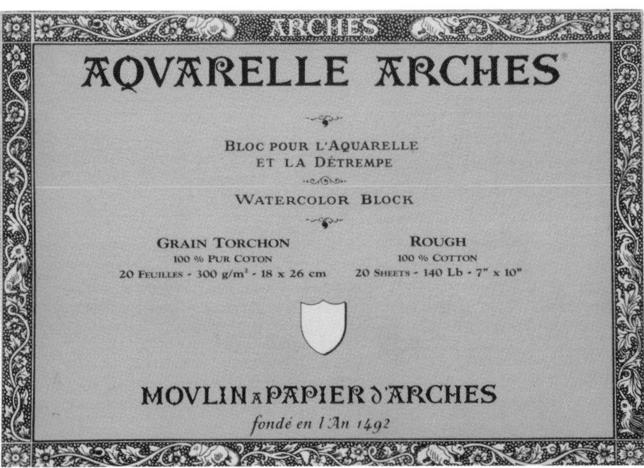

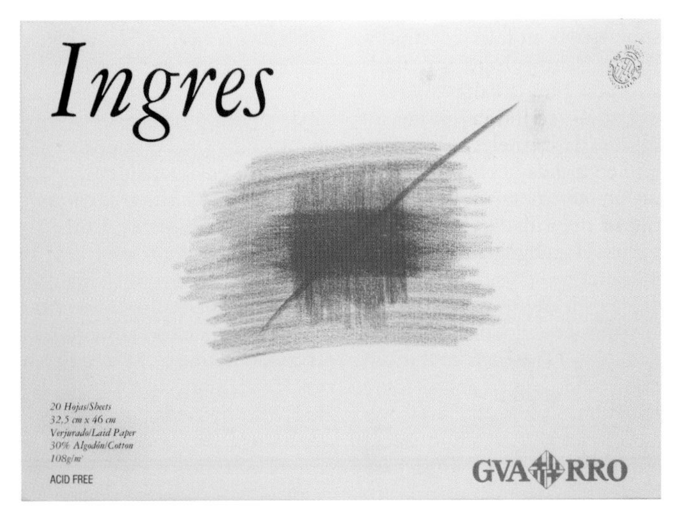

Todos estos papeles o de similar calidad se pueden encontrar fácilmente en las tiendas de bellas artes y adquirirlos en láminas individuales de diferentes tamaños, hasta 50 X 70 cm, o bien en blocs de 20 o 30 hojas de tamaño DIN-A3.

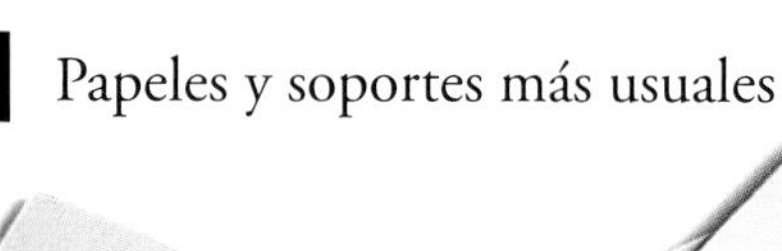

Podemos encontrar en el mercado una gran variedad de formatos de cartón. Éstos deben ser preparados para su empleo en caligrafía.

EL CARTÓN

Puede resultar también un soporte interesante para la caligrafía, pero no es el más adecuado para su utilización directa. El cartón tiene una gran absorción y frecuentemente la tinta se desparrama y no resulta recomendable para escribir.

Antes de empezar un trabajo de caligrafía, debe prepararse el cartón con una imprimación o selladora. Existe cartón ya preparado en el mercado o puede hacerlo uno mismo como paso previo a su uso con una imprimación, lo más frecuente, de *gesso*. Otra posibilidad a caballo entre el papel y el lienzo es usar el cartón entelado, muy adecuado para su uso con acrílicos y óleos.

EL LIENZO

Las telas y los lienzos no son en un principio el soporte más adecuado para la caligrafía, pues resulta imposible usar las plumillas metálicas sobre estas superficies, pero evidentemente, si la caligrafía se va a realizar con pinceles, puede llegar a ser un soporte muy interesante por su textura y nobleza. Se adquieren en las tiendas de bellas artes telas ya preparadas para su uso. Existen de textura fina, como son las telas de lino, o de textura muy burda, como las de arpillera. Son preferibles las telas muy tupidas a las de trama abierta pues el trazo resultará más fluido e intenso. Por la naturaleza del soporte, las pinturas más adecuadas para la práctica de la caligrafía son el acrílico o el óleo. Lo que determina la calidad del lienzo es el tipo de hilo usado para la fabricación de la tela; los lienzos pueden ser de lino, de algodón, de arpillera o de mezcla, material que resulta más económico.

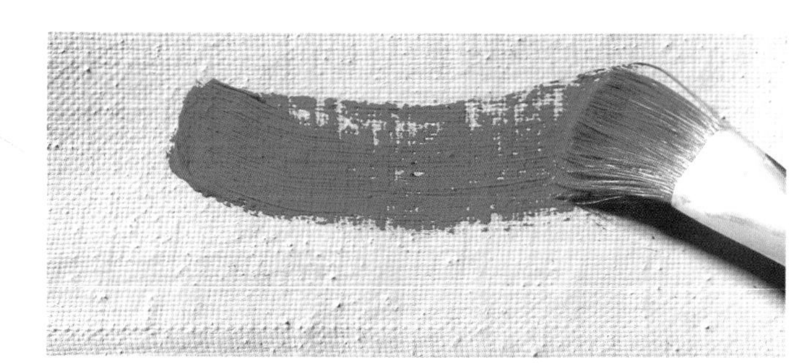

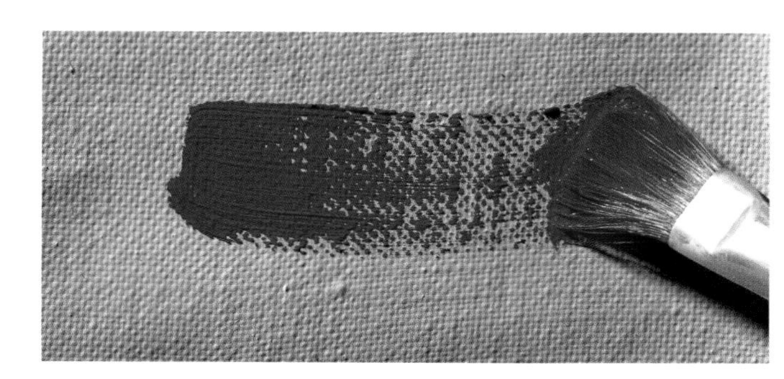

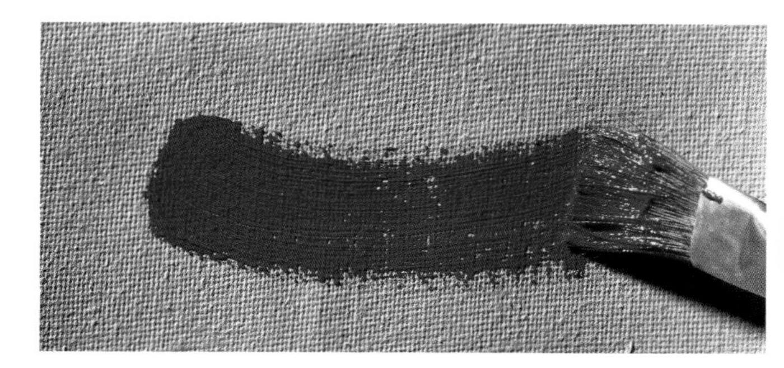

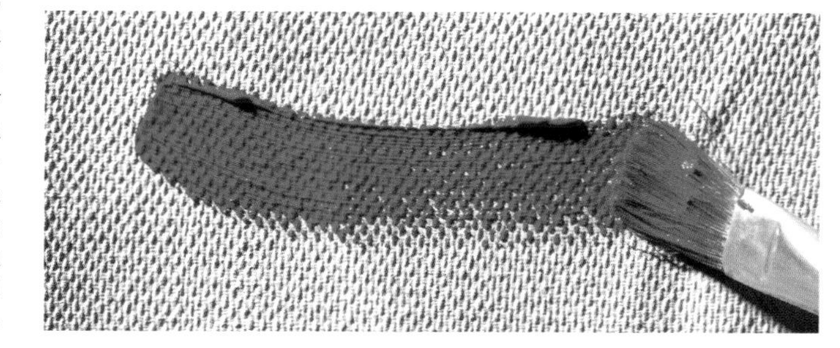

Según la calidad del lienzo, el trazo resultante puede ser más o menos fluido. Antes de comenzar cualquier trabajo caligráfico, deben realizarse pruebas para comprobar la densidad de la pintura y cómo se comporta con la textura de la tela para que la caligrafía resultante sea lo más bella posible. De arriba abajo, dos telas de lino de distinta tupidez, de algodón, de mezcla y de arpillera.

LA MADERA

La madera ha sido un soporte muy empleado a lo largo de la historia de la escritura. El rasgo más interesante de éste soporte es sin duda, la calidad de su textura; sus bellas estrías y fibras orgánicas dan una gran calidez a la obra. Sin embargo, para poder trabajar sobre madera de forma adecuada, hace falta realizar previamente un trabajo de imprimación de la superficie, por lo general mediante el uso del *gesso*.

LA PREPARACIÓN: EL *GESSO*

Es el material más usado para llevar a cabo un trabajo de imprimación de una superficie, ya sea cartón, tela, o madera. Para la preparación del *gesso* necesitarse disolver éste en agua y aplicarlo con la ayuda de una brocha o de un rodillo. Es de secado rápido, de modo que es un proceso fácil y práctico.

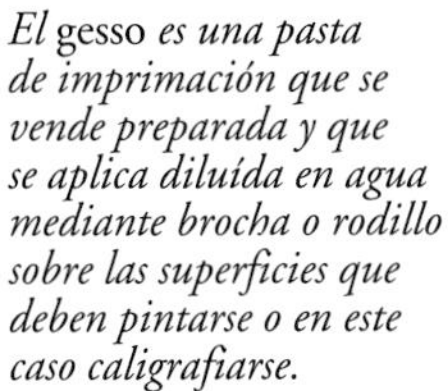

El gesso *es una pasta de imprimación que se vende preparada y que se aplica diluída en agua mediante brocha o rodillo sobre las superficies que deben pintarse o en este caso caligrafiarse.*

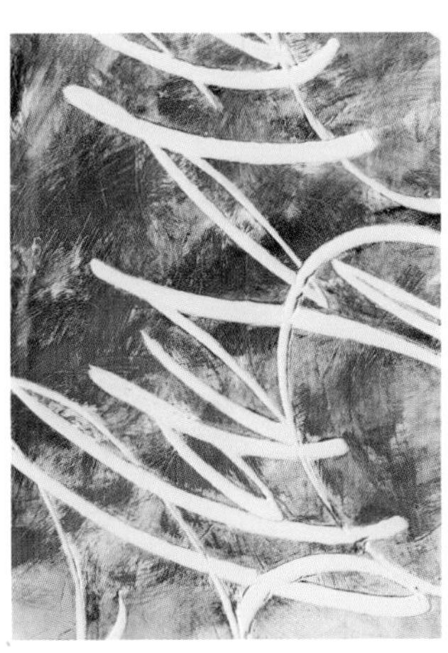

Sobre la angustia de la página en blanco, *obra de Fabián Sanguinetti inspirada en una frase de Fabián Polosecki,* Polo. *Caligrafía realizada sobre soporte de madera con pincel y herramienta experimental en acrílico, pasta de modelar y colage.*

OTROS SOPORTES

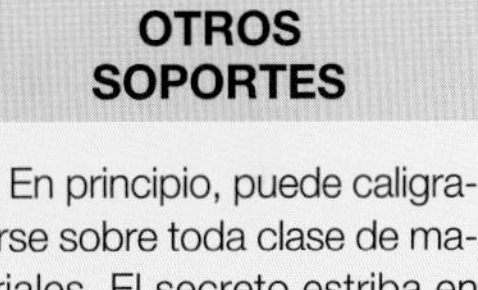

En principio, puede caligrafiarse sobre toda clase de materiales. El secreto estriba en la cualidad de la tinta o pintura de adherirse sobre un soporte en concreto. En este sentido podemos caligrafiar sobre vidrio, metal, superficies pintadas o vitrificadas e incluso caucho. Un ejemplo práctico de ambos tipos de soportes es el tuneado con caligrafía de un automóvil, como este trabajo realizado por Oriol Ribas. En este campo la caligrafía puede tener un papel artístico y recreativo o incluso más comercial, con fines publicitarios.

Los antiguos soportes

Desde los inicios de la historia se utilizaron materiales para escribir extraídos de la naturaleza. Unos, probablemente los más antiguos, para escribir en seco, es decir grabando con un útil duro, y otros para escribir en húmedo, es decir con algún líquido pigmentado. Pese a su antigüedad, estos soportes también pueden ser considerados para hacer un trabajo actual.

LA ARCILLA

Los mesopotámicos recurrieron a la arcilla como material para escribir sus cálculos por su abundancia, mientras que la madera o la piedra eran escasos en aquella zona. Además, es un material plástico, fácil de trabajar, de marcar y de borrar en caso de error y, una vez cocida, la escritura es indeleble. La forma de escribir sobre arcilla consistía en presionar con un cálamo que trazaba unas incisiones en forma de cuña. Por su versatilidad, este soporte fue utilizado durante siglos por diversas culturas.

Tablilla de arcilla escrita en escritura cuneiforme.

LA PIEDRA

La piedra fue también otro material muy empleado. La escritura en seco sobre piedra fue muy común en la Antigüedad pero actualmente sólo se practica en lápidas, fachadas y esculturas. Los utensilios han cambiado totalmente, ahora se usan sobre todo instrumentos mecanizados. Tradicionalmente se utilizaron el cincel, el buril y el estilo.

Fragmento de una inscripción sobre mármol dedicada a Augusto, en el Imperio romano, de 30,5 x 21,6 cm. Museum of Fine Arts (Boston, EE.UU.).

EL PAPIRO

Durante el primer milenio antes de Cristo, los nómadas arameos penetraron en Mesopotamia transmitiendo así su lengua, escrita con un alfabeto lineal fácil de entender y sobre todo de utilizar. Los arameos escribían sobre un soporte muy ligero, el papiro, que era elaborado a partir de la planta homónima *(Cyperus papyrus)*. Para su elaboración, se cortaban longitudinalmente los tallos siguiendo la médula de la larga caña, en forma de cintas. Luego se disponían planas y se pegaban unas sobre otras, cruzando las fibras. La lámina así obtenida era golpeada con un mazo, aplastada por un peso durante varios días para extraer toda el agua y secada, proporcionando un buen soporte. Un jugo extraído de las hojas de la misma planta servía para unirlas entre sí de forma firme. Empalmando varias hojas se obtenían rollos, que se unían por sus extremos de modo que el lado que tenía las fibras dispuestas horizontalmente quedase arriba, de otro modo la lámina podía rajarse o agrietarse al enrollarla.

Hoja de papiro. Todavía es posible adquirir este material ancestral en establecimientos de bellas artes.

LA PIEL COMO SOPORTE

Desde tiempos inmemoriales el ser humano ha pintado motivos en su piel: los tatuajes. Por lo tanto, este antiguo material –vivo– también ha sido soporte para la expresión artística. Normalmente se han reproducido motivos de figuras o de líneas llegando a extremos impresionantes como la de los maoríes, los nativos de Nueva Zelanda.

En el mundo occidental, junto con motivos figurativos también se han tatuado letras, por lo general de dedicatorias junto a dibujos. Pero también, y en los últimos tiempos, ha surgido la moda de tatuar caligrafía, tanto exótica, especialmente la árabe, como con caracteres latinos. La caligrafía en la piel puede ser permanente o temporal, pero esto ya depende del método y de los tintes empleados. Antes de proceder a un trabajo sobre la piel, debe comprobarse en una pequeña muestra que los tintes no produzcan ningún tipo de alergia o lesión cutánea. En la foto, trabajo realizado por Inocuo.

Grabado alemán de un tratado sobre oficios, del 1568, que muestra la fabricación del pergamino. El artesano tiene la piel bien tensada y la está raspando; terminará el proceso con la ayuda de polvos de piedra pómez para alisar la superficie y dejarla apta para la escritura.

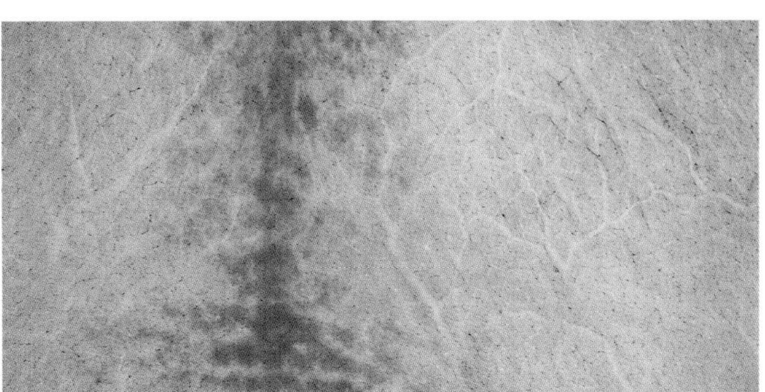

El pergamino fue el soporte más empleado en la Edad Media para la escritura. Se trata de una piel sin curtir que mediante un tratamiento adecuado ofrece una superficie lisa y blancuzca apta para escribir. Al trasluz se observa el rastro de las venas, testimonio de su origen animal. Todavía hoy se fabrica y se utiliza para escritos y libros de prestigio.

EL PERGAMINO

El pergamino es un soporte realizado con piel de animal que, tras un proceso de preparación, resulta muy apto para la escritura. Si la piel proviene de un animal joven, la consistencia del pergamino es más fina y se llama *vitela.*

Debe su nombre a su origen, pues su invención proviene de la ciudad de Pérgamo. Fue un material muy utilizado en la Antigüedad, pero por su coste, sustituido paulatinamente por el papiro, que era más barato y fácil de obtener. El pergamino quedó relegado a su uso más noble en manuscritos o libros sagrados. En su origen, el pergamino se usaba en rollos. Fue durante el período romano cuando se empezó usar en forma de cuadernos llamados *quaterniones.* Cuando los *quaterniones* eran cosidos y unidos entre sí, se los protegía con unas tapas. Las cubiertas de los *quaterniones* eran confeccionadas con tablillas de madera *(codex)* y las hojas de pergamino *(membrana).* Los tomos así formados eran llamados *codex membranei.*

Todavía se fabrica pergamino, pero es más fácil encontrar en las tiendas de bellas artes papeles que imitan su textura. Evidentemente no tienen la calidad ni la apariencia final de un pergamino real, pero para según que trabajos pueden ser interesantes.

El Evangeliario de Godescalc, *libro realizado por el escriba del mismo nombre sobre pergamino y ricamente iluminado, muestra en esta página, escrita con tinta de oro y decorada con una rica iluminación, la fuente de la vida con motivo del bautismo de Pipino, hijo de Carlomagno.*

Nociones esenciales para la práctica de la caligrafía

En este apartado se introducirá al lector en los elementos esenciales que hay que observar a la hora de practicar esta escritura artística. Estos elementos para el conocimiento de la terminología esencial de las letras y de la escritura son: la morfología, el ángulo de la escritura y el ángulo de inclinación, el *ductus*, el módulo, la posición del cuerpo o cómo sujetar el útil de escritura.

LA MORFOLOGÍA

En la escritura, el término "morfología" define su aspecto exterior y es lo que nos permite reconocerla y datarla. Así, a lo largo de la historia de la escritura, algunos signos han evolucionado y cambiado de forma. Un ejemplo sería el signo "&", cuyo nombre en español es "et" aunque se pronuncia "y" (en inglés *and*). El signo original estaba formado por dos letras "e" y "t", pero que el resultado de la evolución al representarlas ha derivado hasta la forma "&". Es lo que se denomina una ligadura y las características morfológicas de una letra nos pueden ayudar para ir puntualizando la fecha de la escritura.

Datar una caligrafía es una tarea realmente difícil y un procedimiento empírico es insuficiente. Es el objeto de la paleografía. Hay que estudiarla y tener también en cuenta características de la letra como el ángulo de la pluma o el *ductus* que aquélla utiliza.

ANATOMÍA DE LA LETRA

Con este nombre se pueden definir las principales partes de una letra. La parte "central" de la letra, denominada cuerpo, es la que se inscribe entre la línea base y la superior de la pauta. Estas líneas de guía, (más adelante se mostrará como hacerlos con el cálculo del módulo) luego deben eliminarse. Las partes que sobresalen de la pauta se denominan astas y pueden ser superiores o inferiores, según superen la línea superior o la base, respectivamente. También existen astas transversales o travesaños como las de las letras "t" o "f". Las letras con partes completamente cerradas, como pueden ser la "a" o la "b" se caracterizan por tener una zona interior, el ojo. Otras letras presentan rasgos sueltos denominados oreja o ápice, como es el caso de la "r" y, en muchos estilos caligráficos, la "g" minúscula. El término ligadura se refiere al trazo que une a dos letras consecutivas.

Otros elementos son los adornos y florituras que el calígrafo puede emplear para adornar las letras. Los más conocidos son los rasgos, remates o serifas que aparecen al final de las astas, en especial en las letras mayúsculas. También son muy comunes en letras góticas los finos trazos que unen partes normalmente no cerradas de una letra.

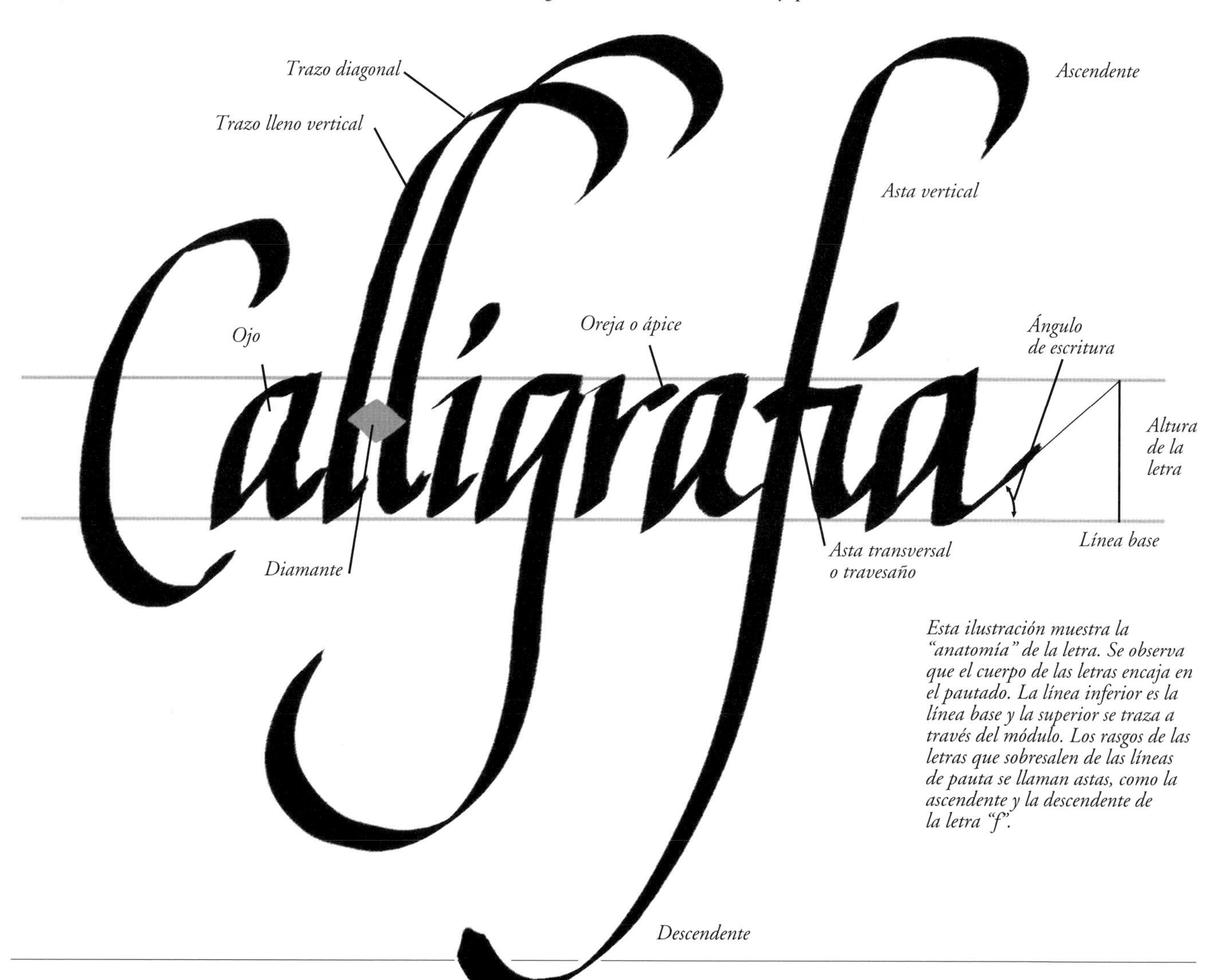

Esta ilustración muestra la "anatomía" de la letra. Se observa que el cuerpo de las letras encaja en el pautado. La línea inferior es la línea base y la superior se traza a través del módulo. Los rasgos de las letras que sobresalen de las líneas de pauta se llaman astas, como la ascendente y la descendente de la letra "f".

EL ÁNGULO DE LA ESCRITURA

Se trata del ángulo de la posición del instrumento de escritura respecto a la pauta que sigue la línea de la escritura y se materializa por el eje longitudinal que pasa por el interior de dicho útil, como puede ser una pluma.

Dos conceptos diferentes pero que pueden confundirse son la diferencia entre ángulo de escritura y la inclinación de la letra. No son lo mismo. El ángulo de la escritura varía dependiendo de la caligrafía que se realice, pero éste debe ser siempre constante, estable. Es muy importante respetarlo y en los modelos de estilos de caligrafías incluidos en este libro se irán marcando los diferentes ángulos.

El ángulo de escritura fue definido por el paleógrafo Jean Mallon cómo "la posición en la cual se encuentra situado el instrumento del escriba en relación a la dirección de la línea".

Según el paleógrafo Léon Gilissen, "los dedos hábiles han de jugar con la pluma que sostienen: para las ligaduras de formación de letras y de los signos, la pluma pivota ligeramente sobre ella misma en el sentido inverso de las agujas del reloj cuando se trate de ligaduras hacia abajo, y en el sentido de las agujas de un reloj cuando se trata de ligaduras hacia el alto de las letras. Este ligero pivotamiento de la pluma obliga en principio a un cambio del ángulo del instrumento que escribe".

El ángulo de la escritura viene supeditado por el ángulo de trabajo del instrumento. En el caso de la plumilla, la disposición de ésta con respecto a la pauta que sigue la línea de la escritura depende del corte efectuado en la extremidad. Es decir, de la forma en que se haya fabricado o en que el escriba haya tallado su punta, ya recta o simétrica, ya biselada a la derecha o a la izquierda.

DISTINTOS ÁNGULOS

Para empezar un trabajo de caligrafía, deberemos tener antes muy en cuenta el ángulo de la escritura de la letra que estamos a punto de escribir. Así, si queremos escribir en caligrafía rústica, el ángulo de escritura ha de tener 70º para los trazos verticales y 45º para los horizontales y los curvos. Por ello vemos una gran diferencia entre los trazos de 70º, que son finos; y los trazos realizados a 45º, que son más gruesos. Este contraste es muy importante en este tipo de escritura. Para la escritura uncial usaremos un ángulo de escritura de 20º. Para la elaboración de la mayoría de las caligrafías utilizaremos un ángulo de escritura de 45º, pero este dato el lector lo verá en cada modelo.

En este trabajo escrito con letra gótica se observa que las astas de la letra se trazan rectas, sin inclinación; sin embargo todos los rasgos que cierran algunas letras siguen un riguroso ángulo de escritura a 45º y una inclinación a 0º.

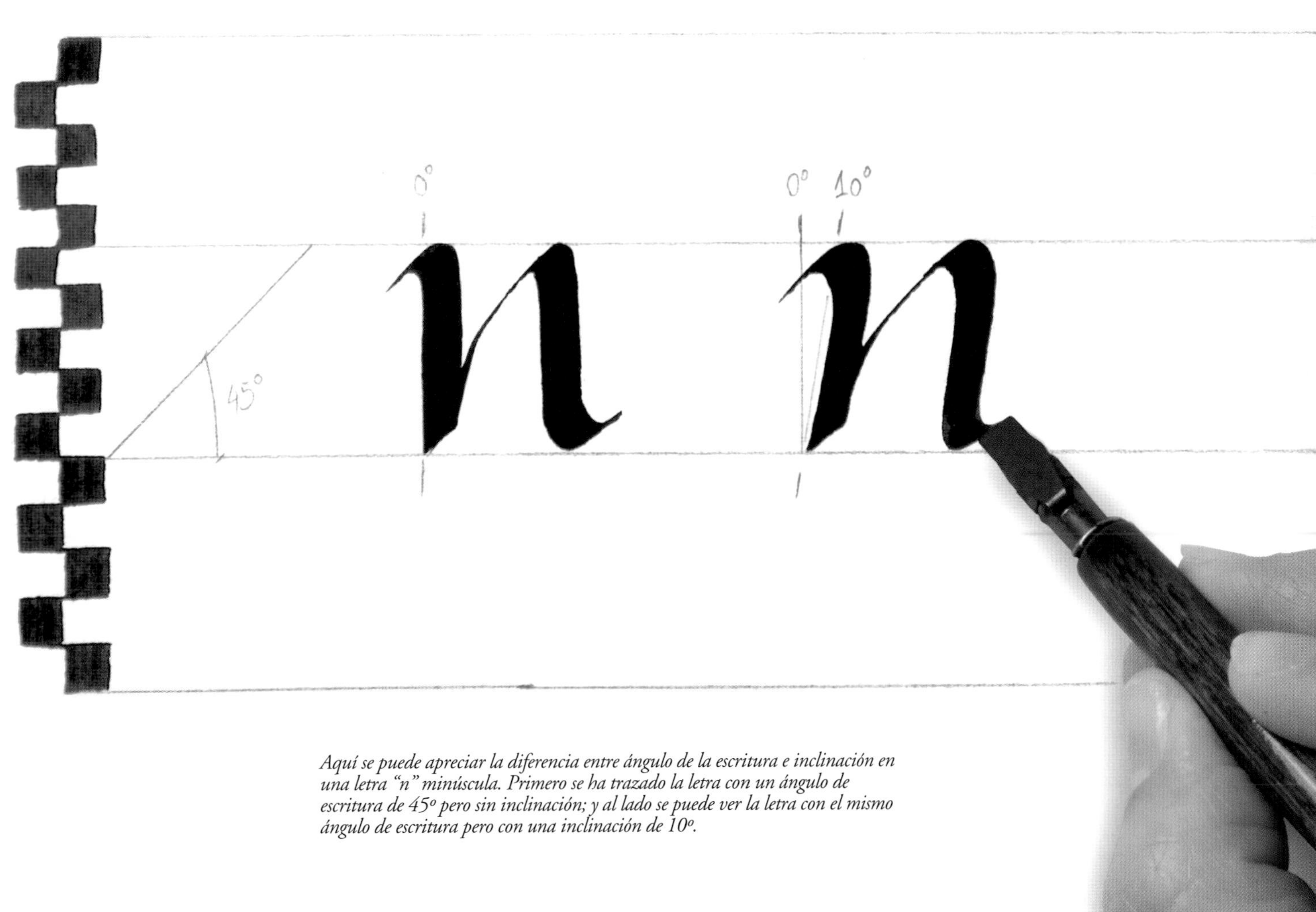

Aquí se puede apreciar la diferencia entre ángulo de la escritura e inclinación en una letra "n" minúscula. Primero se ha trazado la letra con un ángulo de escritura de 45º pero sin inclinación; y al lado se puede ver la letra con el mismo ángulo de escritura pero con una inclinación de 10º.

Observemos el ductus *de una letra "a" en caligrafía itálica cancilleresca. Primero se realiza un trazo horizontal de izquierda a derecha, tras ese trazo se hace el asta curva o bucle que encierra el ojo de la "a" y, por último, se procede a terminar la cola de la "a". Por lo tanto, tres trazos conforman el* ductus *de esta letra en este estilo.*

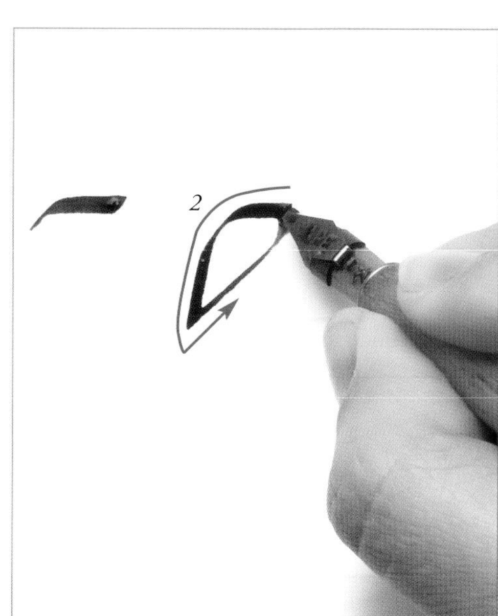

EL *DUCTUS*

La palabra *ductus* proviene del latín *digitus* que significa "dedo". El insigne paleógrafo Agustín Millares Carlo lo definió del siguiente modo: "El *ductus* es el orden en el que los trazos fueron ejecutados y el sentido en el cual cada uno de ellos fue hecho".

Es decir, es el número de trazos necesarios para formar una letra, el sentido que debe tener cada trazo y el orden de ejecución. En los modelos de cada estilo de caligrafía de este libro se muestra el *ductus* marcado por unas flechitas que indican cómo se debe realizar cada trazo. Orden y dirección están regulados, el *ductus* es el código que debe seguirse en la realización de la caligrafía.

EL ORDEN

A grandes rasgos, podría afirmarse que, para escribir los trazos verticales, éstos se realizan de arriba abajo y en un trazo horizontal; el sentido es de izquierda a derecha. Sin embargo, en la escritura árabe, este sentido varía dado que la dirección de escritura es de derecha a izquierda.

No seguir el *ductus* de una letra puede provocar la desvirtuación de una forma caligráfica y su inexactitud. En el caso de la caligrafía china, el *ductus* debe seguirse todavía más estrictamente, no se permite la improvisación en el orden ni en el sentido de los trazos, pues se trata de un tipo de caligrafía muy inflexible.

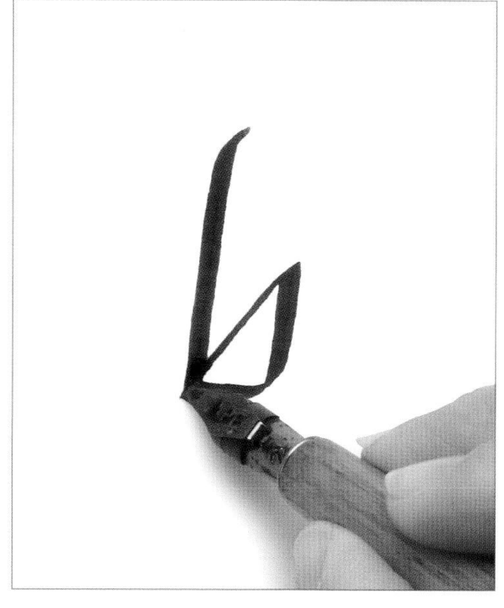

Imágenes que ilustran la repetición de la contraforma u ojo de la letra "a" en otras letras de la itálica cancilleresca, como sucede en la formación de las letras "g" o "d", o la "b", aunque con el trazo del cuerpo de la letra invertido.

EL MÓDULO

Según Millares Carlo, el módulo "designa las dimensiones 'absolutas' de las letras. Por 'relación modular' se entiende la proporción entre la altura y el ancho de aquéllas".

El cálculo y la medición del módulo de una letra en una misma hoja de texto puede variar y resultar errónea, pues la relación establecida entre la altura y la anchura de las ascendentes y descendentes presenta notables diferencias incluso en la misma hoja de texto.

EL CÁLCULO DEL MÓDULO

Para calcular el módulo de una letra hay que realizar siempre un ejercicio antes de empezar un trabajo caligráfico. Con un lápiz con la punta afilada o con minas de 0.5 se traza una línea en el papel preparado para empezar a escribir. Dicha línea debe trazarse allí donde se desee iniciar la escritura y se la denominará "línea base". Sobre esta línea base se dibujan, con la ayuda de la plumilla, unos cuadraditos en disposición escalonada y alterna, preferiblemente realizados sin levantar la plumilla de la hoja. El ancho de cada cuadradito, y por lo tanto el alto, corresponderá al ancho de pluma elegida. Pero este ancho de pluma variará en función de la caligrafía escogida. Así, por ejemplo, una caligrafía uncial tiene un módulo equivalente a 5 anchos de pluma; pero en cambio una gótica textura tiene un ancho de 4 1/2. Evidentemente, según el tamaño de la pluma, varía la medida del módulo. Tras realizar estos cuadraditos, se trazan unas líneas sobre cada uno de ellos y paralelas a la línea base. Éste va a ser el pautado de la escritura. Para textos largos, de más de una línea, hay repetir la operación.

1. Ejemplo práctico de cómo realizar el módulo de 5 anchos de pluma para la escritura itálica con una pluma metálica Brause de 2 mm, con 5 módulos de ascendentes y 5 de descendentes. Se empieza haciendo cuadraditos del ancho de la plumilla elegida dispuestos de forma alternada uno debajo del otro. Debe procurase que los cuadrados sen lo más regulares posible, con igual ancho que alto.

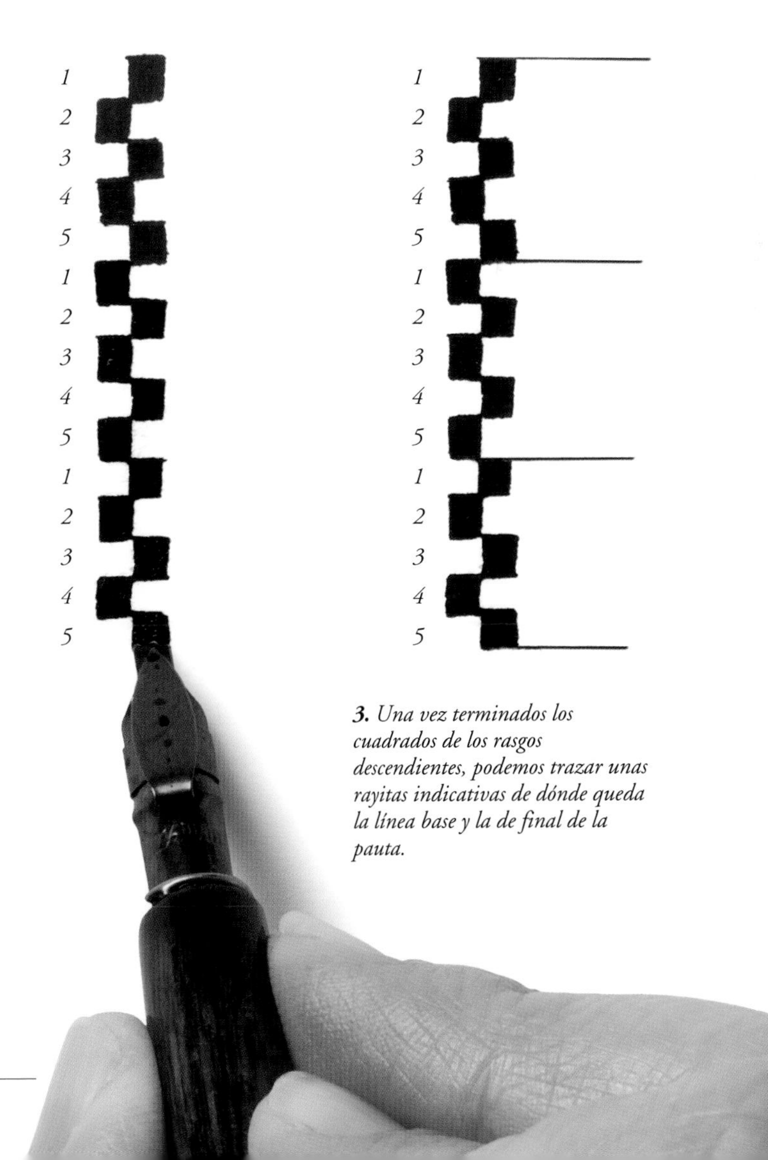

3. Una vez terminados los cuadrados de los rasgos descendientes, podemos trazar unas rayitas indicativas de dónde queda la línea base y la de final de la pauta.

2. Los primeros cinco cuadrados corresponden a los rasgos ascendentes. Los cinco siguientes al cuerpo de la letra.

LA PREPARACIÓN DEL ESCRITORIO

Antes de empezar cualquier ejercicio se debe preparar la mesa y ver cómo se sitúa el cuerpo respecto a ella. Lo ideal es despejar al máximo el área de trabajo y disponer el papel a 90º, es decir perpendicular al borde de la mesa. Las herramientas de trabajo deben colocarse cerca, pero espaciadas para que no molesten la ejecución de los trazos.

LA ILUMINACIÓN

Para trabajar de forma cómoda debe haber una buena fuente de luz, que la mesa sea estable y que se disponga de una silla cómoda. Siempre es mejor la luz natural para estas actividades que requieren esfuerzo visual, evitando eso sí, el sol directo que provoca sombras e impiden una correcta visibilidad del ejercicio. Cuando hay que recurrir a la luz artificial, es muy importante disponer de una iluminación general que llene la habitación; es preferible que la luz no sea muy brillante y es mejor el uso de lámparas antirreflejo o incluso una luz indirecta como, por ejemplo, proyectar un foco contra las paredes o hacia el techo y combinarla con una luz puntual, que debe estar situada a la izquierda del área de trabajo en el caso del calígrafo diestro y a la derecha en el caso de los zurdos. Siempre ha de estar colocada de tal forma que evite sombras molestas que dificulten el ejercicio caligráfico.

LA FORMA DE SENTARSE

El cuerpo debe disponerse de forma recta. Sentarse de forma inclinada o torcer el papel provoca mucho cansancio y dolor de espalda, y perjudica mucho el *ductus* y el ángulo de escritura de la caligrafía, con lo que se obtendría con mucha probabilidad un mal resultado. El peso del cuerpo debe descargar sobre la columna, los pies deben estar bien apoyados, las piernas deben estar relajadas y jamás cruzadas pues eso provocaría fácilmente que la caligrafía se tuerza o se incline.

Para escribir debe colocarse la mano izquierda sobre la hoja, mientras que la derecha debe estar ligera y cómoda, y para ello la muñeca ha de estar algo levantada y libre, y hay que apoyar el antebrazo sobre el codo. Se recomienda la colocación de una hoja limpia debajo de la mano derecha, para evitar que el sudor o la grasa cutánea manchen el trabajo.

El cuerpo ha de estar recto y descargar sobre la columna. Los pies deben estar apoyados y las piernas relajadas y nunca cruzadas. El cruce de las piernas o una mala posición provoca que con facilidad la caligrafía salga torcida o inclinada de forma anómala. Foto de Katja Seidel.

LA RESPIRACIÓN Y LA CONCENTRACIÓN

Es importante también un buen control de la respiración. Se recomienda inhalar y exhalar de forma suave y progresiva. Es conveniente lograr un estado de relax y concentración óptimo. Este estado de meditación es esencial en la caligrafía oriental, en especial en la china. El estado relajado es muy importante para la práctica de la caligrafía, sólo así se puede lograr un trazo fluido, regular y bello. Si uno se nota cargado, cansado o tenso, es preferible parar y hacer algún ejercicio de estiramiento o de relajación o ambos. Ayuda también oír música relajante, como la clásica, evitando la música pues puede distraer.

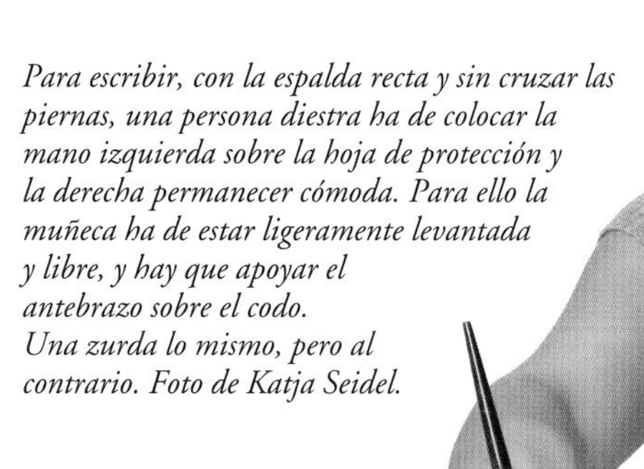

Para escribir, con la espalda recta y sin cruzar las piernas, una persona diestra ha de colocar la mano izquierda sobre la hoja de protección y la derecha permanecer cómoda. Para ello la muñeca ha de estar ligeramente levantada y libre, y hay que apoyar el antebrazo sobre el codo. Una zurda lo mismo, pero al contrario. Foto de Katja Seidel.

EL MATERIAL INDISPENSABLE

En la mesa deben disponerse, además del papel o material para caligrafiar, los instrumentos con que queremos trabajar y las tintas o pinturas que usemos para escribir. También dos recipientes con agua, uno para disolver la tinta y otro para limpiar las plumillas o los pinceles. Además de un trapo para limpieza, a mano tendremos también un papel para ensayar y donde se realizan los primeros trazos tras cargar de tinta la plumilla, evitando así un exceso de tinta y que manche el trabajo.

CÓMO COLOCAR UNA PLUMILLA EN EL MANGO

En el extremo del mango se aprecia una pieza metálica con un acabado en forma de flor y rodeada de un aro circular. Para colocar correctamente una plumilla se sigue esta forma redondeada, colocándola con cuidado más o menos hasta la mitad, que no quede muy suelta evitando así que el trazo no sea controlable o que se caiga la plumilla a medio trabajo, ni muy adentro que provocaría poca flexibilidad de la plumilla. A menudo un error frecuente que debe evitarse es la colocación de la plumilla dentro de dicha flor.

En la foto puede apreciarse que la plumilla se coloca bordeando la flor metálica y no introduciendo la plumilla en la cruz que forma dicha flor, error bastante frecuente que impide la correcta ejecución de la caligrafía y estropea el material.

LA SUJECION DE LA PLUMA

Para escribir, la pluma debe sujetarse con los dedos índice y pulgar y apoyarla sobre el medio. La posición de la mano debe ser cómoda pero fija y controlada. No es necesario ejercer mucha presión, pues eso provocaría excesiva rigidez y cansancio en la mano. Podría afirmarse que las plumillas son personales e intransferibles ya que cada mano somete a una presión distinta a la pluma y ésta se adapta a dicha presión. Las puntas de las plumillas se abren más o menos; si uno presiona poco y se presta la pluma a alguien que someta mucha presión a la plumilla, el resultado de ésta puede variar su notablemente.

La presión de la pluma también se determina y varía según el tipo de caligrafía que se esté trabajando; así, una letra uncial o una carolingia se escriben con un ángulo constante y sin presión, pero en cambio la escritura gótica requiere cierta presión.

Para iniciar la escritura de un tipo concreto de caligrafía, debe tenerse muy en cuenta el ángulo de la escritura. Por ejemplo, para escribir en cancilleresca hay que colocar la plumilla a 45º respecto de la línea base de la pauta; este ejercicio provoca un bello contraste entre gruesos y perfiles y es una característica de la morfología de cada letra.

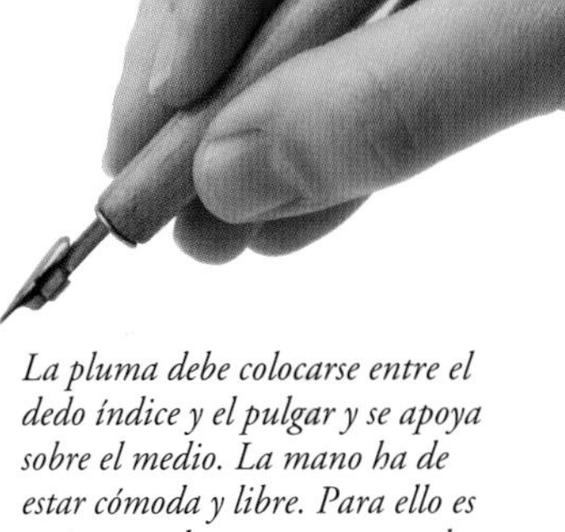

La pluma debe colocarse entre el dedo índice y el pulgar y se apoya sobre el medio. La mano ha de estar cómoda y libre. Para ello es mejor tenerla un poco arqueada y es preferible no hacer mucha presión al escribir.

Para trabajar con comodidad hay que disponer los utensilios a mano pero sin que estorben el trazo. Y el papel debe estar a 90º o perpendicular al borde de la mesa. Foto de Katja Seidel.

EL RITMO

Una de las características más importantes en la caligrafía, en especial en la libre, es el ritmo con que se escribe. La caligrafía requiere realizar los trazos en ciertos intervalos iguales de tiempo, algo muy parecido a tocar un instrumento y el tempo musical. Conviene empezar estas tareas con un ritmo muy lento y pausado e ir aumentando la velocidad de éste poco a poco, conforme el transcurso de la práctica lo permite, con lo cual se escribe de forma muy controlada.

EL ESPACIADO DE LAS LETRAS Y EL INTERLETRAJE

El espaciado de la letra –que es el espacio que ocupan las propias letras– viene marcado por dos características: la primera es el tipo de letra que vamos a escribir, así una caligrafía carolingia tiene mayor espaciado entre sus letras que el que se aprecia en una gótica, donde las letras están muy juntas y tienen un interletraje mínimo. El interletraje es la distancia entre dos letras. La segunda característica del espaciado de las letras viene dado por la propia morfología de cada letra. Así una "i" es la letra que ocupa un menor espacio de escritura, pero hay que tener en cuenta que dos letras estrechas requieren un interletraje mayor respecto a una letra más ancha como la "o"; ésta, por el contrario, ocupa más espacio pero precisa menos blanco, como ocurre entre dos letras redondas seguidas. El equilibrio entre espacio blanco y negro determina el espaciado entre letras.

Para ver fácilmente la importancia del espaciado de las letras se escribe la palabra "raïm" que contiene la "i", la cual ocupa un espacio mínimo y puede compararse con la letra "m", que, por el contrario, ocupa un gran espacio. En este caso se aprecia que la "i" está demasiado cerca de la "a" creando así un mal efecto óptico y queda claro que el espacio entre letras ayuda al orden y a crear una imagen estable y regular.

En esta imagen se ve cómo se ha corregido el espacio el interletraje, creando una palabra más ordenada y con espacios regulares entre las letras. En caligrafía, el equilibrio es primordial.

Antes de la práctica de caligrafía a tinta es necesario practicar el ritmo a lápiz. Es aconsejable realizar estos ejercicios porque, en cuanto se consiga controlar el ritmo, se estará preparado para iniciar el trabajo a tinta.

Con el ejercicio de escribir la palabra "minimum" que incluye repetidos trazos casi paralelos, se aprecia la importancia del ritmo. Con la repetición de este ejercicio se logra un ritmo controlado y regular pero con aspecto libre. La caligrafía es como una música, un ritmo de orden acompasado.

EJERCICIOS PREVIOS A LA ESCRITURA

Antes de empezar la práctica de ninguna letra, es preferible realizar unos ejercicios para sentirse cómodo con los trazos básicos de cualquier caligrafía. Son ejercicios que ayudarán a familiarizarse con el uso de la plumilla y a controlar el trazo. En los siguientes ejemplos hechos paso a paso, se aprecia cómo debe trabajarse, qué posiciones han de tener la pluma y la mano para obtener un buen resultado.

Se comienza colocando la plumilla a un ángulo de escritura de 45° y se crea una cenefa de dos líneas que formarán un triángulo donde el trazo ascendente debe resultar muy fino y el descendente muy grueso.

Después, a la inversa de los trazos anteriores, se hacen unas "X" con la combinación de ambos trazos, uno fino y el grueso a 45°.

Otro ejercicio consiste en realizar líneas verticales con un ángulo de escritura de 45°, procurando que sean lo más paralelas posible y de la misma altura. No es tan sencillo como parece, así que debe practicarse hasta que el resultado sea satisfactorio. Entonces se puede proceder a realizar trazos horizontales; éstos son más difíciles, pero se encuentran en varias letras como la "a" o la "e". Por último, se combinan dibujando cruces.

MÁS EJERCICIOS PARA MEJORAR LA PRÁCTICA

También se pueden combinar ambos trazos, el vertical y el horizontal, mediante la creación de cuadrados; este ejercicio es muy adecuado para conseguir que los elementos sean equidistantes y que las líneas sean totalmente paralelas.

Por último, se pueden hacer tres ejercicios más en que los trazos que se practican son muy frecuentes en varios estilos de escritura que se mostrarán más adelante.

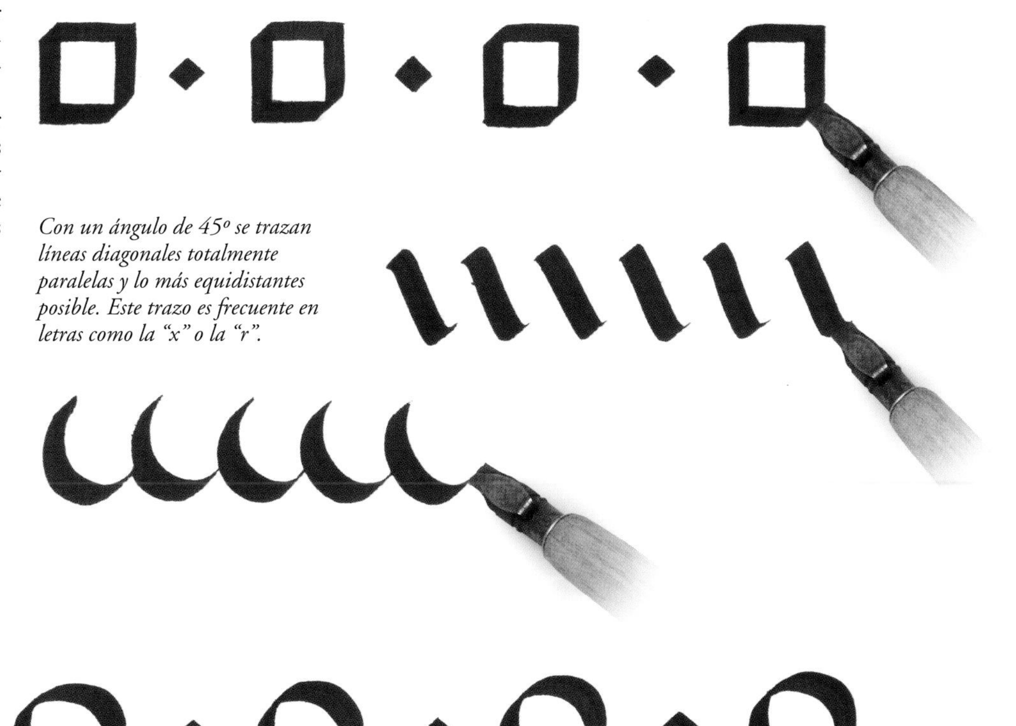

Realización de cuadrados para coordinar las distancias horizontales y verticales.

Con un ángulo de 45° se trazan líneas diagonales totalmente paralelas y lo más equidistantes posible. Este trazo es frecuente en letras como la "x" o la "r".

Ahora pueden practicarse las formas curvas trazando curvas paralelas, a modo de cenefa. Este trazo se halla en letras como la "c", la "q" o la "d".

Por último, conviene practicar las formas redondas. Para ello se dibujarán redondas mediante dos trazos: un arco de derecha a izquierda y luego otro de izquierda a derecha uniéndolo al anterior. También debe procurarse que las redondas resultantes sean equidistantes entre sí. Este trazo se encuentra en letras como la "o" o la "q".

La composición de un trabajo caligráfico

La forma con que puede hacerse un escrito puede ser muy diversa, dependiendo lógicamente del formato del soporte, papel por lo general. Pero hay unos conceptos clásicos, fruto del hallazgo secular de razones matemáticas, que aportan armonía a la obra.

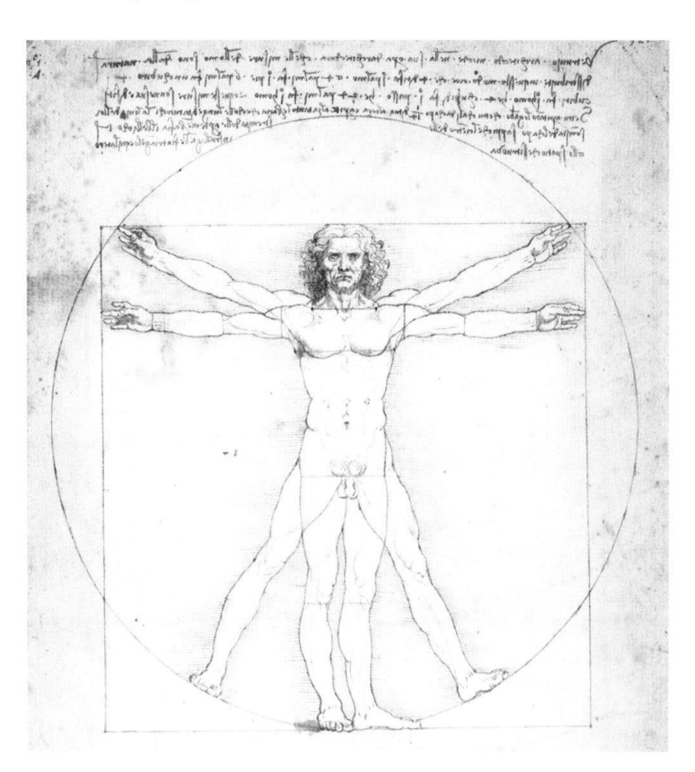

El hombre de Vitruvio, *estudio de Leonardo da Vinci, donde la relación de las extremidades del cuerpo humano está establecida a partir de la proporción áurea.*

LOS FORMATOS DEL SOPORTE

Los soportes pueden ser tan variados como se quieran: cuadrados, rectangulares, circulares y de cualquier forma geométrica. El formato rectangular, bien vertical o apaisado, es el más usual. Una composición caligráfica puede realizarse de muchas formas, con total libertad creativa; pero si se desea hacer un trabajo formal, entonces están establecidos unos espacios ideales para escribir. Estos cánones hacen que el texto que se va a caligrafiar quede bien situado sobre el soporte.

LA PROPORCIÓN ÁUREA

Desde la Antigüedad se conocen unas razones matemáticas halladas a partir de ejemplos de la naturaleza –como la curvatura espiral de la concha del nautilus– que determinan unos cánones de construcción armónicos. Los grandes artistas han aplicado estas razones en la arquitectura y en el arte para lograr la máxima expresión de la belleza. La más conocida es la proporción áurea, también conocida por otros nombres: sección áurea o sección dorada.

Si hablamos de pintura o bien de caligrafía o diseño, se trata de delimitar una zona del papel donde conviene encajar la parte esencial de la obra, y a partir de ella que queden equilibradas las demás partes y los blancos para que todo quede compensado. Grandes obras de la pintura de todos los tiempos o edificaciones como el Partenón de Atenas desarrollan sus proporciones a partir de la proporción áurea. Para hallarla existe una forma geométrica y otra matemática.

La base de la proporción áurea es una relación numérica que surge de la secuencia de Fibonacci. Esta sucesión se construye como consecuencia de la suma de dos números a partir de 0 y 1 y luego con la sucesiva suma del último resultado con el sumando anterior más alto. Los primeros resultados son:

0 + 1 = 1, 1 + 1 = 2, 1 + 2 = 3, 2 + 3 = 5, 3 + 5 = 8, **5 + 8 = 13**, 8 + 13 = 21, 13 + 21 = 34, 21 + 34 = 55,...

En esta secuencia, la proporción 8:13 es la que define la relación áurea. A partir de aquí, para un papel o cualquier soporte dado, puede calcularse el formato de su proporción áurea por cálculo o bien hallarse de forma geométrica.

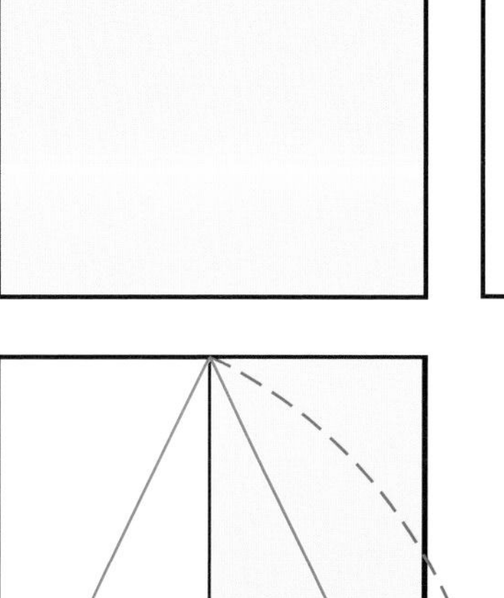

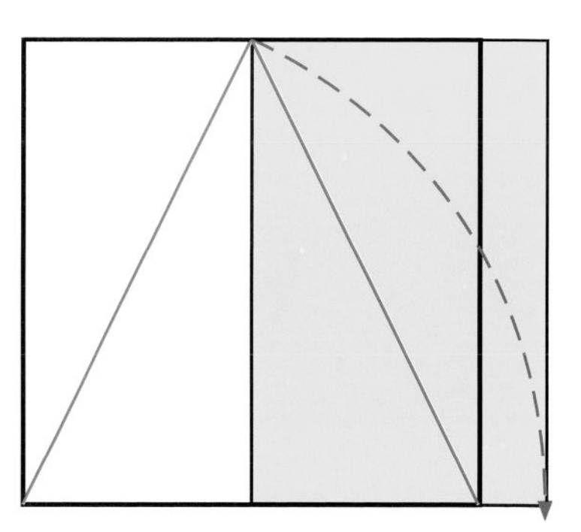

Método geométrico de determinar la proporción áurea como se explica en el texto. Una vez determinada la proporción áurea, puede emplearse (ampliándola o reduciéndola) de forma proporcional.

LA FORMA GEOMÉTRICA

A partir de un cuadrado, se procede a dividirlo en dos mitades, de lo que resultan dos rectángulos iguales. Luego se une con una línea cada vértice extremo del cuadrado inicial con el punto medio de la parte superior, allí donde limitan los dos rectángulos. De ello resulta una figura triangular. La hipotenusa de este triángulo es el radio de un arco de circunferencia que con centro en el vértice inferior y trazado desde el vértice superior del triángulo hasta la prolongación de la base de éste (y del cuadrado) marca un punto. Desde este punto puede levantarse una línea, desde la base hasta la prolongación de la parte superior del cuadrado primitivo. El área que forma la mitad del cuadrado más este espacio rectangular tiene una proporción áurea con una relación de 8 a 13 entre sus lados.

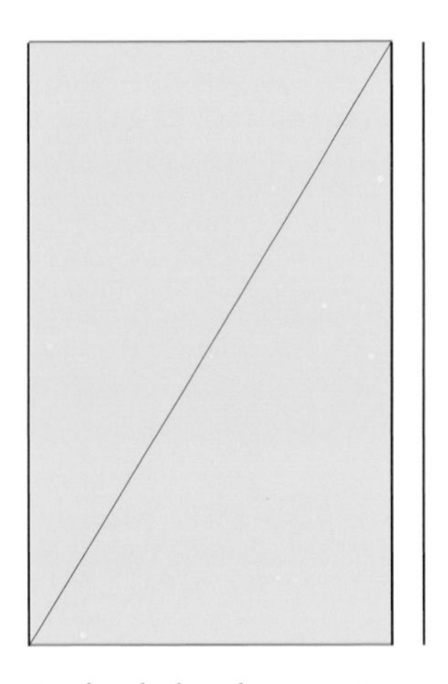

Puede calcularse la proporción áurea multiplicando una línea de la medida que se desee por 1,618, con lo cual se determina otra línea que será más corta. Con ambas líneas puede construirse un rectángulo que cumpla la proporción áurea.

LA FORMA MATEMÁTICA

Si se toma una línea recta con una longitud cualquiera y se divide por 1,618, se logra otra línea con un longitud menor. Estas dos medidas forman los lados largo y corto para construir un rectángulo que cumple la proporción áurea.

LA PROPORCIÓN DE LA PÁGINA

Con la proporción áurea y con otras razones matemáticas parecidas, se configuran en el papel unas zonas idóneas para la escritura. Estos principios también son válidos para la composición de textos. Fueron los primeros impresores quienes diagramaron las páginas de sus libros a partir de los cánones que perfeccionaron los escribanos medievales. A mediados del siglo XX, el tipógrafo, calígrafo y rotulista alemán Jan Tschichold definió en su obra *Die Neue Typographie* sus teorías sobre la diagramación de las páginas. A partir de proporciones surgidas de la proporción áurea, situaba de forma ideal el bloque de texto de una página en una posición que respeta los valores de la secuencia de Fibonacci, dejando igual distancia del bloque al corte superior y al lateral, menor distancia con el lomo y mayor distancia del bloque a la base.

LAS FORMAS DE COMPOSICIÓN

Antes de comenzar, conviene preparar el texto que se va a escribir, y según su longitud y el tamaño del papel que se debe utilizar, hay que decidir el tamaño con que se desea escribir, el o los modelos de letra adecuados y la forma de composición.

La forma básica más simple es alinear las líneas por la izquierda y, con un interletraje regular, llenarlas hasta el final establecido, sin partir palabras (lo cual se denomina bandera a la derecha); es decir, si la siguiente palabra no cabe entera en el espacio, pasa a la línea inferior. También puede hacerse al contrario, alineando las líneas a la derecha y dejándolas en bandera por la izquierda.

Más dificultad requiere escribir con líneas centradas ya que hay que determinar previamente el punto medio del espacio destinado a escribir y ensayar, antes de hacer el escrito definitivo, la colocación de las palabras. Si al final de una línea se encuentra una palabra larga, ésta puede afear el resultado.

Otra posibilidad que es poco empleada en caligrafía pero no en composición de libros es la justificada, es decir alineada a ambos lados, por lo que deben abrirse blancos entre palabras o incluso alterar el interletraje. Esto también debe ensayarse previamente.

Por último, la composición también puede ser en línea curva, bien circular, en espiral o sinuosa. Esta forma requiere mayor destreza.

Esta trabajada caligrafía, fragmento de una amplia obra realizada por Fabián Sanguinetti sobre las cuatro estaciones, muestra un texto que empieza con líneas centradas y luego sigue en espiral. Las formas de justificación ofrecen una gran cantidad de posibilidades artísticas.

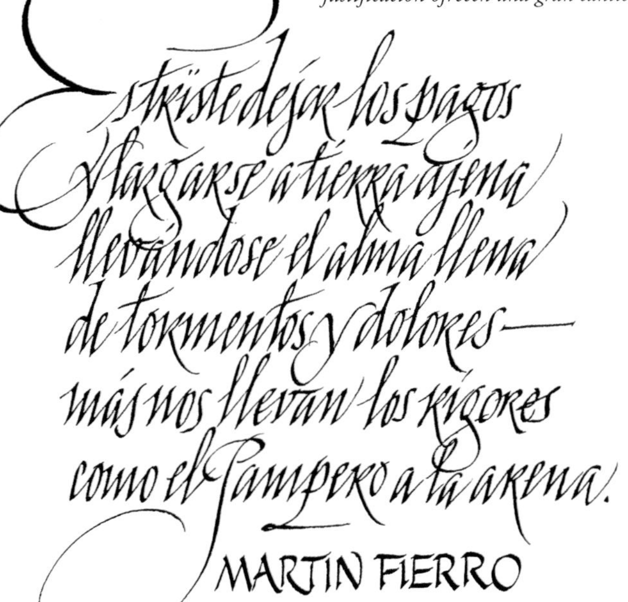

Ejemplo de texto justificado a la izquierda y en bandera por la derecha, caligrafiado por Ricardo Rousselot a partir de un pasaje de Martín Fierro, *obra capital de la literatura argentina.*

Texto caligrafiado en líneas centradas, o en bandera a izquierda y derecha. Trabajo de Ricardo Rousselot en alemán para la etiqueta de un licor.

LA PAUTA

Antes de empezar un trabajo hay que diseñar una pauta donde se procederá a hacer la escritura de la caligrafía. Para ello se debe tener muy claro cuál es el resultado deseado. Si el documento final que se quiere lograr es un diseño clásico, entonces se puede diseñar la pauta a partir de proporciones clásicas, como se explica más adelante. Si, por el contrario, se pretende un diseño más libre y atrevido, entonces puede crearse una pauta propia, menos regular. Lo más importante de un trabajo caligráfico es el concepto que se quiere transmitir, qué sensación se desea expresar y cuál es la composición más adecuada para ello. La disposición de los elementos ha de mantener una proporción equilibrada entre el "peso" de la caligrafía y la ubicación en el espacio, y entre la disposición y sus dimensiones de modo que se logre un equilibrio formal entre ellos.

Para diseñar una pauta, debe tenerse también en cuenta que tanto la mancha negra de texto como el espacio en blanco del documento transmiten por igual. Realmente no hay una fórmula específica que asegure el éxito, pero si se tienen en cuenta las indicaciones anteriores, es posible lograrlo; y otro camino es observar a los clásicos.

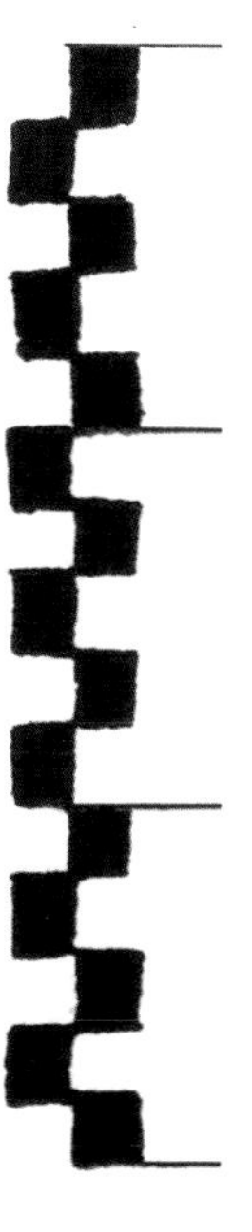

Para hacer una pauta se parte del módulo. Para este ejemplo se aprovecha el realizado anteriormente que consta de 15 cuadraditos, o sea 15 anchos de una plumilla, en este caso de 2 mm.

***1.** Primero se procede a trazar la línea base. Sobre ella se "apoya" el cuerpo de las letras. Como se decide hacer un pautado con tres partes iguales para escribir una cancilleresca, la línea base se traza con ayuda de unas escuadras en la parte superior del quinto cuadradito.*

***2.** A partir de ahí se trazan rayas paralelas a la línea base que serán los límites de los rasgos ascendentes y descendentes al escribir.*

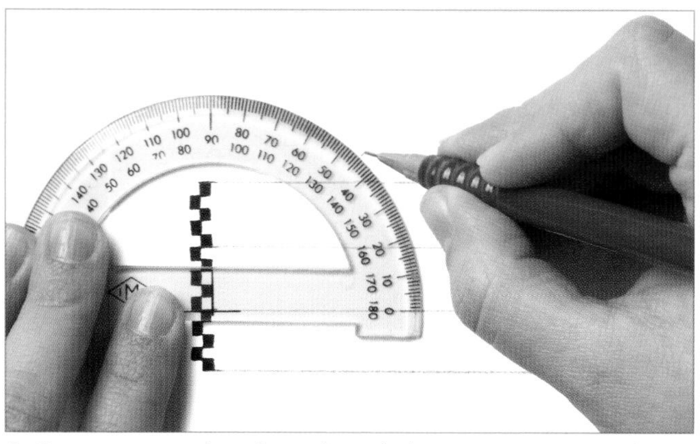

***3.** Con un transportador se busca el ángulo de escritura, en este caso 45º.*

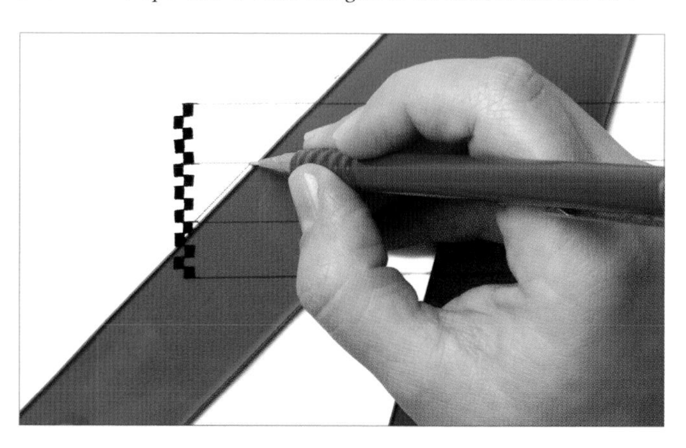

***4.** Con una escuadra se traza la raya inclinada que marca el ángulo.*

EL DIBUJO DE LA PAUTA

Cuando ya se tiene claro cuál es la disposición de la mancha de texto en la superficie que se va a caligrafiar, se procede a realizar el pautado. La proporción correcta de la pauta se calcula en relación con el ancho de la plumilla. Para realizar el pautado habrá que ayudarse de una hoja auxiliar para no manchar la hoja soporte de la obra caligráfica. Para ello, se calculará el módulo, como se ha visto anteriormente. Se dibujará un número de cuadraditos (anchos de plumilla) según el módulo del estilo de letra escogido. Así, para escribir en itálica cancilleresca, se realizarán 5 cuadraditos que corresponderán a 5 anchos de plumilla. Según el tamaño de la pluma, cambia la medida del módulo. Si la plumilla elegida es de 2 mm, el módulo será menor que si es de 5 mm. Tras realizar estos cuadraditos se traza una línea sobre ellos paralela a la línea base. Ésta va a ser el pautado para la escritura. Tras esta operación, ya se tiene la proporción correcta de la pauta.

EL TRASPASO DE LA PAUTA

La pauta se acostumbra a hacer en un papel auxiliar y luego, si el papel definitivo para caligrafiar no es muy grueso, puede utilizarse como guía por transparencia. Para que no haya movimientos, ambos papeles deben unirse sujetándolos de algún modo, como pueda ser una punta de cinta adhesiva. Con esta solución, una mesa de luz ayuda además a ver la pauta.

Cuando no es posible ver la pauta por transparencia, entonces hay que medirla y trasladar el pautado sobre el soporte que se va a caligrafiar. Las líneas han de ser muy finas para poderlas eliminar una vez seca la tinta o la pintura.

5. La pauta ya está terminada. Ésta normalmente se coloca debajo del papel definitivo, si transparenta lo suficiente. En caso contrario debería trasladarse, dibujada de forma muy tenue en la superficie de los soportes opacos.

8. Del mismo modo se trazan la línea base y las de límite de pauta.

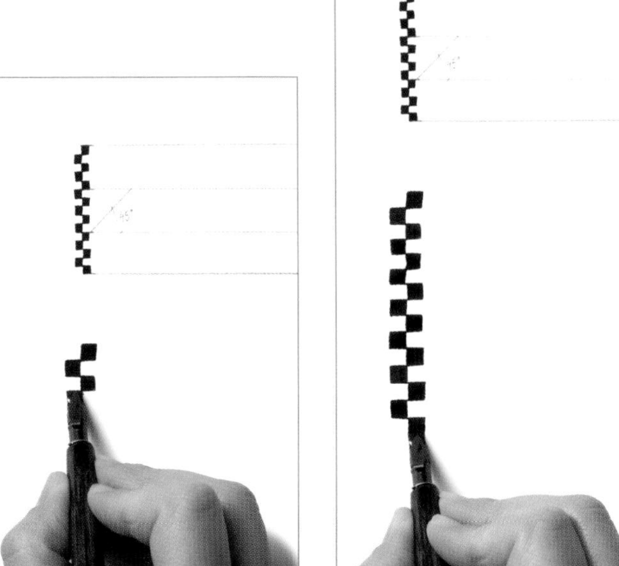

6. Ahora, con la plumilla de 5 mm de ancho se inicia un pautado para realizar una letra de mayor tamaño, o para trazar las letras capitales.

7. El procedimiento es el mismo, por lo tanto se trazan los 15 cuadraditos.

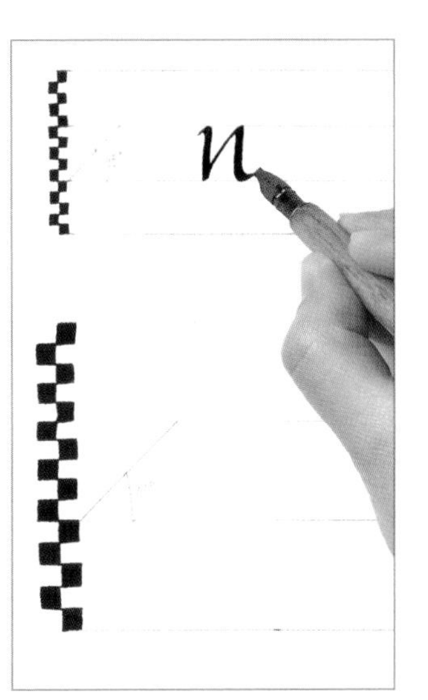

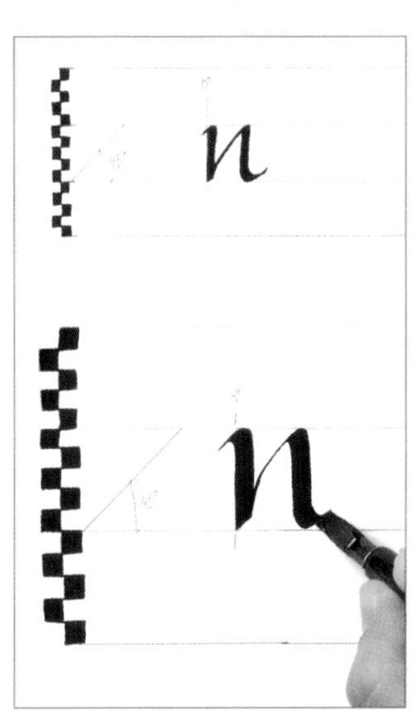

9. Ahora para comparar ambos tamaños, se traza una letra "n" con la plumilla de 2 mm.

10. Cuando se traza la misma letra con la plumilla de 5 mm, los trazos son proporcionales, acordes.

LA PAUTA DE PROPORCIONES CLÁSICAS

La estructura clásica de pautado de un escrito se basa en un tamaño de página con una proporción 2:3, es decir, donde entre la letra y el margen superior y los laterales haya una proporción en base a 2 y, en cambio, en el margen inferior sea en base a 3. La razón por la que hay que dejar más margen en la base de la página es porque el ojo tiende a bajar las formas y este efecto óptico se puede corregir dejando más espacio abajo.

Esta proporción, que utilizaron muchos escribanos, fue empleada en los manuscritos medievales, en el Renacimiento, e incluso Gutenberg la empleó en el diseño de sus libros; pero fue el reconocido tipógrafo Jan Tschichold quien recogió y teorizó por primera vez sobre ella en el libro *The Form of the Book: Essays on the Morality of Good Design* (1955), y fue esencial para establecer los principios básicos del diseño de libros modernos.

Para crear la pauta clásica, se parte de una hoja con unas proporciones 2:3, se dobla por la mitad y se trazan unas diagonales que la cruzan por completo. Para posicionar la rejilla que marcará el bloque de texto, hay que trazar unas líneas horizontales a la misma distancia que se cruzarán con las líneas diagonales trazadas anteriormente y los puntos de anclaje indicarán dónde debe empezar el bloque de texto.

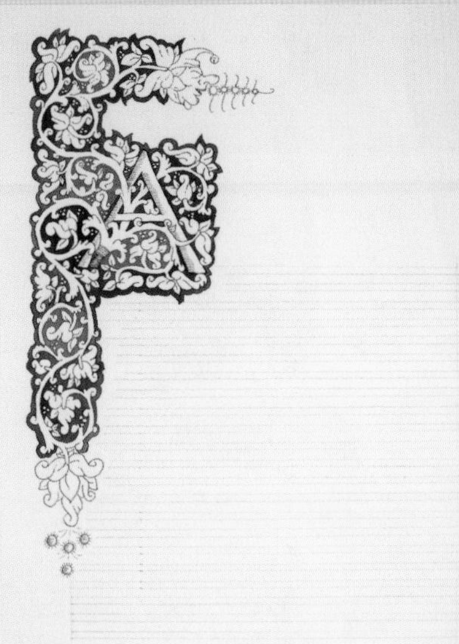

Página con una florida letra capital junto a la que se ha dibujado de forma muy tenue el pautado cuyo módulo ha sido calculado en un papel aparte. Puede observarse que en el margen inferior se ha respetado un espacio mayor que en el superior y lateral, conforme a las reglas de las proporciones clásicas.

EJERCICIO DE COMPOSICIÓN MODERNA

Para lograr una composición más moderna y libre se muestra un ejercicio aconsejado por el calígrafo Massimo Polello en un *workshop* que realizó en San Giorgio Scarampi (Turín, Italia). El ejercicio es sencillo pero muy interesante y se va a presentar paso a paso. Para empezar, se empapa una esponja con pintura de un color agradable. Se observa el papel en blanco y se decide dónde crear una mancha con la esponja empapada de guache de un tono dorado. Tras visualizar dónde se desea situar la mancha, se procede a crearla, presionando la esponja y desplazándola a nuestro antojo. En este caso se va a crear una forma rectangular. Se vuelve a observar de nuevo la hoja con la mancha rectangular, y ahora se van a distribuir las zonas donde se caligrafiará el texto. Se coloca el texto libremente, en horizontal, en vertical incluso en diagonal, como se desee. Tras tener clara la colocación del texto, con la ayuda de un lápiz de mina de 0,5, se traza el pautado, teniendo en cuenta el módulo de la letra y el tamaño de la plumilla. Tras tener el pautado, se procede a caligrafiar el texto. El resultado es un ejercicio sencillo pero bello. Su objetivo es ayudar a componer formas sencillas en un espacio. Este ejercicio se puede emular en cualquier otro parecido.

1. Se empapa una esponja en agua y se prepara pintura, acrílico o guache, en una superficie plana como un plato de plástico. Luego se empapa la esponja con la pintura.

2. Antes de realizar la mancha debe observarse con detenimiento el papel y pensar en una composición. Una vez decidida, se crea un trazo o una mancha con la esponja.

3. La mancha condiciona y ayuda a la vez a crear una composición. Observándola, se decide dónde se va a colocar el texto.

4. Una vez decidido el lugar, se traza la pauta con un lápiz de mina muy fina y se procede a iniciar la caligrafía.

5. Se gira el papel y se continúa la caligrafía en otra dirección; eso le confiere dinamismo al texto.

6. Si se desea, se pueden trazar más pautas en otras zonas del papel y escribir más texto en otras direcciones. La obra que resulta es muy interesante.

Esta obra fue realizada por Queralt Antú Serrano siguiendo las indicaciones de Massimo Polello. De este modo se logra una obra de composición moderna con pocos elementos. Es un ejercicio sencillo pero con muy buenos resultados.

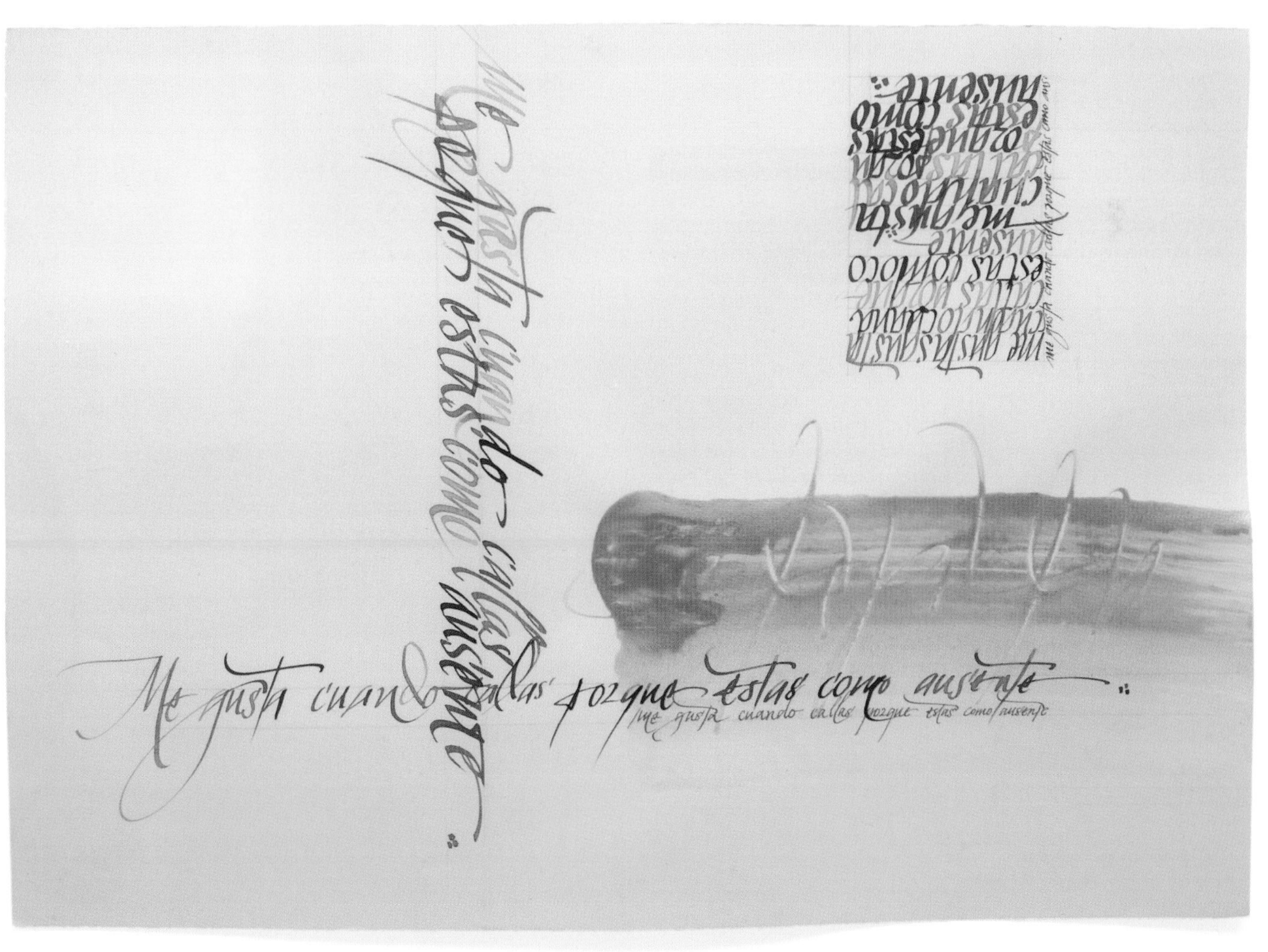

Los orígenes del alfabeto

Nuestro alfabeto es una evolución bella y sin pausa de la historia de la escritura. Entender la morfología de nuestras letras es entender su origen. Por esto, en las siguientes páginas, se hace un repaso de las distintas escrituras para adquirir unos conocimientos básicos de su evolución.

FENICIO ORIGINARIO	FENICIO	GRIEGO ANTIGUO	GRIEGO CLÁSICO
𐤀	𐤀	𐤀	Α
𐤁	𐤁	Β	Β
𐤂	𐤂	𐤂	Γ
𐤃	𐤃	Δ	Δ
𐤄	𐤄	𐤄	Ε
𐤅	𐤅	𐤅	
𐤆	𐤆	I	Ζ
𐤇	𐤇	𐤇	Η
𐤈	𐤈	𐤈	Θ
𐤉	𐤉	𐤉	Ι
𐤊	𐤊	𐤊	Κ
𐤋	𐤋	𐤋	Λ
𐤌	𐤌	𐤌	Μ
𐤍	𐤍	𐤍	Ν
𐤎			Ξ
O	O	O	Ο
𐤐	𐤐	𐤐	Π
	𐤑	M	
	𐤒	𐤒	
𐤓	𐤓	𐤓	Ρ
W	W	ϟ	Σ
+	†X	X	Τ
			Υ

LA ESCRITURA FENICIA

Esta escritura fue la precursora de la hebrea y la griega. Los fenicios fueron un pueblo de comerciantes y por ese motivo recorrieron muchos territorios. Exploraron la costa mediterránea e incluso se aventuraron por la atlántica, en las costas de África. De esta forma también expandieron su sistema de escritura, que plasmaban en papiros enrollados, a los que llamaron *biblion*, término que significa "libro" y que a su vez originó la palabra *Biblia* para denominar a los libros, en especial los sagrados. Pese a todo, eran un pueblo del que no se sabe mucho, pues o apenas dejaron constancia escrita o se ha perdido por la poca resistencia de los soportes que usaron: arcilla o papiro.

Tenían un sistema de escritura cercano a ser el primer alfabeto, aunque aún no se les puede considerar propiamente los creadores pero sí los precursores. Su escritura originaria, data del 2500 a.C. y está considerada "pseudojeroglífica", pues consta de signos que podrían considerarse letras consonánticas pero las mezclaban con jeroglíficos de influencia egipcia, de los cuáles se desconoce el significado. Para llegar al alfabeto fenicio hay que situarse en el siglo XI a.C., en que hay constancia de un alfabeto de 22 letras sólo formado de consonantes.

EL ALFABETO GRIEGO CLÁSICO

La primera colonización importante de la Historia la protagonizaron las polis griegas en el siglo VIII a.C., y en ella fundaron numerosas ciudades por todas las costas mediterráneas. Esta presencia fue especialmente intensa en el sur de Italia, la Magna Grecia. Entre estas colonias de la Magna Grecia, hacia el 750 a.C., destacó la de Cumas, al norte de la actual Nápoles. Sus habitantes pertenecían al grupo dialectal de los griegos occidentales, con un alfabeto próximo al griego jónico-ático, que sería más adelante el griego clásico.

Inscripción con letras del alfabeto fenicio labradas en una piedra.

CARACTERÍSTICAS

La palabra *alfabeto* es de origen griego y está formada por "alpha" y "beta", es decir, las dos primeras letras del alfabeto. El griego es una evolución del alfabeto fenicio e incluye las vocales, siendo así el primero completo. Éste alfabeto consta de 25 letras, 3 más que el fenicio, y consta además de 5 vocales:

Alfa (Aα) Épsilon-Eta (Eϵ) Iota (Iι) Ómicron (Oo) Ípsilon (Yμ)

En su inicio, la dirección de escritura y lectura era de derecha a izquierda, pero a partir del 450 a.C. las inscripciones griegas ya fueron de izquierda a derecha. Grababan, tallaban y cortaban las inscripciones sobre piedra, arcilla, metal y madera; y escribían sobre pergamino, tela o papiro usando plumas y tinta, un cincel o una piedra afilada. Las inscripciones más importantes las tallaban sobre madera y eran colocadas en altura en edificios públicos de gran importancia, siendo así muy visibles. Eran las precursoras de los rótulos y también de los titulares de los diarios.

La fecha exacta del primer alfabeto se desconoce, pero se estima entre los años 1100 y 800 a.C. Del alfabeto griego jónico derivaron el etrusco, el latino y como consecuencia toda la escritura europea moderna.

Esta nueva aportación de las vocales en el alfabeto griego jónico cambió definitivamente la forma de comunicarse. Pero la importancia de la cultura griega va más allá del alfabeto; en el mismo período se escribieron las primeras obras de poesía épica griega, la *Ilíada* y la *Odisea*, de Homero, o las obras filosóficas escritas de Platón recogiendo los diálogos de Sócrates. Así, gracias a la escritura griega, nos ha llegado la base del pensamiento occidental.

Lápida escrita en griego clásico con el tratado entre Atenas y la ciudad de Rhegion, anterior al 440 a.C. Expuesta en la Elgin Collection, British Museum (Londres, Reino Unido). Foto Jastrow.

Cuenco de cerámica con el alfabeto griego arcaico. Museo Arqueológico Nacional (Atenas, Grecia). Foto Marsyas.

Fragmento de una figura de terracota de Niké donde aparece el fabricante, Hyperbolos (ΥΠΞΡΒΟΛΟΥ). *Terracota procedente de Myrina. Musée du Louvre (París, Francia).*

EL ALFABETO ETRUSCO

Los etruscos vivían en el centro centro de la península Itálica hacia el siglo VIII a.C., y era el pueblo que lindaba con Roma. En su época de esplendor, su influencia se expandió a casi toda la península, finalizando el 350 a.C., cuando fueron derrotados por los romanos. Probablemente por el carácter mercantil de los etruscos, se han encontrado numerosas representaciones artísticas de figuras mitológicas griegas, y en la escritura etrusca se refleja una gran influencia del griego.

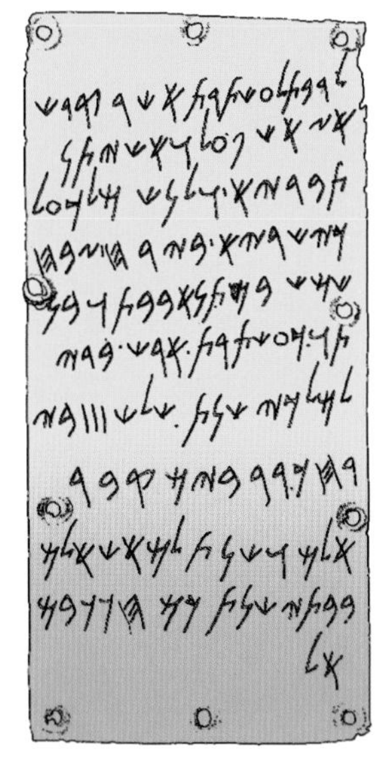

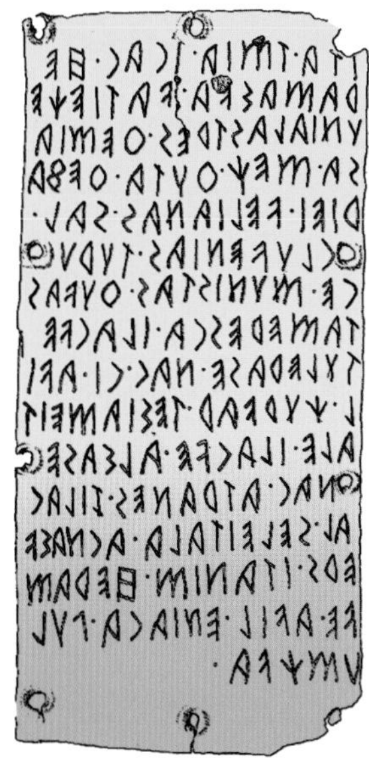

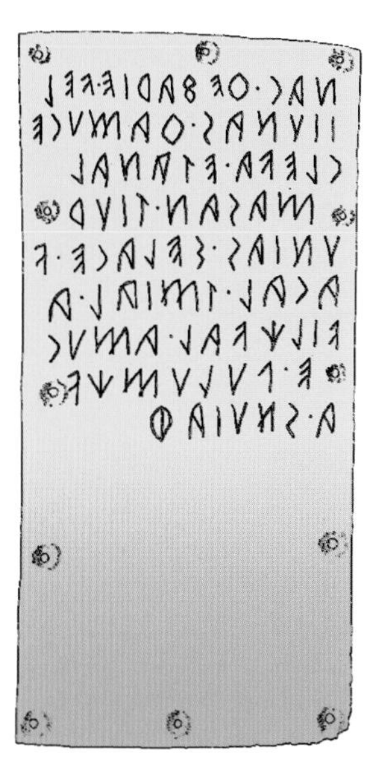

Transcripción de los textos de las tablas de oro de Pyrgi, procedentes de este puerto etrusco. Son unos textos bilingües en relieve; las láminas del centro y la de la derecha están grabadas en etrusco y la de la izquierda en fenicio.

La llamada "Piedra Perugia", inscripción etrusca del siglo III o II a.C. que permite apreciar bien letras de este alfabeto. Describe el acuerdo entre las familias de Velthina y de Afuna con respecto a un terreno que contiene una tumba de la primera familia. Museo Archeologico (Perugia, Italia). Foto de Giovanni Dall'Orto.

CARACTERÍSTICAS

La escritura etrusca se escribía de derecha a izquierda y consta de 26 signos. La característica más sorprendente es que es una lengua aún desconocida, ya que no se asemeja a ninguna lengua indoeuropea, pero está escrita con un alfabeto conocido. De los etruscos no conservamos ningún manuscrito literario, solo nos han llegado alrededor de 13.000 inscripciones en esta lengua, donde la mayoría son nombres sustantivos o epitafios. Las inscripciones más extensas son textos técnicos, contratos o de índole religiosa. Las más importantes halladas son las 3 tablas de oro procedentes de Pyrgi, del 500 a.C. Se trata de unos escritos en relieve sobre oro bilingües: las láminas del centro y la de la derecha están en etrusco y la de la izquierda está en fenicio.

EL ALFABETO ROMANO O LATINO

El alfabeto romano o latino deriva del alfabeto griego jónico y del etrusco y está compuesto por 21 símbolos. Pero de estos orígenes, fue sobre todo el alfabeto etrusco el que influyó más en el latín y en su alfabeto; los estudios revelan que varias palabras latinas eran originalmente etruscas, por ejemplo, *litterae* (escritura) o *elementum* (cera, material de soporte que usaban para escribir). Durante el siglo III a.C. se produjo un gran contacto con las ciudades griegas de la Magna Grecia (en el sur de Italia) dando lugar a gran número de palabras de influencia jónica como por ejemplo, *tyrannus, philosophus, chorus* o *theatrum*.

LA CAPITAL LAPIDARIA

El latín, la lengua de las tribus latinas, transcribía el sonido hablado y por ello su reflejo en la escritura fue muy novedoso y pragmático. La escritura del siglo II a.C. es la llamada capital lapidaria, cuyo nombre proviene de su utilización en la lápidas.

Las inscripciones hechas con la capital lapidaria o *quadrata* (mayúsculas cuadradas romanas) eran extremadamente homogéneas. Es decir, todas las letras se tallaban en mayúsculas y con la misma altura siguiendo unas medidas estrictas y reguladas por una pauta, siendo por ello de difícil lectura. Otros signos ortográficos como puntos, comas, interrogaciones e, incluso, la separación entre palabras, no existían al principio y se fueron desarrollando muy lentamente. Eran inscripciones que se tallaban sobre madera, se cincelaban sobre piedra o se escribían sobre papiro o pergamino. La dirección de su escritura tuvo una variación de forma gradual; primero se escribía de derecha a izquierda, y alternativamente de izquierda a derecha, pero finalmente se mantuvo este último sentido. Su construcción se organiza a partir de formas geométricas como el cuadrado, el círculo o el triángulo, por eso son tan regulares.

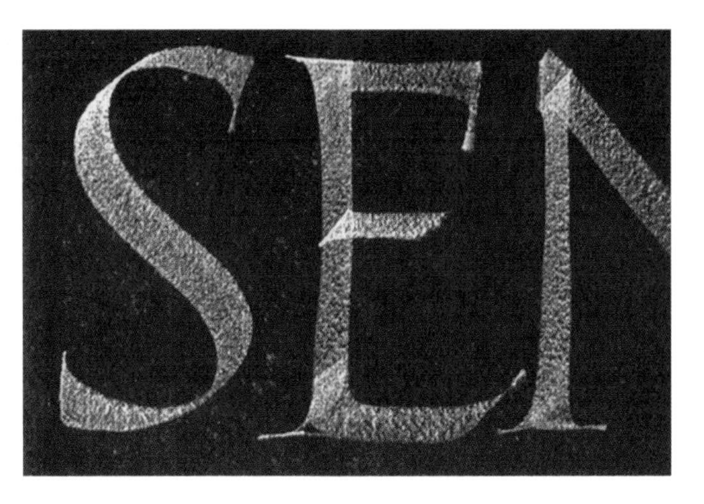

En este detalle de la obra Senator *del calígrafo Massimo Polello se aprecia la escritura capital lapidaria monumentalis, realizada con pincel en guache sobre textil acrílico (35 x 65 cm). Por la rugosidad del soporte se puede apreciar el trazo con textura. El guache usado no es totalmente opaco lo que permite ver por transparencia los trazos que conforman cada letra y imaginar cuál es su* ductus.

LA EVOLUCIÓN POSTERIOR

Las capitulares romanas fueron las precursoras de la escritura occidental como hoy la entendemos, siguiendo una evolución formal que se inició aproximadamente en el siglo VI a.C. con la capital lapidaria elegante o cuadrada, la capital lapidaria rústica, luego la uncial, la semiuncial, la insular, la carolingia, la gótica y la humanística. Cuando se inventó la imprenta (*c* 1436) se fueron adaptando ciertas caligrafías como la veneciana o las *blackletter* a los tipos móviles. Poco más tarde también dio lugar a una creación de tipografía de uso exclusivo, como la desarrollada por el tipógrafo galo Claude Garamond (c 1480–1586). Pero esto se aleja de la caligrafía hecha a mano, propósito de este libro, si bien el diseño de los tipos de imprenta también era inicialmente caligráfico.

LA ESCRITURA EN MONUMENTOS

Ya se ha comentado que la caligrafía se ejecutaba de forma más perfecta en las lápidas. Estas podían ser funerarias o para señalar lugares. Sin embargo, destacan las que se colocaban en los grandes monumentos, talladas de forma ejemplar y que todavía podemos admirar.

Uno de los más bellos ejemplos que se conservan de la escritura romana es la columna Trajana, que se puede admirar en el foro de Roma. Esta columna, de 30 metros de altura, fue levantada para conmemorar las victorias de Trajano contra los dacios (101-102 d.C.) y fue inaugurada en el 113 d.C. En el pedestal que forma la base se halla una inscripción esculpida sobre piedra.

La traducción del texto es la siguiente: "El Senado y el pueblo romano, al emperador César Nerva Trajano Augusto Germánico Dácico, hijo del divino Nerva, pontífice máximo, tribuno por decimoséptima vez, emperador por sexta vez, cónsul por sexta vez, padre de la patria, para mostrar la altura que alcanzaban el monte y el lugar ahora destruidos para <obras> como ésta".

LA ESCRITURA COTIDIANA

La primera obra literaria latina que conservamos es la *Odusia*, traducción en verso de la *Odisea* homérica, realizada por Livio Andrónico. Esta obra se data hacia el 240 a.C. Durante el siglo I a.C. vivieron los más importantes pensadores romanos como Cicerón y Virgilio. Éstos llevaron la lengua latina a su "Siglo de Oro". La escritura en el Imperio romano era un privilegio reservado a sacerdotes, escribanos y eruditos, funcionarios del Estado y comerciantes.

Detalle de la columna Trajana, situada en un extremo del Foro romano. Muestra en el fuste de la columna la conquista de la Dacia por parte de Trajano. En su basa existe un lápida conmemorativa.

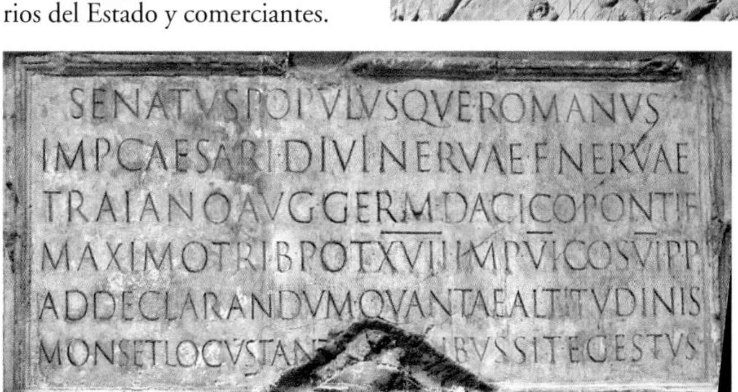

SENATVS·POPVLVSQVE·ROMANVS
IMP·CAESARI·DIVI·NERVAE·F·NERVAE
TRAIANO·AVG·GERM·DACICO·PONTIF
MAXIMO·TRIB·POT·XVII·IMP·VI·COS·VI·P·P·
AD·DECLARANDVM·QVANTAE·ALTITVDINIS
MONS·ET·LOCVS·TANT<...>IBVS·SIT·EGESTVS

Lápida situada en la basa de la columna Trajana, donde puede apreciarse la perfección de la escritura capital lapidaria o quadrata. *Bajo ella, transcripción del texto.*

La capital lapidaria, elegante y rústica

Esta caligrafía se empleó entre los siglos I a.C. y I d.C. Durante el primer siglo de nuestra era, la escritura romana, la capital lapidaria, pasó de ser exclusivamente en capitulares mayúsculas, todas de la misma altura y perfectamente alineadas, a una letra capital elegante, como se le ha denominado. A continuación valoraremos esta evolución.

LA CAPITAL LAPIDARIA ELEGANTE O CUADRADA

Esta escritura, respecto de la romana clásica, la capital lapidaria, es menos homogénea en cuanto a su altura ya que presenta letras más altas que otras, como la "L" y la "F" para diferenciarse de la "I", mientras que la "Q" se encoge y su trazo supera por debajo la línea base. Otra característica es la pérdida del trazo horizontal (asta transversal o barra) de la letra "A".

Como causa de esta evolución se cree que, debido a la gran uniformidad de la escritura lapidaria romana, los escribanos empezaron a crear poco a poco variaciones a fin de mejorar la legibilidad. Una de ellas fue el aumento de tamaño de la primera letra de un párrafo, dando lugar al nacimiento de las capitulares. Más tarde, se comenzó a ornamentar ricamente estas letras capitulares y todavía hoy constituye una especialización de ciertos calígrafos.

ÚTILES Y SOPORTES

La pintura mural *Terencio Neo y su mujer* hallada en la ciudad romana de Pompeya, datada en el 55-79 a.C., muestra materiales que se utilizaban en esa época para escribir. Ella sujeta un díptico *(diptycha)* de tablillas enceradas con la mano izquierda y en la derecha sujeta un estilo *(stylus)* que apoya sobre su barbilla, mientras que él sujeta con la mano derecha un papiro enrollado.

Inscripción labrada en capitular lapidaria. En ella se aprecia de forma clara la elegante descendente que tiene la letra Q.

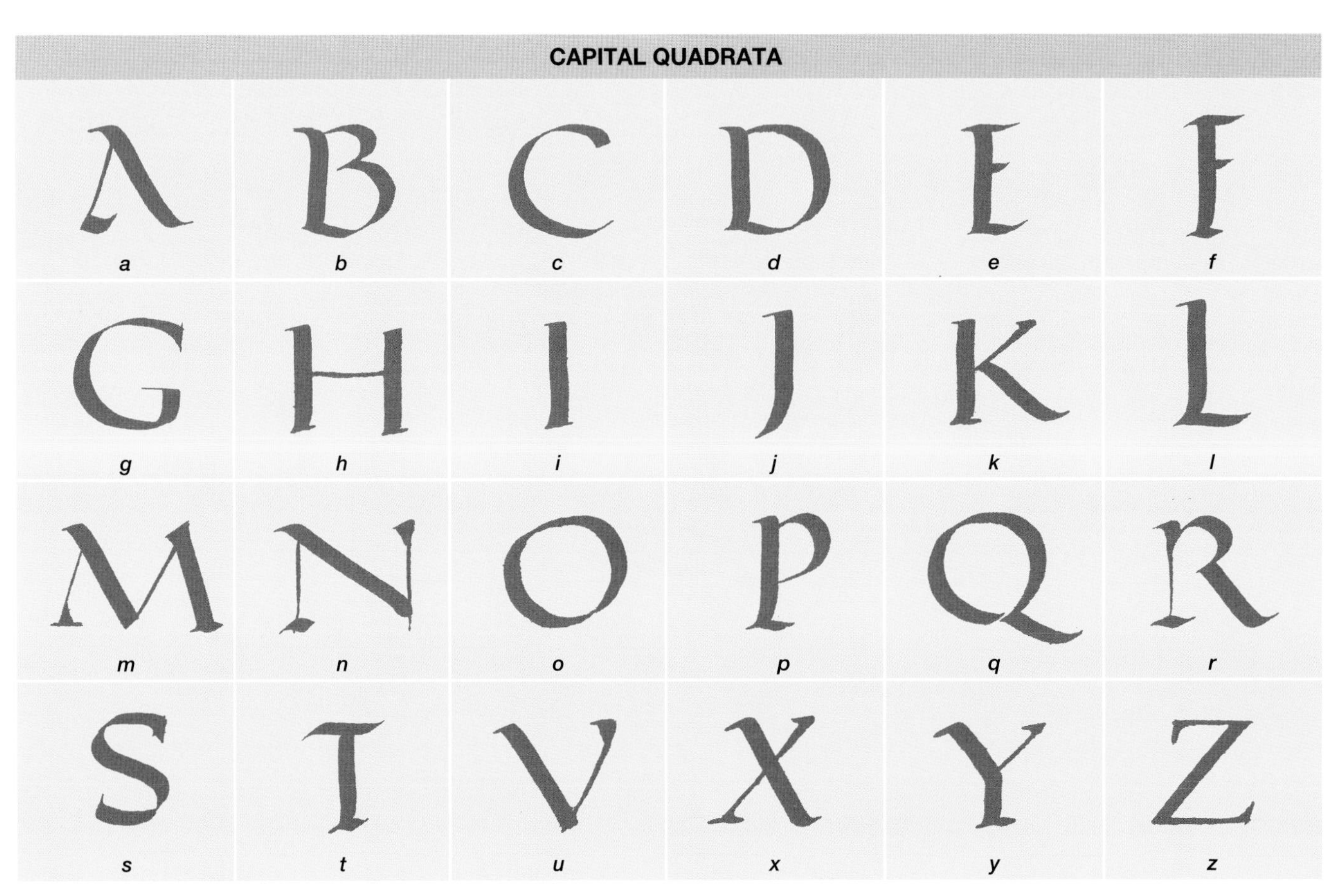

Terencio Neo y su mujer. *Pintura mural procedente de Pompeya donde pueden verse los útiles de caligrafía usuales entre los romanos: las tablillas enceradas con el estilo, y el rollo de papiro. Museo Archeologico Nazionale (Nápoles, Italia).*

LA CAPITAL LAPIDARIA RÚSTICA

Esta letra se empleó entre los siglos I d.C. y el VI d.C. Durante el primer siglo de nuestra era aparece una nueva forma de capital denominada "rústica" *(Capitalis rustica)*, de ejecución más informal y como consecuencia más ágil que la capital elegante. Esto se debía a que por lo general, para su escritura se usaba, el cálamo o el pincel, útiles con puntas mucho más flexibles que la dureza del cincel, así como el soporte empleado, pues el papiro o pergamino es mucho más fácil de trabajar que la piedra. Aun así, se conservan numerosas muestras labradas en piedra que nos han permitido conocer mejor este estilo menos pulcro.

CARACTERÍSTICAS

Este tipo de letra se distingue de forma inmediata por su aspecto comprimido y más alargado. Todavía sigue siendo una escritura que emplea exclusivamente mayúsculas, donde sólo algunas letras como la "B", la "F" y la "L" superan la línea ascendente, mientras que la cola de la "Q" sigue superando la descendente. Cuando se escribe sobre papiro o pergamino, otra característica lograda por el uso del cálamo es la diferencia entre rasgo y trazo; de este modo se van curvando las formas y poco a poco se abandonan las rectas y ángulos que empleaba la capitular elegante, mucho más formal y precisa.

La lectura no es fácil debido a que esta caligrafía no usaba el espacio entre palabra y palabra. Tan solo en algunos casos se ponía un punto para marcar un fin de palabra. Al igual que la capitular elegante, se hacía uso de las letras capitulares, es decir que la letra de inicio de párrafo era más grande que el resto, para mejorar la legibilidad.

Este estilo de escritura pasó a ser desde finales del siglo I de nuestra era hasta el medievo el más empleado en los escritos del Imperio romano.

CAPITAL RÚSTICA

A	B	C	D	E	F	G
a	b	c	d	e	f	g
H	I	M	N	O	P	Q
h	i	m	n	o	p	q
R	S	T	V	X	Y	Z
r	s	t	u	x	y	z

La uncial romana

La uncial es una escritura surgida en el siglo IV y usada hasta el VIII, y que se distingue por la utilización de mayúsculas y minúsculas y también por la aparición de algunas letras peculiares. La palabra *uncial*, que se deriva de la latina *unciam* y significa "onza", es decir una medida equivalente a la duodécima parte del pie, que entonces ya era una unidad de medición.

RASGOS ESENCIALES

La aparición de esta nueva escritura tiene una gran importancia por su aspecto formal. Constaba de tres grupos de letras: las típicamente unciales (*A, D, E, M*), las minúsculas (como *h, l, q*), cuyos trazos son aún más redondos y más elegantes que la capital rústica, y las capitales, que son las restantes. Se cree que la forma tuvo influencia africana.

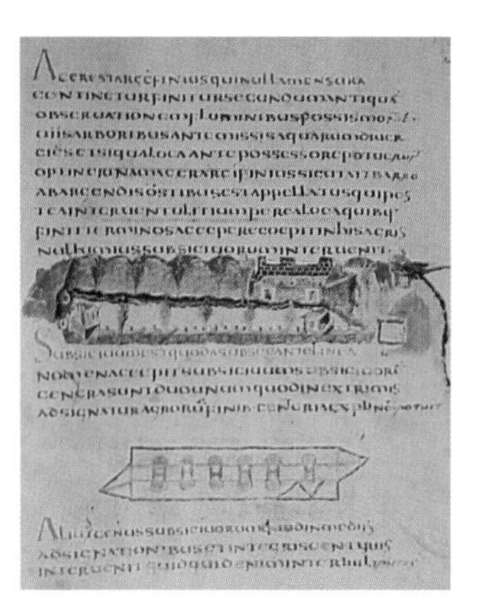

Corpus Agrimensorum Romanorum, *manuscrito del siglo V, en escritura uncial, donde se emplea la tinta roja para indicar inicio de párrafo.*

EL PROCESO DE ESCRITURA

Para escribir en uncial se utilizaba pluma de ave sobre pergamino, pues así se trazaban las curvas más fácilmente. Las curvaturas eran de 0, 15 o 30°, obteniendo así una gran diferencia entre trazos gruesos y finos.

La línea base era traspasada tanto por ascendentes como por descendentes, aparte de la Q, dependiendo del escriba que ello ocurriese más o menos.

La primera letra de párrafo cada vez era más decorada, llegando a serlo mediante dibujos muy coloristas de animales o formas humanas. Para marcar un fin de párrafo se utilizaban tres puntos, que al ser realizados con la pluma daban el aspecto de tres rombos; dos sobre la línea base y uno encima, formando una pirámide.

A partir del siglo VIII d.C. se incorporó el uso del espacio entre palabras (interpalabra), de esta manera se mejoraba mucho la lectura del texto.

ESCRITURA DE LA UNCIAL DEL SIGLO IV

Para escribir la letra uncial se necesita una plumilla metálica de 3 mm. Se debe crear previamente la pauta para la escritura con un ángulo de escritura de 20° y un módulo de 5 anchos de plumilla de 3 mm. Se colocan correctamente los útiles en la mesa y puede procederse a empezar la escritura.

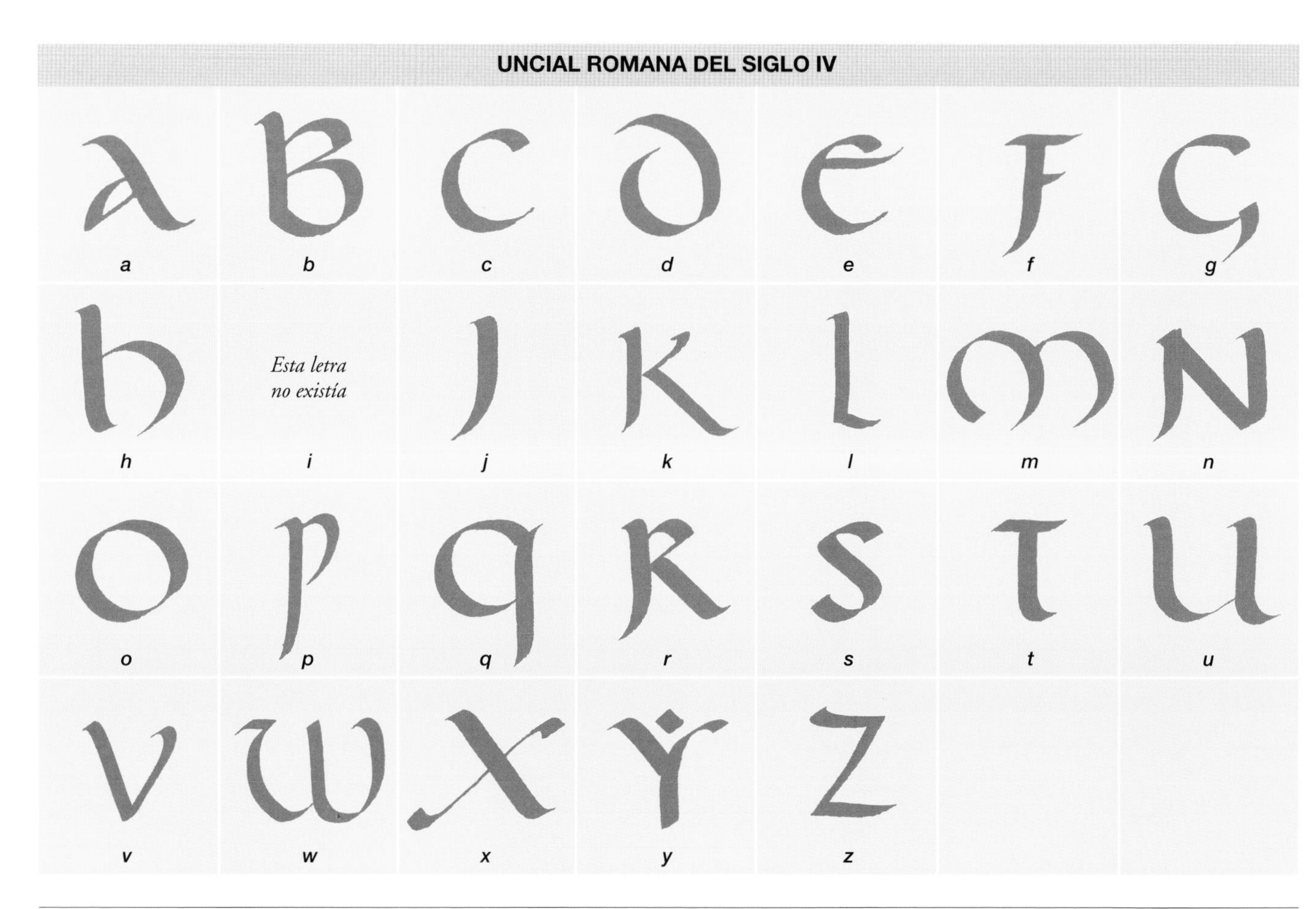

LA "A"

La escritura de la "a" se compone de dos *ductus*; primero se traza el asta diagonal y luego se procede a trazar el ojo de la letra mediante dos arcos hechos de forma seguida.

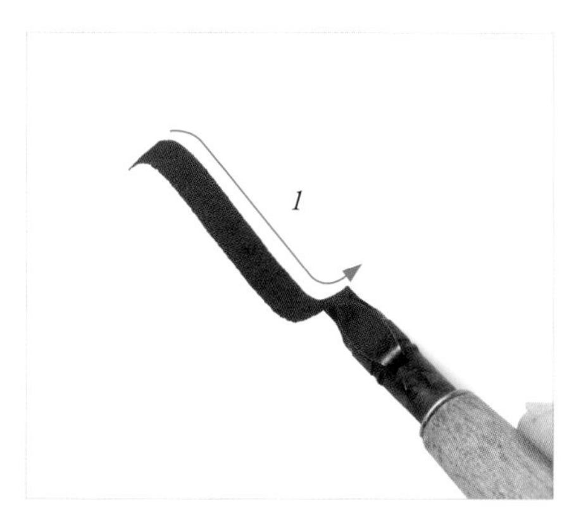

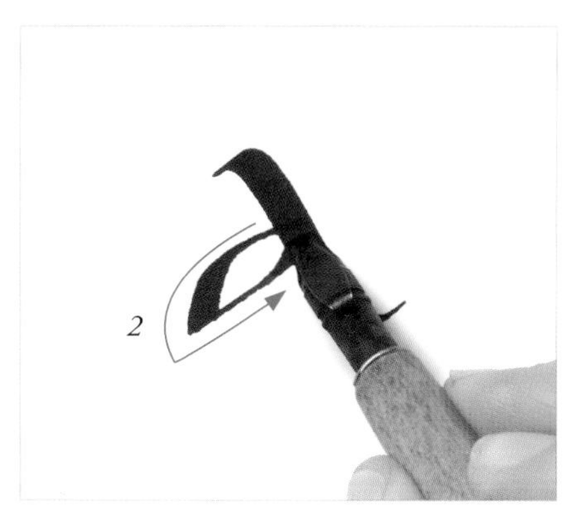

LA "B"

La "b" se compone de dos *ductus*, primero se traza el asta vertical y se continúa hacia la derecha terminando en punta y luego se dibujan las dos panzas de la "b" mediante un trazo.

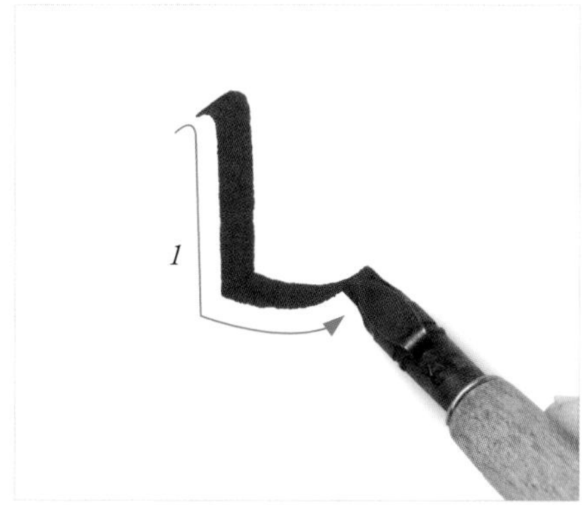

LA "C"

Esta letra está formada por dos *ductus*. Se crea la "c" mediante un trazo hecho de arriba abajo y un arco superior dibujado de izquierda a derecha.

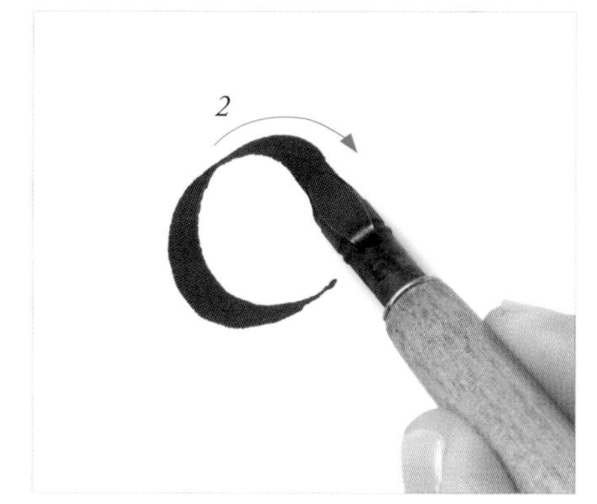

LA "D"

Se compone de dos *ductus*, y al igual que la "c", se dibuja mediante un trazo de arriba abajo para crear la panza de la letra y luego se traza el asta ascendente de forma curvada.

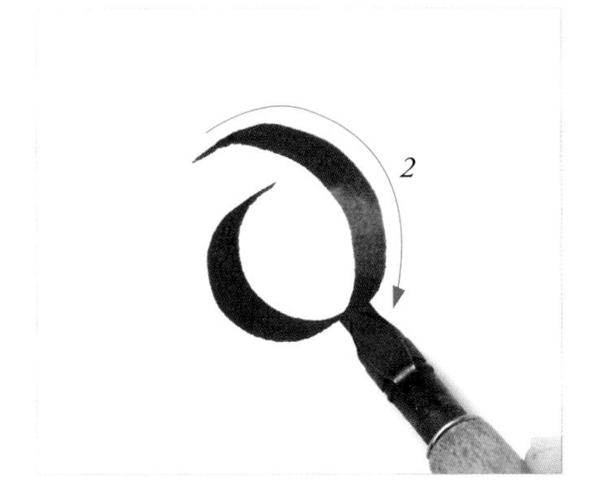

LA "E"

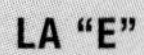

Esta vocal se compone de tres *ductus*. Al igual que la "c", se crea el anillo de la "e" mediante un trazo de arriba abajo y un arco superior de izquierda a derecha, y luego se traza el travesaño ligeramente decorado en el extremo potenciando una curva.

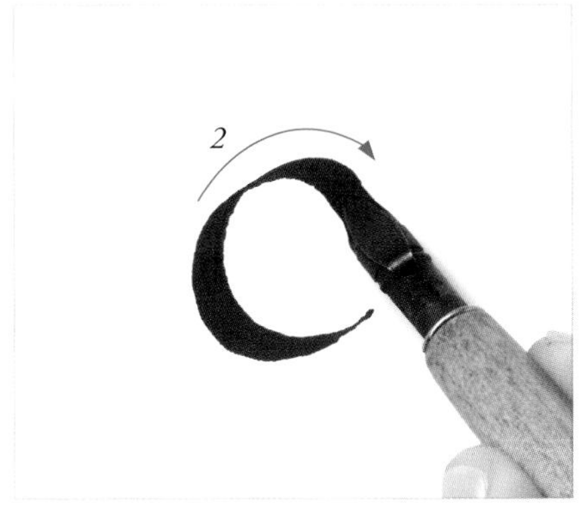

LA "G"

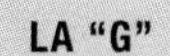

La "g" se compone de tres *ductus*. También como la "c", se forma el anillo de la "g" mediante un trazo de arriba abajo y un arco superior de izquierda a derecha, y luego se traza la cola mediante una asta descendente ligeramente curvada.

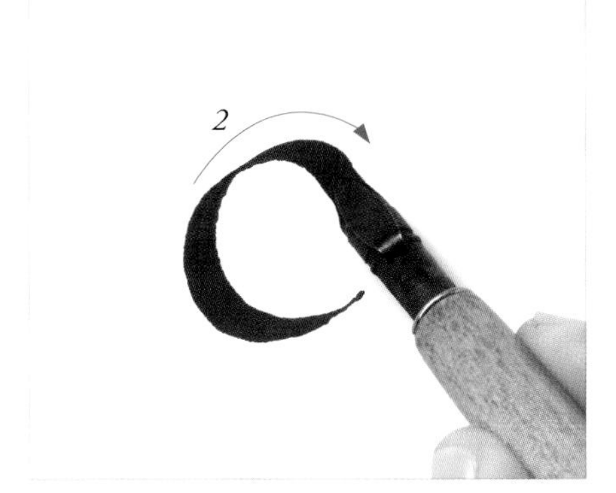

LA "M"

Se compone de tres *ductus*. Comenzando como la "c", se dibuja a partir de un trazo de arriba abajo para crear la primera pierna; luego se procede a hacer la segunda pierna y por último la tercera.

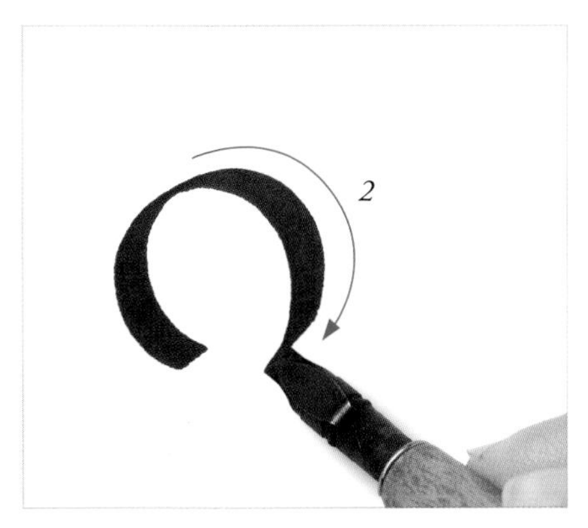

LA "N"

Esta letra se compone de tres *ductus*. De entrada se traza un asta vertical que formará la primera pierna de la letra, luego un asta diagonal, y finalmente la segunda pierna, quedando un aspecto parecido a una versal.

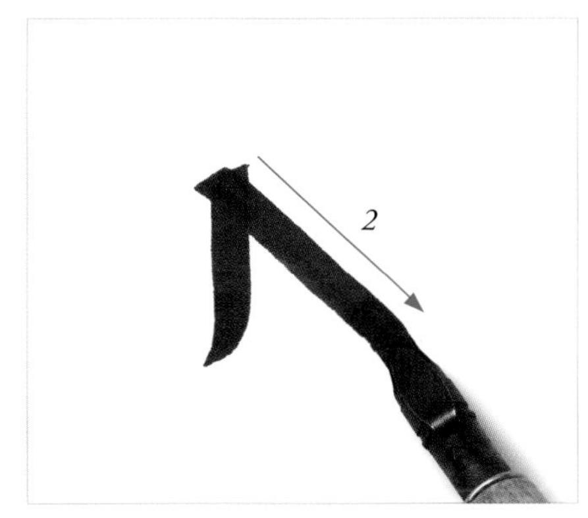

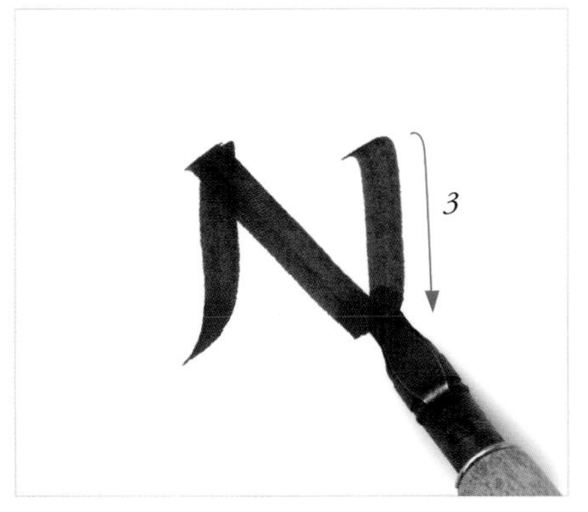

LA "O"

Se compone de dos *ductus*, y se forma como la "c"; se crea mediante un trazo de arriba abajo y luego se cierra la letra con otro trazo curvo. Tiene una forma muy redonda y regular.

LA "Q"

La "q" se compone de dos *ductus*, que al igual que la "c" se crean mediante un trazo de arriba abajo. La letra se cierra con un asta vertical ligeramente curva.

LA "R"

Con tres *ductus* se compone la "r". Primero se realiza el asta vertical de arriba abajo; luego, el ojo de la letra ligeramente anguloso y, finalmente, el asta diagonal.

LA "S"

Esta letra se compone de tres *ductus*. Primero se hace la espina o asta curvilínea. Luego, el remate inferior de izquierda a derecha y de arriba abajo. Por último, el gancho superior de izquierda a derecha.

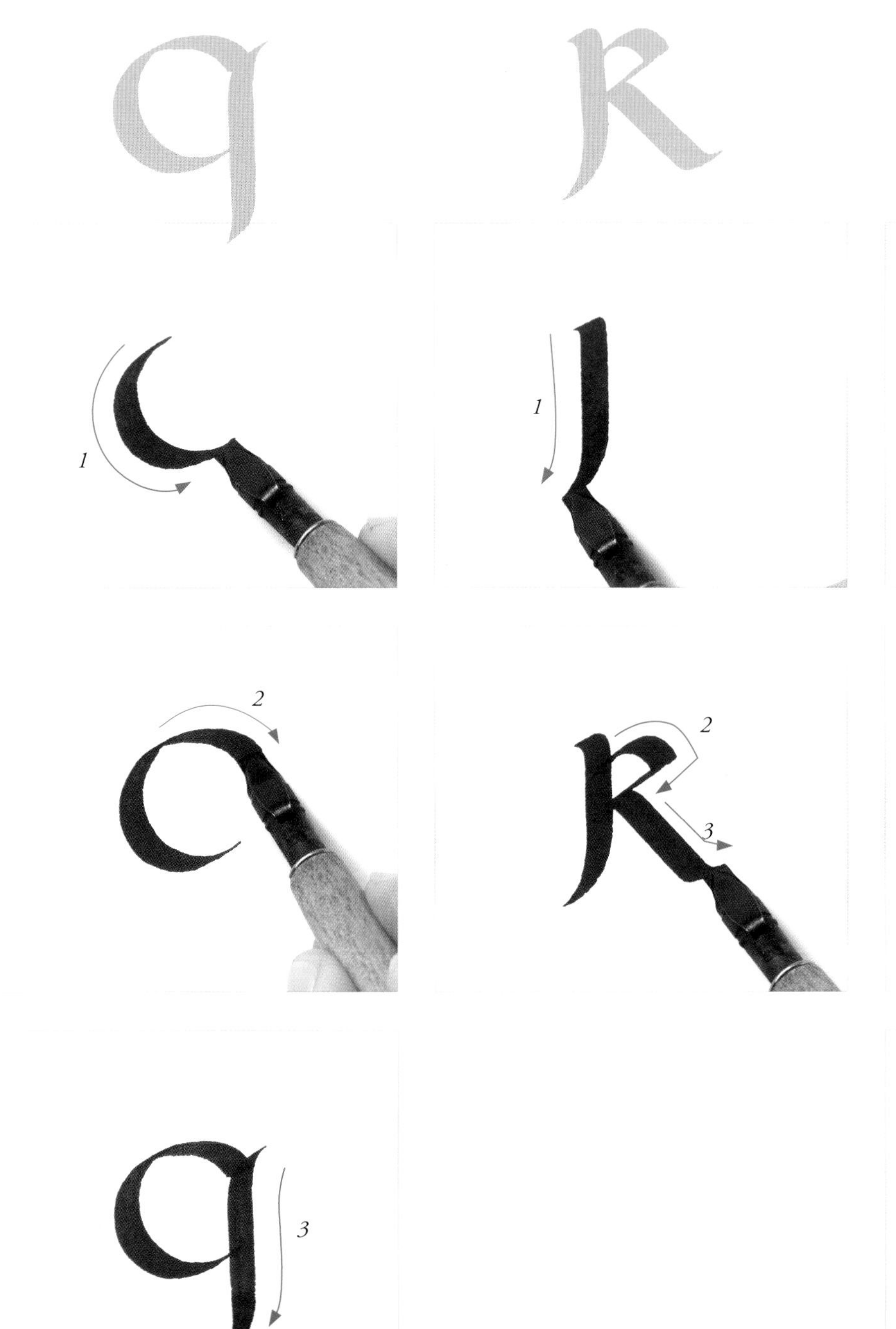

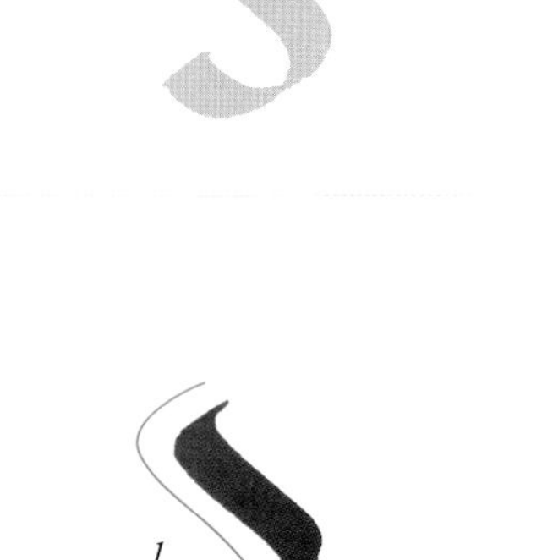

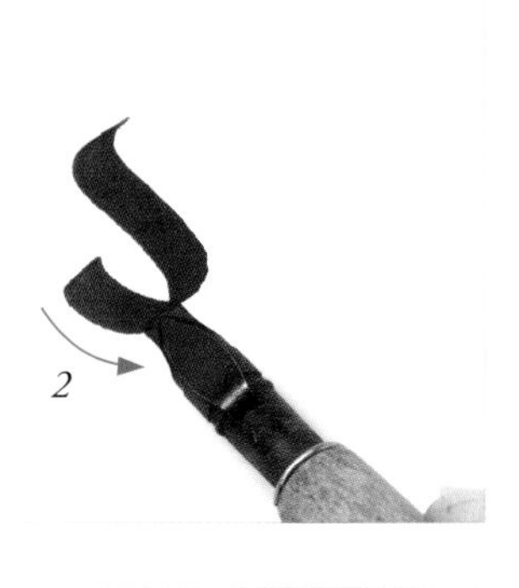

LA "Y"

Se compone de tres *ductus*. Primero se traza el asta diagonal izquierda, luego el asta diagonal angular (ambas crearan una cruz irregular imperfecta), y por último el palo o asta vertical. Se puede decorar con un rombo en la parte superior y centrado con la cruz.

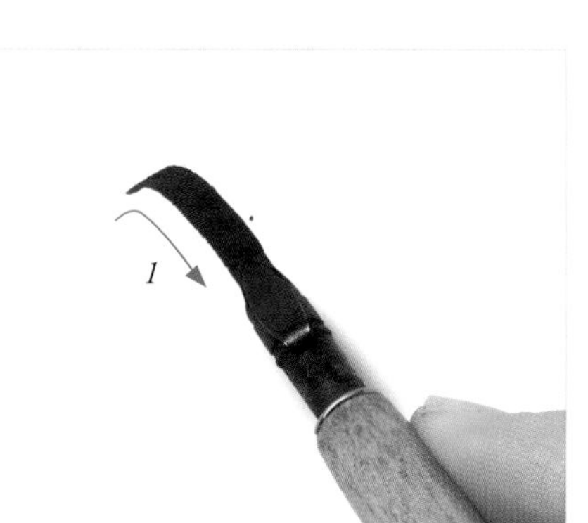

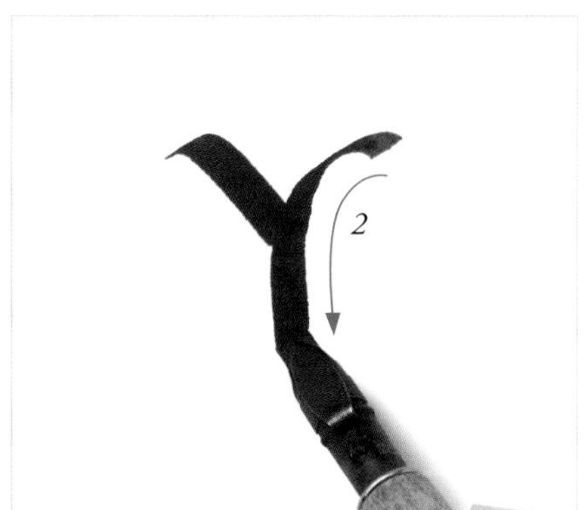

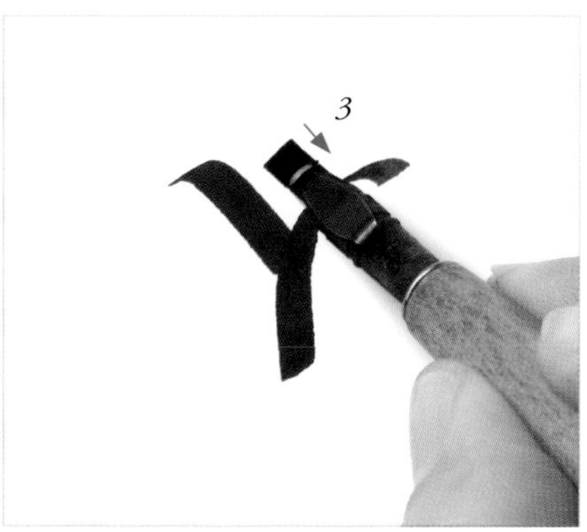

LA "X"

De forma obvia se compone de dos *ductus* y tiene una forma muy particular y característica. Primero se traza el asta diagonal, luego el otro asta diagonal que debe cruzar la anterior. El hecho esencial es que el segundo trazo debe hacerse de abajo arriba.

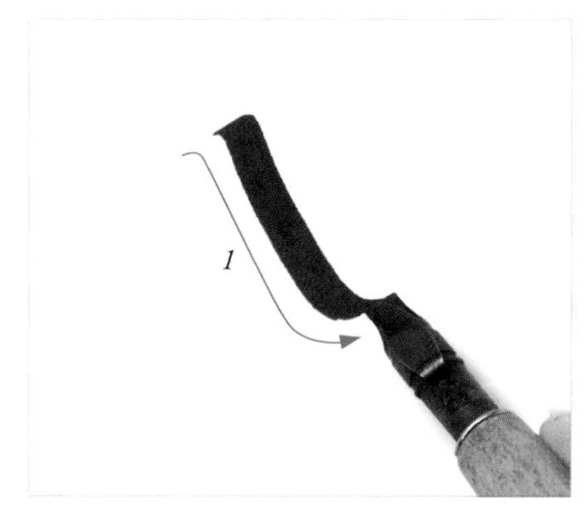

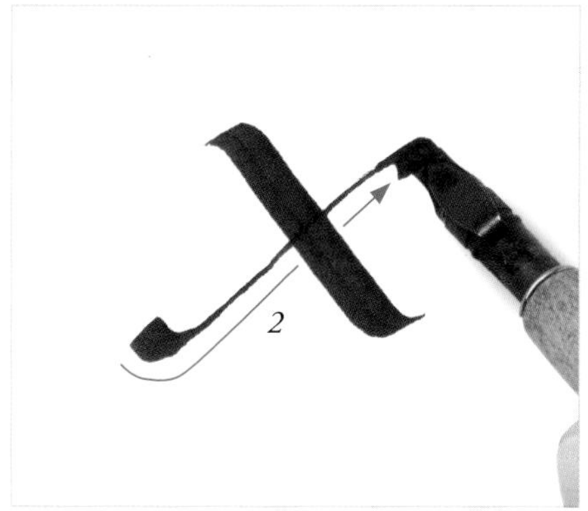

La obra Handwritingpower, *de Massimo Polello, muestra el uso de la escritura uncial en una obra actual. Creada con pigmentos, tinta, guache y colage sobre tela. 35 x 100 cm.*

La semiuncial irlandesa

Se trata de una escritura redonda y vertical que se empleó entre los siglos IV y X. Está formada por un conjunto de letras unciales minúsculas en el que hay un mínimo de cuatro elementos no unciales. Son destacables, en particular, la forma de las letras "f", "g" y "z", muy distintas de alfabetos anteriores y posteriores. Es una escritura procedente de Irlanda que tiene una estrecha relación con la estética de la cultura celta.

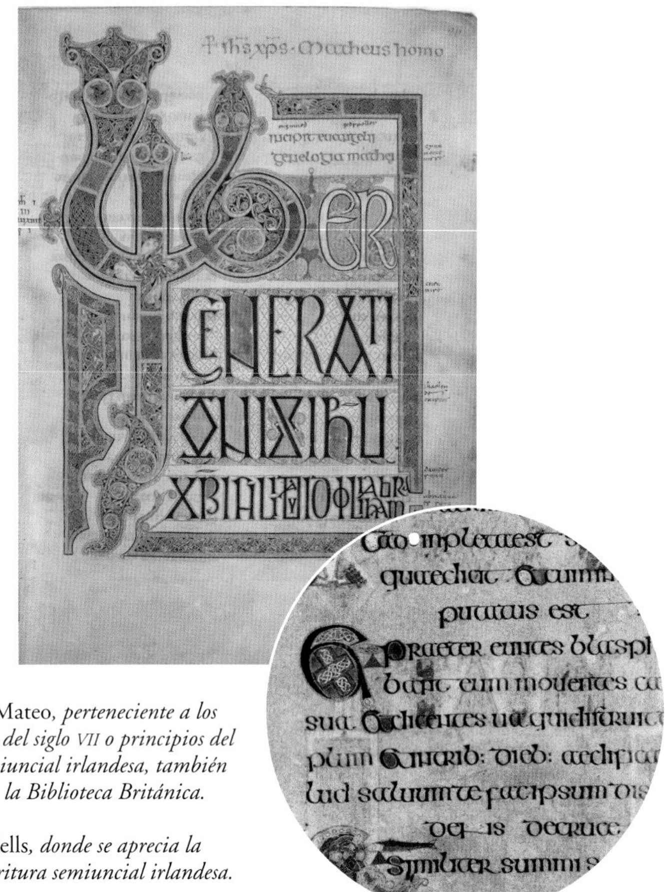

Página inicial del Evangelio de San Mateo, *perteneciente a los* Evangelios de Lindisfarne, *de finales del siglo VII o principios del VIII. Esta obra está escrita en letra semiuncial irlandesa, también conocida como insular. Se conserva en la Biblioteca Británica.*

Detalle de una página del Libro de Kells, *donde se aprecia la particular forma de las letras de la escritura semiuncial irlandesa.*

MODELO DE ESCRITURA

Para escribir la semiuncial tardía se necesita una plumilla metálica de 3 mm. Previamente, se ha de dibujar la retícula o pauta para dicha escritura con un ángulo de 20° y de 5°, y un módulo de cuatro plumillas de 3 mm. Para ello se colocan los útiles en la mesa y se procede a la escritura. Al empezar la pauta se debe tener claro que en esta escritura las astas verticales se realizan mediante tres trazos; los extremos son más anchos que el centro del trazo.

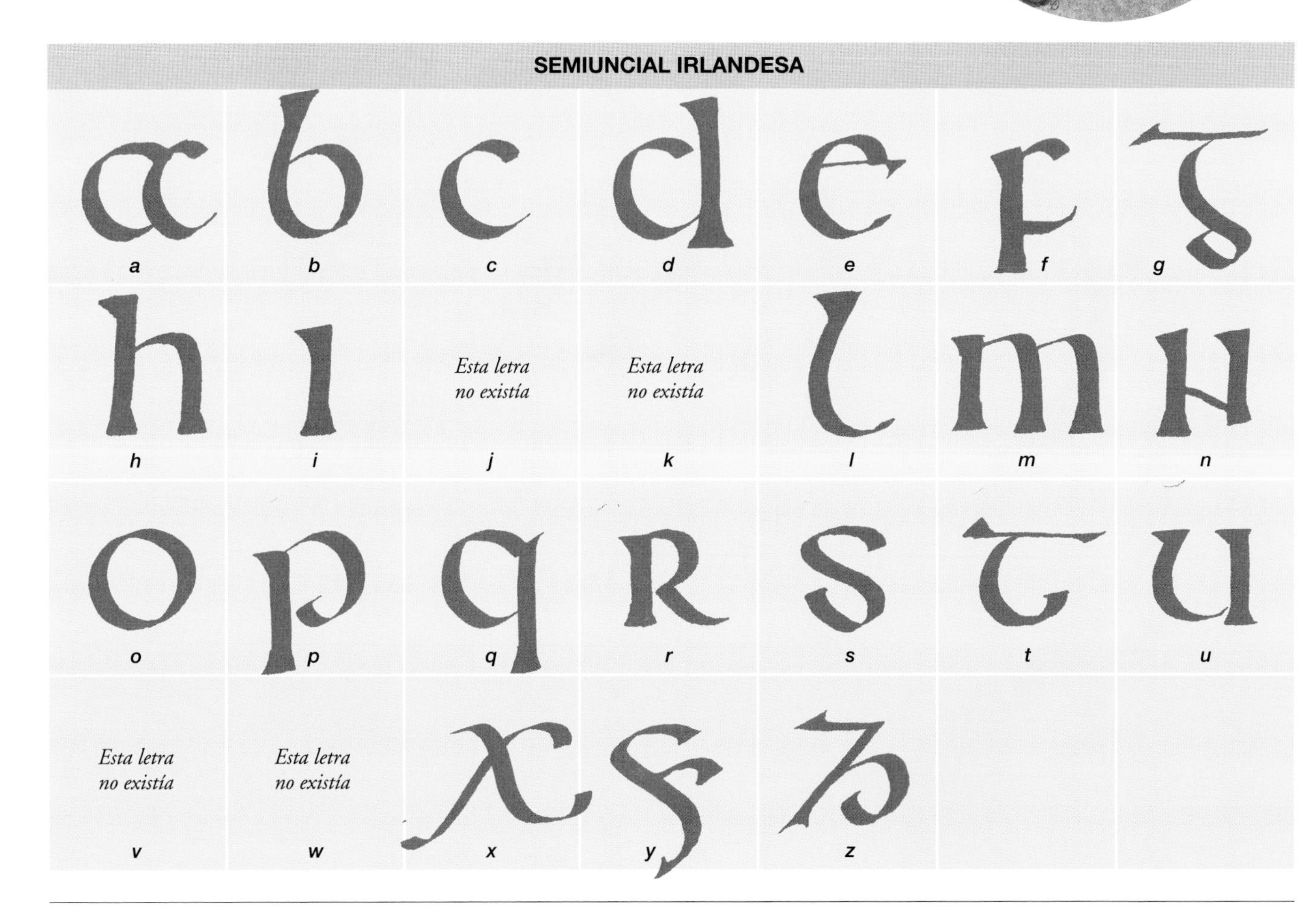

LA "A"

Se compone de cuatro *ductus*. Primero se hace el anillo de la "a" mediante dos trazos curvados, luego el asta vertical, igualmente curvado, y para cerrar la letra una oreja de izquierda a derecha.

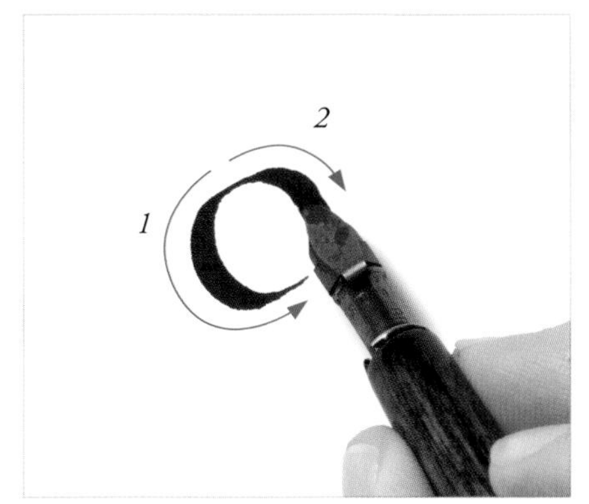

LA "B"

La letra "b" se compone de tres *ductus*. Primero se ejecuta el trazo vertical, luego antes de cerrar el ojo de la letra, se efectúa un pequeño trazo en forma de serifa de decoración. Por último, se cierra la letra trazando desde el palo hacia abajo.

LA "D"

La "d" se compone de seis *ductus*. Para escribirla, primero se traza el anillo de la "d", luego se hace el trazo vertical o asta central. Finalmente, se pintan unos pequeños trazos en forma de serifa de decoración en los extremos del asta.

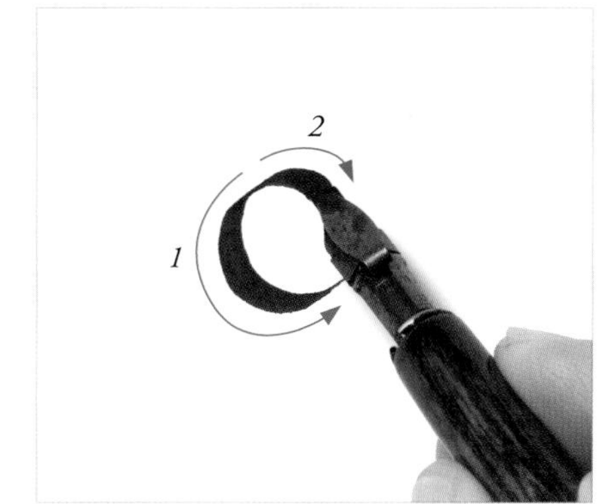

LA "E"

La segunda vocal se compone de tres *ductus*. Primero se traza el anillo de la "e" mediante dos trazos, luego se hace el trazo horizontal o travesaño. Y finalmente suele hacerse un pequeño trazo en forma de serifa de decoración.

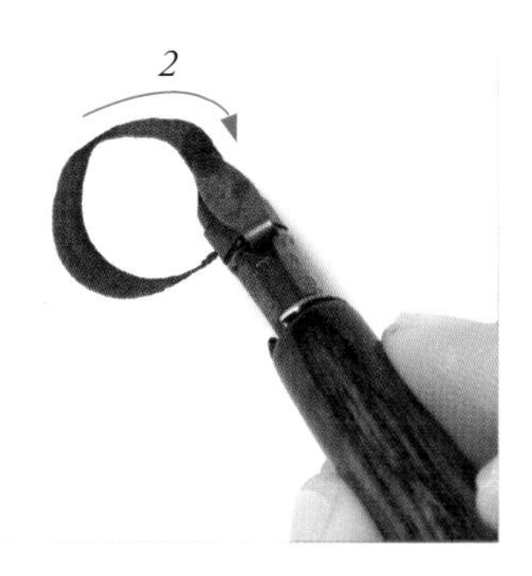

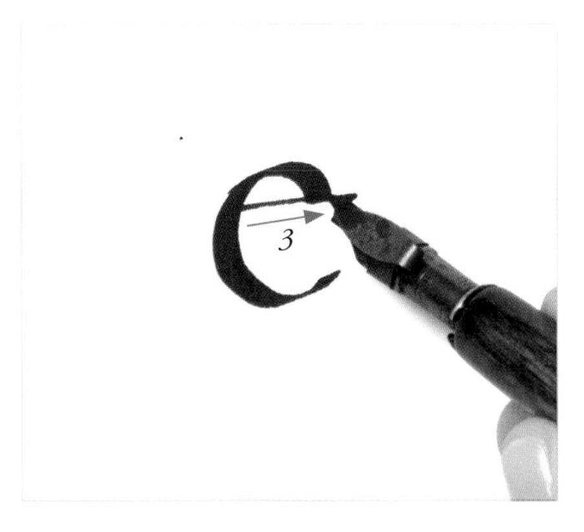

LA "N"

Tiene una forma muy característica, semejando una versal, y está compuesta de seis *ductus*. Primero se traza el asta vertical central decorada, luego un asta diagonal, y para terminar un asta vertical que hace de pata derecha de la "n".

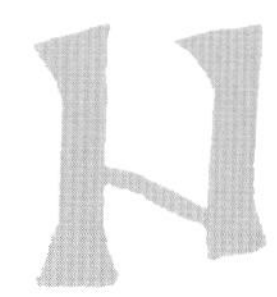

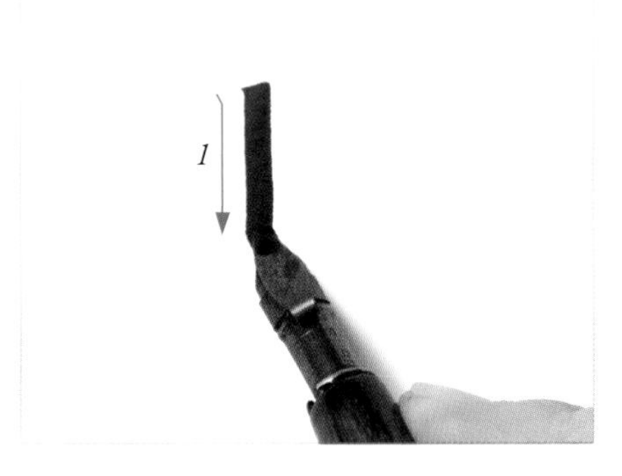

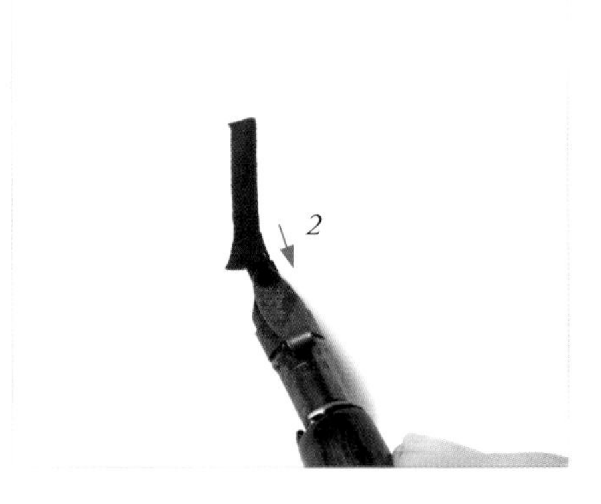

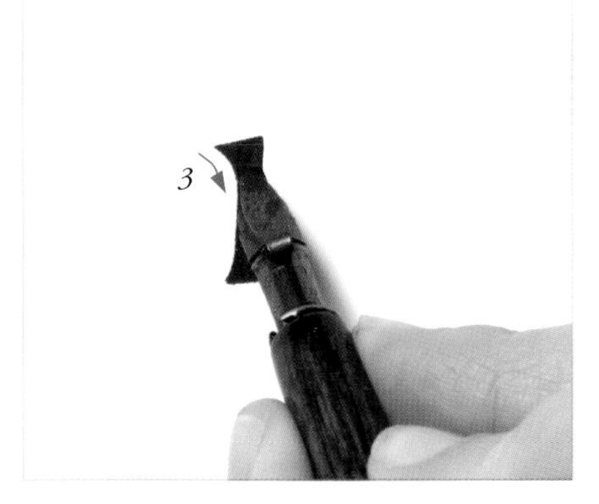

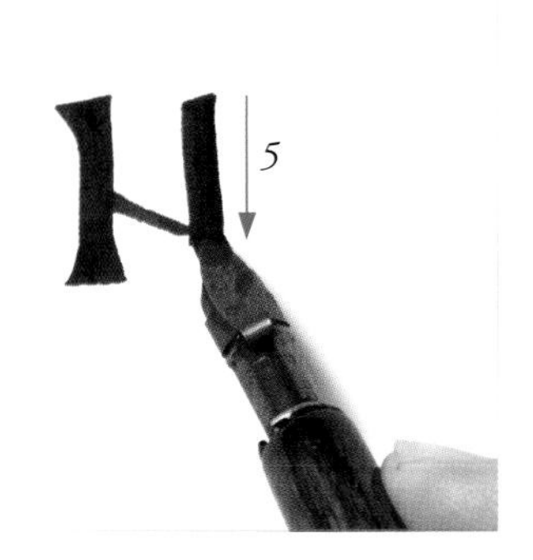

LA "G"

La "g" tiene una forma compuesta de tres *ductus*. Primero se hace el asta central, que es ligeramente curva, luego otro trazo curvo que cierra el palo central, y al final el travesaño decorado en los extremos.

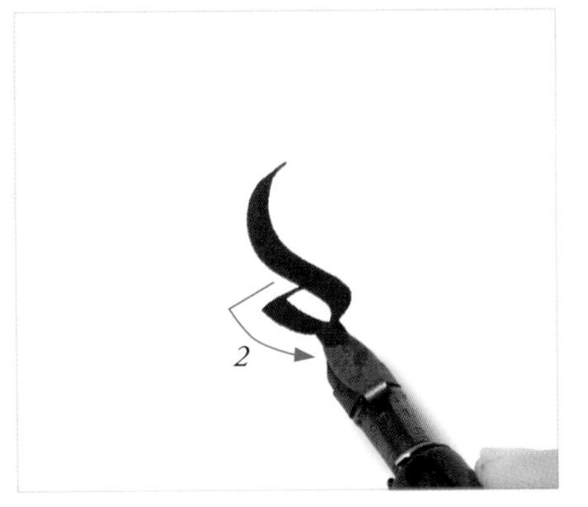

LA "Z"

Esta letra tiene una forma peculiar que se compone con cuatro *ductus*. Primero se hace el asta horizontal superior, ligeramente decorada en el extremo, y a continuación el asta diagonal de arriba abajo y de derecha a izquierda. Luego se efectúa un trazo curvo, mediante dos trazos y después se hace el trazo horizontal o travesaño. El último es un trazo curvo que se completa con otro de izquierda a derecha.

La escritura carolingia

La carolingia es una escritura minúscula redonda que se empleó principalmente entre los siglos VIII a XII. Tiene formas redondeadas y regulares, obtenidas mediante el empleo de pluma de oca cortada con una inclinación a la derecha, en lugar del corte recto horizontal que se practicaba con anterioridad.

Miniatura de Cristo del Evangeliario de Godescalc, *realizado por el maestro calígrafo de Carlomagno hacia los años 781-783. Bibliothèque nationale (París, Francia).*

ORIGEN Y DIFUSIÓN

Derivada de la escritura semiuncial, la carolingia surge en Francia, en el siglo VII, por lo que a veces se la denomina *escritura francesa*. Hacia el año 800, año en que fue coronado, el emperador Carlomagno, con la ayuda de Alcuino de York, abad de Saint Martin de Tours, se propuso reunificar los diferentes estilos de escritura que había en ese momento en su imperio y elaborar un nuevo tipo de escritura. Resultado de ello, apareció la *minúscula carolingia*.

Fue un tipo de escritura que Carlomagno impulsó muy fervientemente y con rapidez en los territorios que hoy son Francia (en sustitución de la escritura *merovingia*), y Alemania e Italia (en sustitución de la *longo-*

LA FIRMA DEL EMPERADOR

Para firmar sus documentos, Carlomagno hacía uso de un monograma (fue el primero en hacerlo) en forma de cruz inspirada en los sellos que se usaban en su época. Al no saber escribir, el emperador dibujaba el rombo central y el escribano del documento hacía el resto.

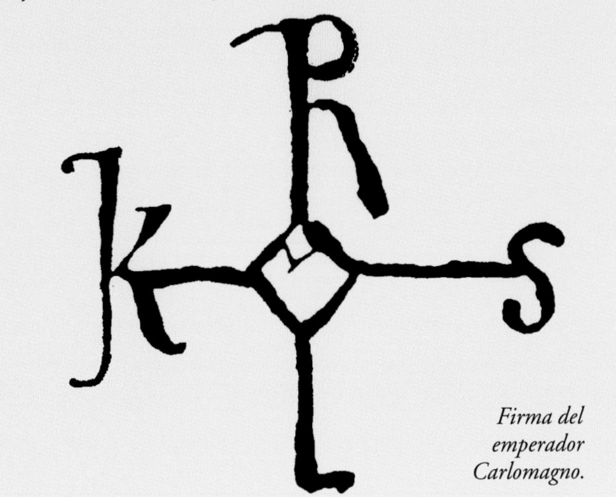

Firma del emperador Carlomagno.

barda), siendo bien aceptada, por lo que fue el tipo de escritura de más relevancia de ese período. En la península Ibérica, la escritura carolingia se extendió primero por la actual Cataluña (siglo IX) y posteriormente, en el siglo XI, por el resto del territorio peninsular en sustitución de la escritura *visigótica*. A partir del siglo XII, la letra carolingia se tornó más angulosa y fue desplazada por la letra *gótica,* ya en el siglo XIII.

CARACTERÍSTICAS DE LA CAROLINGIA

Por su aspecto, la escritura carolingia se caracteriza por ser poco angulosa, con formas redondeadas, sobretodo en los perfiles, por tener un uso escaso de ligaduras y no haber casi nexos, por la hegemoneidad en la altura de las letras, y por emplear un uso progresivo de las abreviaciones (muy habitual en la escritura gótica).

Una de las obras más importantes del siglo VIII fue el *Evangeliario de Godescalc*, un compendio manuscrito de 127 hojas sobre pergamino, realizado por encargo de Carlomagno para conmemorar el bautismo y coronación de su hijo Pipino, entre el 781 y el 783. Este manuscrito, se caracteriza por contener seis figuras en miniatura; las cuatro primeras eran los evangelistas, (a esta representación iconográfica compuesta por cuatro elementos se la denomina, *tetramorfos*, del griego τετρα, tetra, '*cuatro*', y μορφη, morfé, '*forma*'), la quinta figura fue una representación de Cristo entronizado, y la sexta imagen una fuente de la vida, que le daba aspecto de volumen y profundidad a las letras que estaban escritas en tinta de oro y plata.

ESCRITURA CAROLINGIA TARDÍA DEL SIGLO X

Para escribir la carolingia tardía se necesita una plumilla metálica de 3 mm. Como siempre, hay que crear previamente la retícula o pauta, y en este caso se hará con un ángulo de escritura de 30º y un módulo de 4 plumillas de 3 mm. Una vez colocados los elementos en la mesa de forma correcta, se podrá proceder a su escritura.

ALFABETO CAROLINGIO TARDÍO

LA "A"

Se compone de dos *ductus*. Es importante seguir el orden en la escritura. Los trazos verticales no se deben realizar de abajo arriba, ni los horizontales de derecha a izquierda.

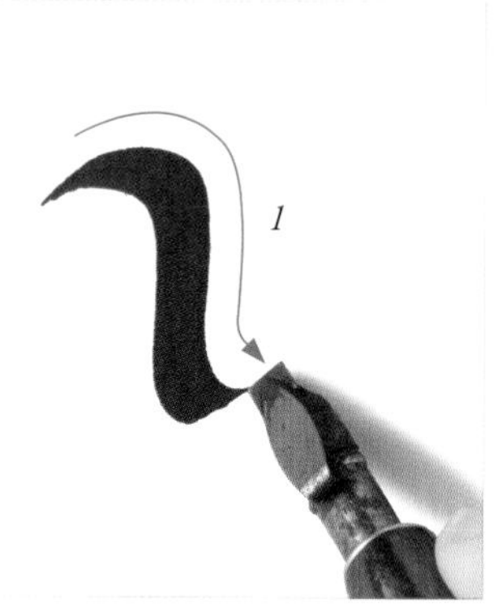

LA "B"

Se compone de tres ductus; se crea mediante un trazo de arriba abajo y luego se cierra la letra con otro trazo curvo más un remate. Tiene una forma muy redonda y regular.

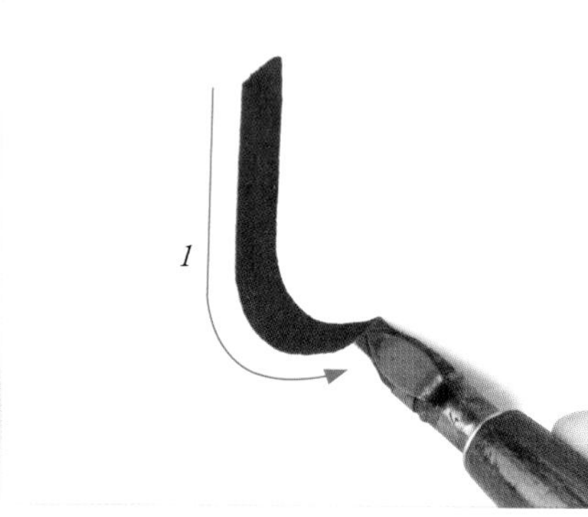

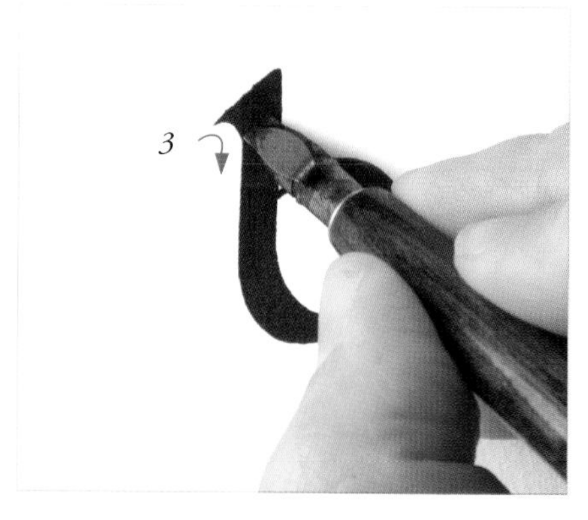

LA "N"

Se compone de tres *ductus*. Primero debe hacerse la primera pata de la "n", luego el arco que conduce a la otra pata, y finalmente un pequeño trazo en forma de serifa de decoración.

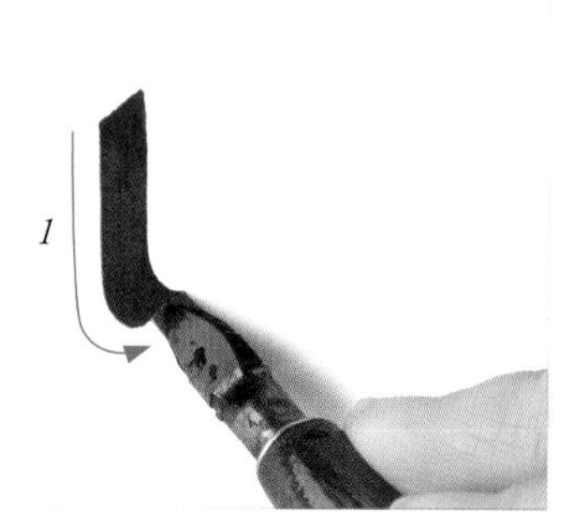

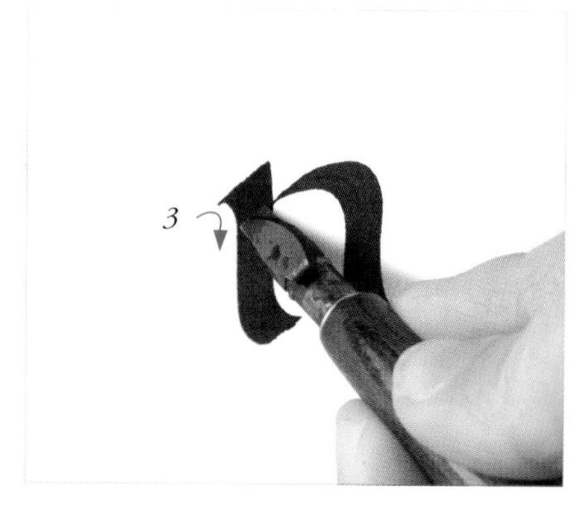

LA "F"

Esta letra, aparentemente simple, tiene cuatro *ductus*. Primero se traza el asta con un remate al final de ella; luego el arco y a modo de decoración se le puede añadir una pequeña floritura. Para realizarla se puede hacer o bien levantando un extremo de la plumilla para trazar una linea más fina o bien usando una plumilla muy fina. Por último se traza el travesaño horizontal. Para lograr una mayor armonía, no se debe trazar en el medio exacto sino un poco más arriba de la mitad del asta vertical. El travesaño también se puede decorar con una pequeña floritura.

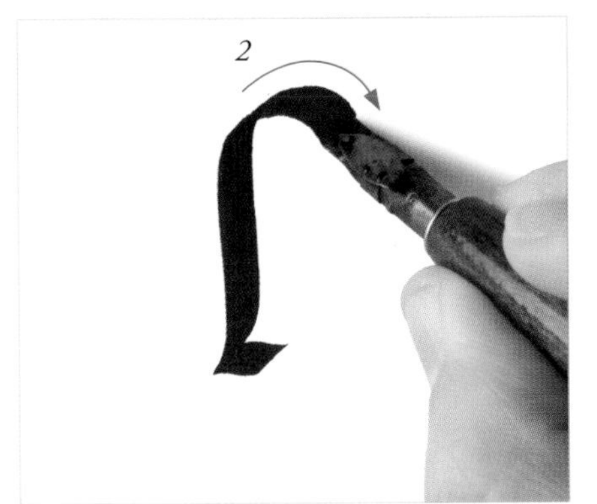

LA "G"

La redondeada "g" se compone de cuatro *ductus*. Se empieza por el ojo de la letra, que se realiza mediante dos trazos. Seguidamente se cierra el bucle con otro trazo curvo de izquierda a derecha; y por último se traza la una pequeña asta de izquierda a derecha.

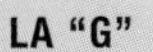

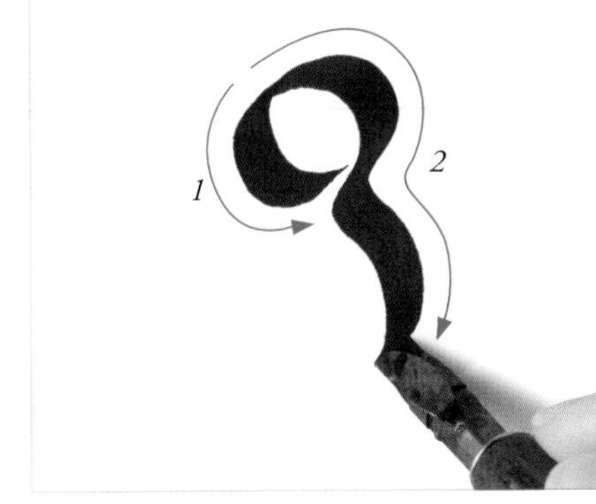

Las escrituras góticas

A partir del siglo XII, la escritura carolingia fue desplazada por una nueva que derivaba directamente de ella: la gótica temprana, escritura que en el norte de Europa evolucionó hacia la gótica cuadrada, y en los países meridionales hacia la gótica redonda. Tuvo su esplendor, en el *Quattrocento* con la gótica bastarda, muy caracterizada por sus florituras. Esta evolución transcurrió desde los siglos XII a XVI. En las siguientes páginas veremos distintas variantes.

LA EVOLUCIÓN DE LA SOCIEDAD

Esta escritura apareció dentro de un contexto histórico donde se produjeron grandes cambios socioculturales. En las ciudades comenzaron a construirse escuelas y universidades. La sociedad, en especial la de la ciudades, empezaba a revelarse contra el poder feudal y contra sus normas. La escritura, y con ello la cultura, ya no estaba relegada a los escribas monásticos sino que iba pasando a las universidades, donde religiosos y laicos estudiaban juntos. También el comercio impulsó la formalización de contratos, leyes y tratados.

LA EVOLUCIÓN DE LA LETRA

El tipo de letra que ahora se necesitaba debía cumplir las siguientes condiciones: ser más condensada y alargada para economizar el papel, soporte que no dejaba de ser caro.

Se puede apreciar que se acortan considerablemente los trazos ascendentes y descendentes y se estrecha el espacio entre letras. Esta nueva escritura debía ser más solemne, más rígida y elegante, y en consecuencia el dibujo de sus caracteres eran más duro y anguloso.

Memoria de sco xpoforo. ant
Sancte xpofo
re martir
ihesu xpisti
qui pro eius
nomine pe
na pertulisti opem confer in
ferus atq; mundo tristi. qui
celestis glorie regna meruisti
xpofori sancti speciem quicu
q; tuetur illo nempe die nul
lo languore grauetur: confer
solamen et mentis tolle gra
uamen. Iudicis examen fac
mite sis omnibus. V. Ora
pro nobis beate martir xpo

Página de un Libro de horas, de finales de 1470, escrita en caligrafía gótica.

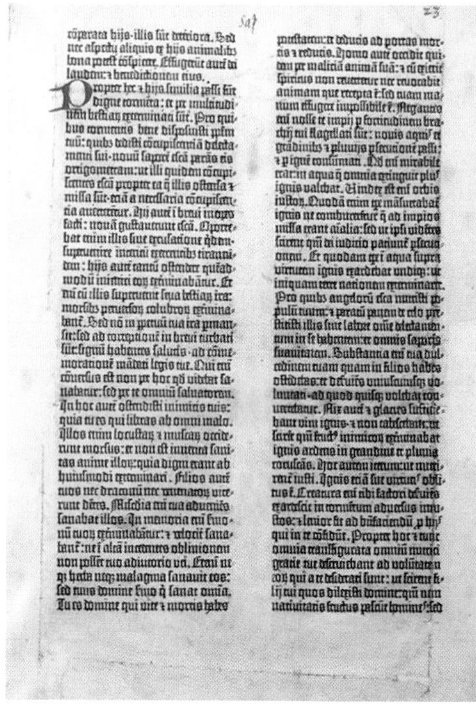

Página de la primera edición impresa de la Biblia (1449) de Johannes Gutenberg. En ella se puede apreciar que, para crear los tipos móviles, el inventor alemán usó la letra gótica textura como base.

CLASIFICACIÓN DE LAS GÓTICAS

Hubo innumerables variantes de gótica, pero todas se caracterizaban por su regularidad y la rigidez de sus formas. En general, podrian clasificarse en los tres estilos siguientes.

GÓTICA TEXTURA O LIBRARIA

Su uso empezó en el siglo XIII y, como su nombre indica, era la escritura que se utilizó para los libros de lujo pues era una escritura muy formal. Se caracterizaba por tener trazos verticales y ángulos muy rectos y rígidos. Al ser una escritura que acortó tanto las ascendentes y descendentes, esto disminuyó su legibilidad, de modo que no resulta fácil diferenciar la "c" de la "y" y la "u" de la "n" por su gran semejanza. Igualmente las capitulares también se acotaron dentro de este rígido sistema formal. Este tipo de letra fue el que utilizó Johannes Gutenberg para crear los tipos móviles de fundición en la primera edición impresa de la Biblia (1449).

GÓTICA ROTUNDA O REDONDA

Formalmente se parece más a la carolingia, por la redondez de sus formas, por no ser tan condensada y por tener un interletrado mayor que la gótica libraria, siendo por ello mucho más fácil su lectura. Su uso era más popular que la gótica libraria que estaba destinada a libros lujosos. Se utilizó principalmente en España e Italia. Uno de los libros más importantes que se han escrito en gótica rotunda es el *Cantar de Mío Cid* (1307), copiado por Per Abat. El original se encuentra en la Biblioteca Nacional de España, en Madrid.

GÓTICA *FRAKTUR*

Como indica su nombre, es una letra "quebrada", y combina las líneas rectas con formas curvilíneas, en especial en las capitulares, letras que son muy adornadas mediante florituras.

Fue un tipo empleado para escribir el pensamiento de Lutero (1517) y del luteranismo, frente a la escritura humanista que se usaba en los países católicos, como España y Italia. Se convirtió así en la letra nacional de Alemania hasta bien entrado el siglo XX, cuando Hitler la prohibió por decreto en 1941 por creer que había un parecido con la letra hebrea y que, por tanto, podía haber sido un tipo creado por un judío. Aun así, la gótica sigue relacionándose con el pueblo alemán y en ciertos rótulos y prensa impresa sigue empleándose.

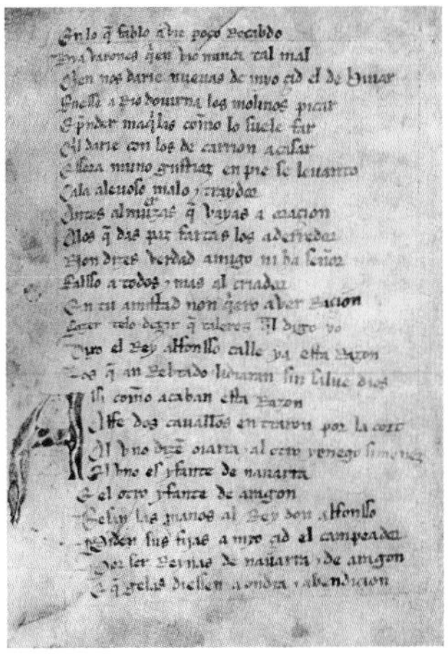

Página del Cantar de Mío Cid, *donde se puede apreciar una letra capital al principio de un párrafo. El manuscrito se conserva en la Biblioteca Nacional (Madrid, España).*

ESCRITURA GÓTICA TEXTURA DEL SIGLO XIV

Para escribir la gótica textura del siglo XIV se precisa una plumilla metálica. Antes de empezar a escribir, hay que realizar una pauta con un ángulo de escritura de 45° y 5 módulos del ancho de una plumilla de 3 mm. En las siguientes páginas se muestra la forma de escribir las letras minúsculas más significativas por los *ductus* que precisan para su escritura.

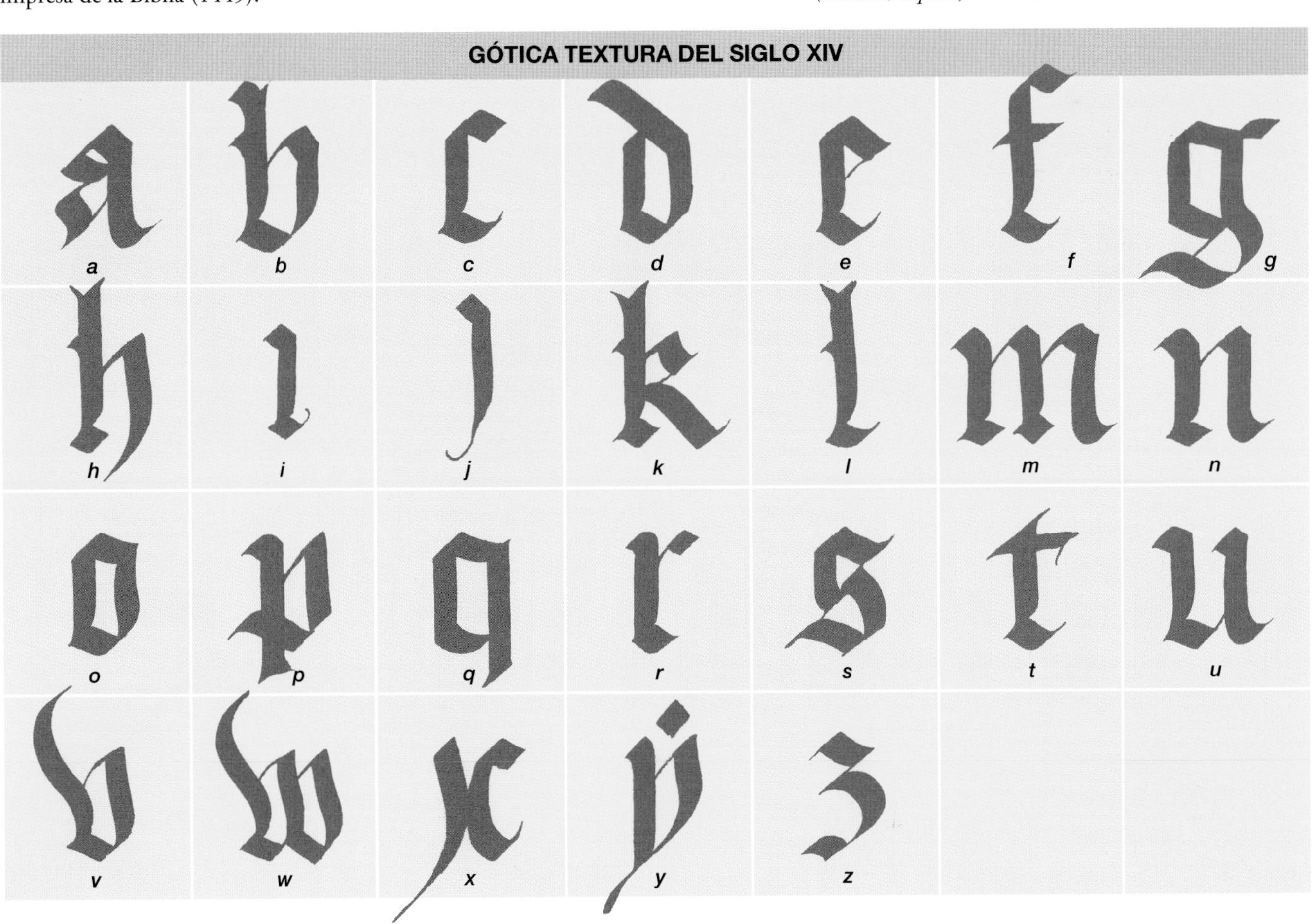

LA "A"

Esta vocal se compone de cuatro *ductus*, y por su dificultad es muy importante seguir el orden que se muestra. El primer trazo es un asta vertical que empieza inclinada y termina con un remate curvo. Sigue un asta diagonal fina y luego ancha hacia la derecha que se une al asta vertical. Luego se traza el anillo inferior de la letra. Es interesante potenciar una curvatura sinuosa en el trazo. Por último, se cierra el anillo con una fina asta ascendente que se une al trazo realizado previamente.

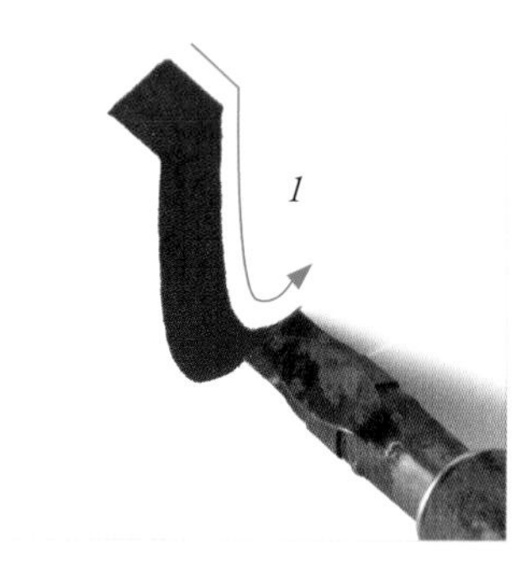

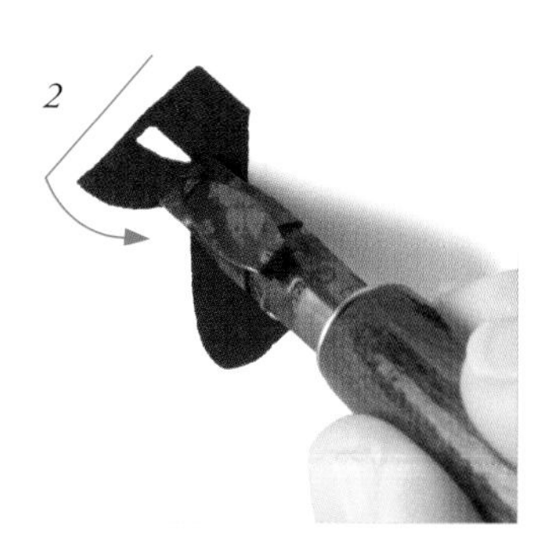

LA "F"

Consta de tres *ductus*. Primero se traza el asta vertical con un remate al final. Luego se hace el arco de la "f", que no es tan curvo como en otros estilos. Al final se hace el travesaño. Éste no se debe trazar en el medio exacto, sino un poco más arriba de la mitad del asta.

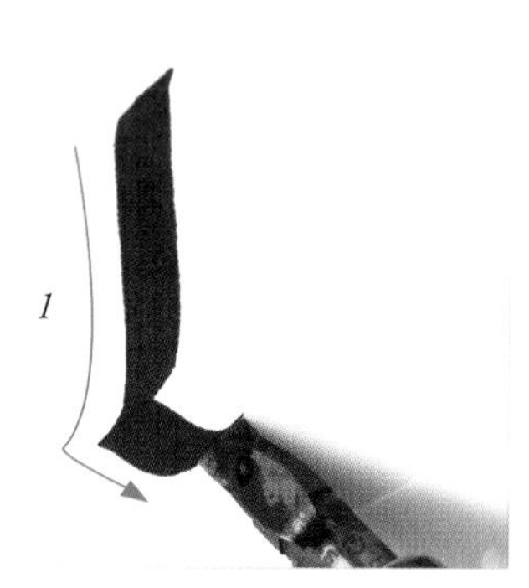

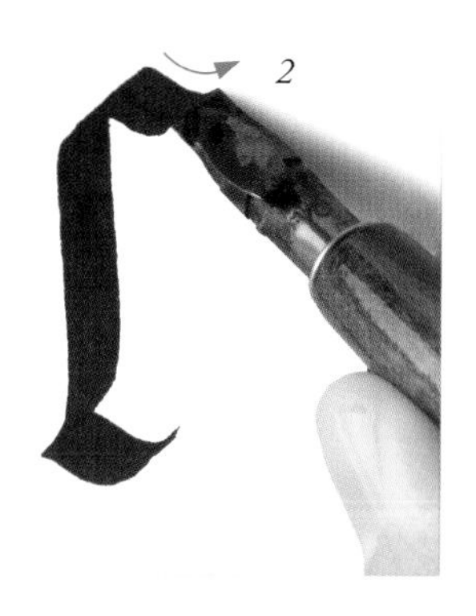

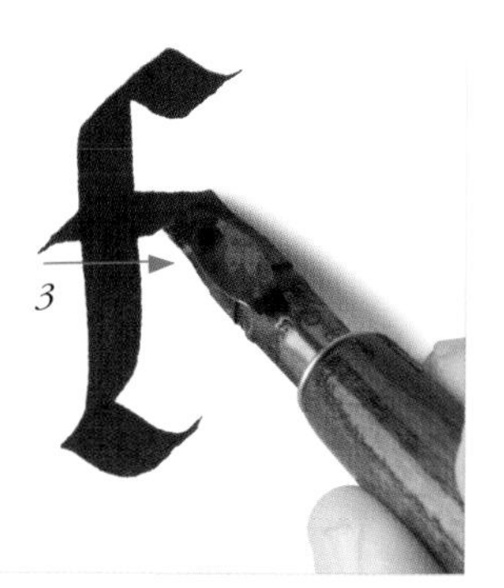

LA "G"

Esta letra está compuesta de cinco *ductus*. Primero se hace el ojo de la "g" mediante dos trazos, el primero es un asta vertical, y el segundo es un trazo de izquierda a derecha y que prosigue hacia abajo formando el cuello y parte del bucle de la "g". A continuación se cierra el bucle con otro trazo curvo de izquierda a derecha, y por último se hace la oreja de la letra, que es una pequeña asta de izquierda a derecha. A modo de decoración se traza una línea fina que une la cola del bucle con el ojo.

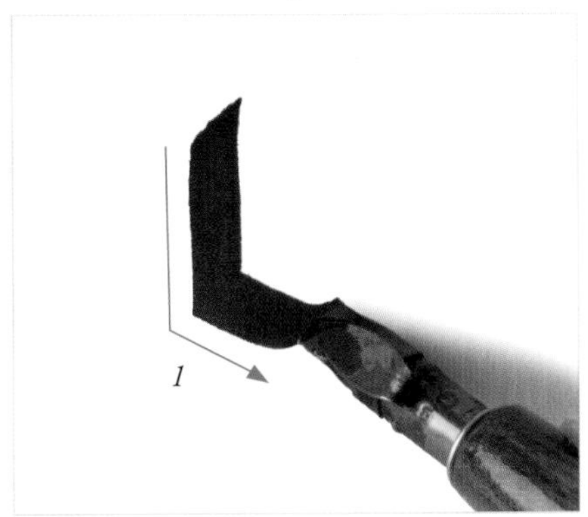

LA "H"

Consta de dos *ductus*. Primero se hace el asta vertical, con un remate al final. Luego se realiza el segundo trazo, que forma el arco y la pierna de la "h"; en ella el final es cada vez más fino y curvado. A modo de decoración pueden trazarse unos pequeños remates.

LA "O"

Esta vocal tiene dos *ductus*. Para realizar el ojo de la letra se han de realizar dos trazos, primero el de la izquierda y luego el de la derecha, que cierra la forma.

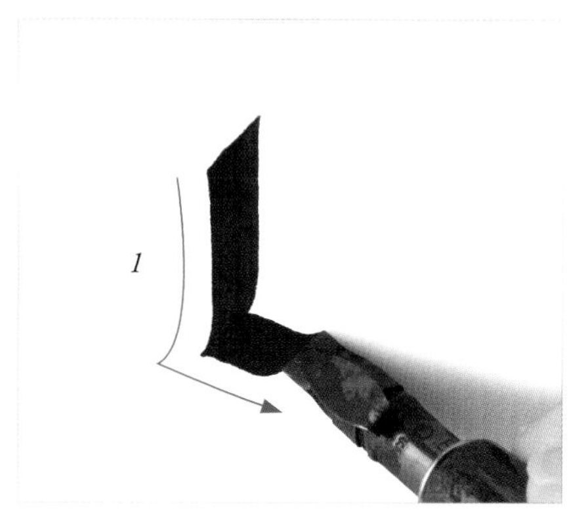

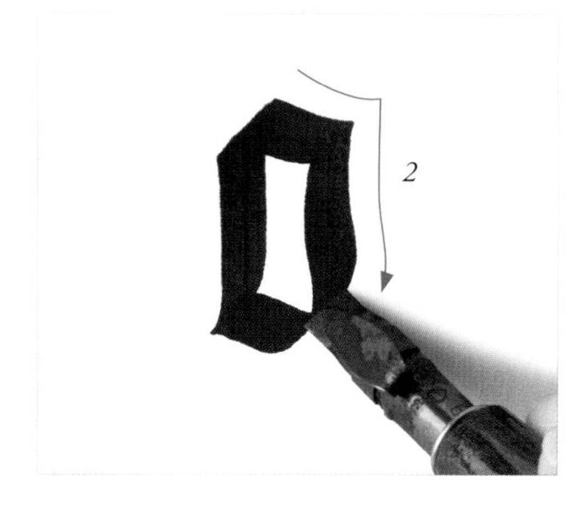

LA "V"

Se compone de tres *ductus*. Se empieza trazando el asta vertical principal, que en este estilo de letra es muy curvilíneo. Luego se realiza un asta diagonal de remate. Por último se traza el asta vertical que cerrará la letra.

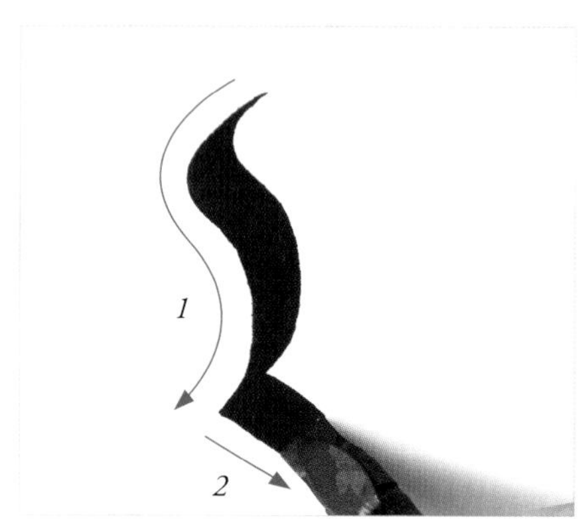

LA "Z"

Esta consonante tiene cuatro *ductus*. Primero se traza el asta diagonal o remate de la letra. A continuación se realiza un asta fina que dará la diagonalidad de la zeta; luego un trazo curvo que dibujará el cuello, y finalmente se traza la otra asta diagonal inferior.

MODELO DE ESCRITURA CON MAYÚSCULAS DE LA GÓTICA TEXTURA DEL SIGLO XIV

Para escribir las mayúsculas de gótica textura del siglo XIV, se utiliza una plumilla metálica. Para ello se confecciona una pauta con un ángulo de escritura de 45° y 6 módulos y medio del ancho de una plumilla de 3 mm. La escritura de las letras mayúsculas es más laboriosa que las minúsculas pues, como puede verse, son más adornadas. Por un lado son más sofisticadas aunque esta cualidad dificulta la lectura. A continuación se enseña la forma de escribir las letras más singulares con los *ductus* que precisan para su escritura así como la plantilla entera del abecedario.

LA "G"

Esta letra se compone de seis *ductus*. En primer lugar se hace el anillo. Luego otro trazo curvilíneo en la parte superior, y a continuación la panza de la "G", así como dos astas diagonales en la parte superior. Y, como decoración una línea fina que atraviesa la letra.

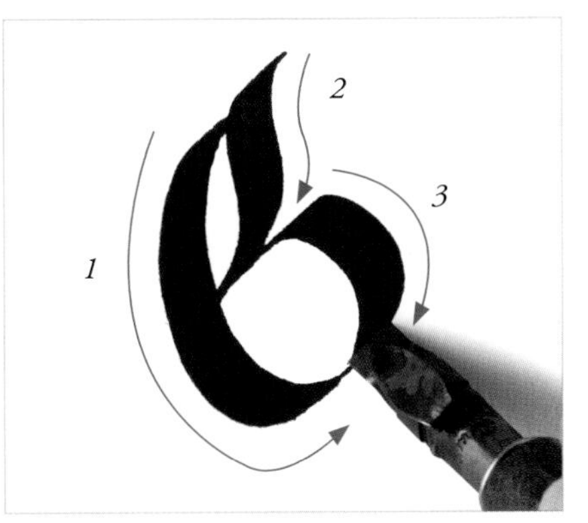

LA "K"

La letra "K" precisa de ocho *ductus* para crearla. El primero es un asta vertical o palo de la letra. Sigue un asta diagonal de arriba abajo y otro de derecha a izquierda y de arriba abajo para crear el ojo de la letra. Seguidamente se hace la pierna de la letra. Luego, el gancho superior. También se traza, a modo decorativo, un asta vertical paralelo al palo de la letra pero más corto, que se adorna con un pequeño trazo. Por último, un remate cierra la letra.

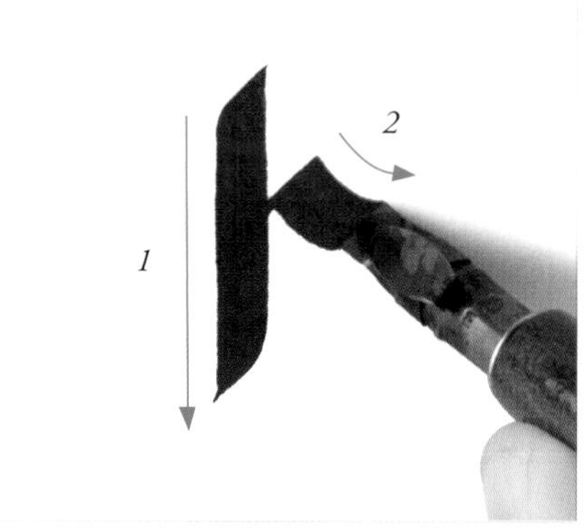

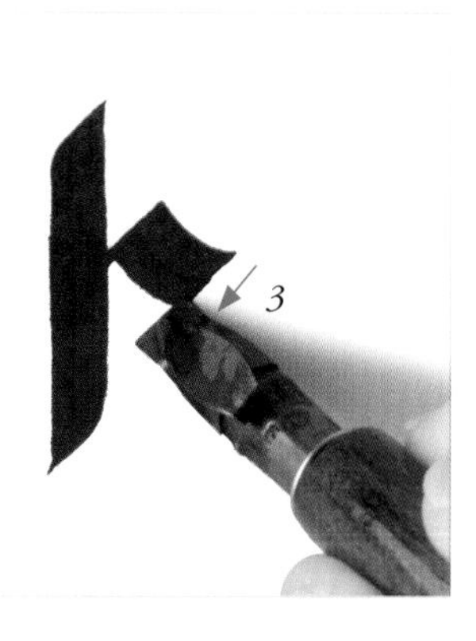

LA "Q"

Esta letra, bien distinta de las anteriores, también precisa de siete *ductus* para crearla. Primero se realiza el ojo de la letra, y para ello se empieza trazando un asta vertical, y

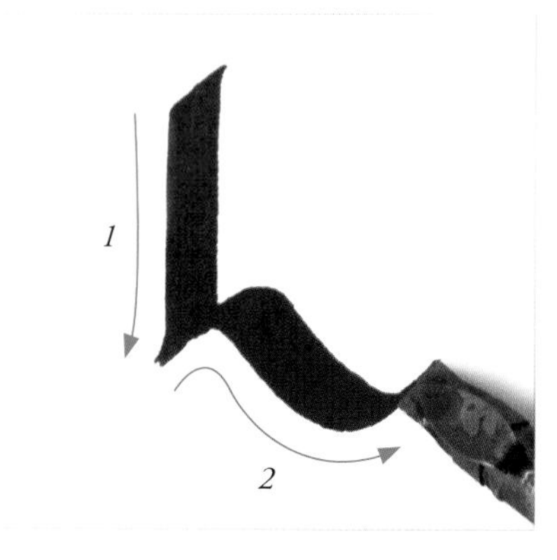

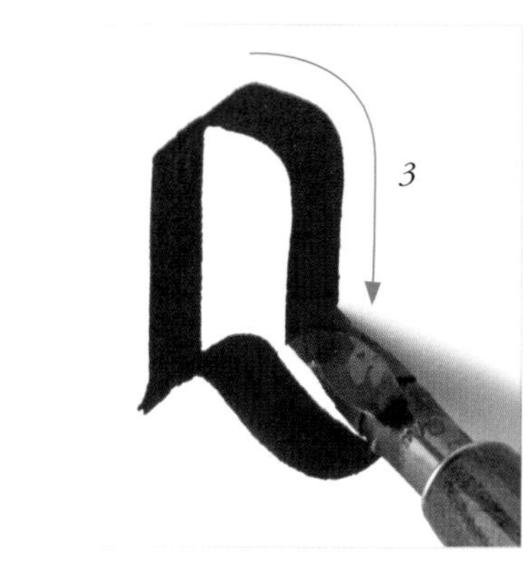

seguidamente un trazo horizontal curvado en forma de estilizada "s" tumbada; es el trazo que forma la cola. El tercer *ductus*, empieza en el mismo punto del primero y cierra el ojo de la letra por la derecha. En un solo trazo se realiza la curva superior y luego desciende en forma de asta recta. Luego, se hace un remate vertical de adorno a la izquierda, paralelo al primer *ductus* y en el se traza un remate de adorno. Por último, en dos trazos, se realiza un adorno paralelo a la forma de la cola, que queda unida a ella por un trazo fino.

LA "T"

Esta letra necesita de ocho *ductus* para ser escrita. Se empieza por el asta vertical o palo de la letra, que en este caso es un trazo curvo. Sigue un asta diagonal ascendente fino.

Luego un asta vertical. Después un asta que inicia el travesaño para seguirlo luego con un trazo horizontal que cruza el asta central. Finalmente, se puede decorar el extremo del travesaño con un trazo muy fino.

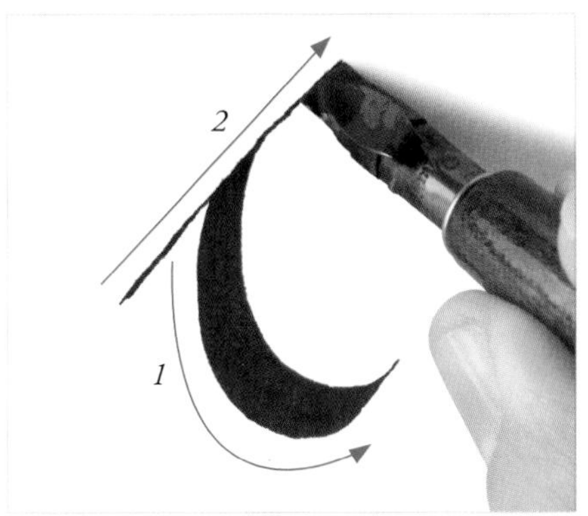

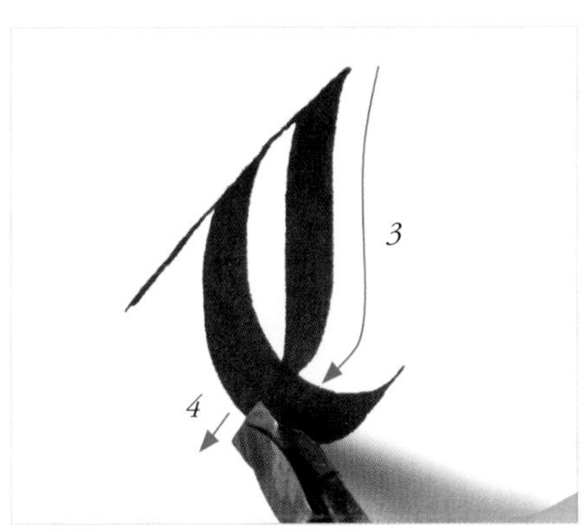

LA "R"

En el caso de la "R", tambien se emplean ocho *ductus*. Se comienza por el asta vertical o palo de la letra. Siguen el asta diagonal, primero trazado fino de abajo arriba, luego grueso de arriba abajo, y al final otro fino de derecha a izquierda. Debe procurarse que el ojo de la letra tenga un grosor parecido al del trazo grueso pues la pierna de la letra empieza donde se cierra el ojo. Luego, a modo decorativo, se traza un asta vertical paralelo al palo de la letra, que se decora con un pequeño trazo. Por último, un remate cierra la letra.

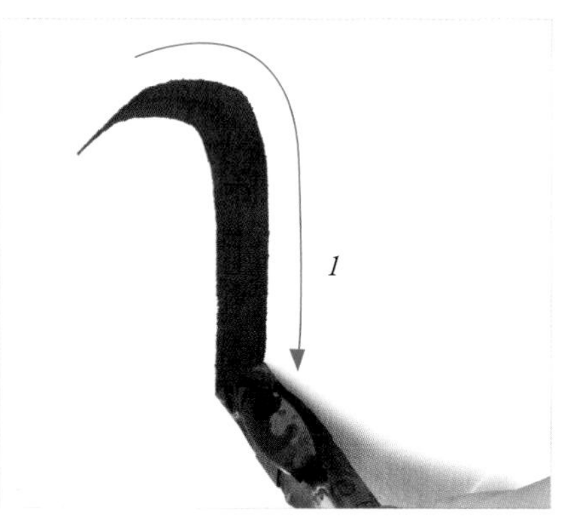

ESCRITURA GÓTICA TEXTURA DEL SIGLO XV

La escritura de la gótica textura del siglo XV requiere una plumilla metálica. Para empezar se hace una pauta con un ángulo de escritura de 45º y 5 módulos del ancho de una plumilla de 3 mm. A continuación, se presentan cuatro ejemplos como modelo del modo de realizar los trazos más usuales para escribir las demás letras de este estilo.

LA "A"

La primera vocal se compone de cinco *ductus*. El primer trazo es un asta diagonal que se une al asta vertical de la "a", y al final de ésta se traza un remate. Sigue el trazado de la formación del anillo al que se le realiza un pequeño trazo para engrosar el extremo superior; es mera decoración pero muy importante. Por último, se cierra la letra con un asta ascendente muy fina que se une al trazo realizado previamente.

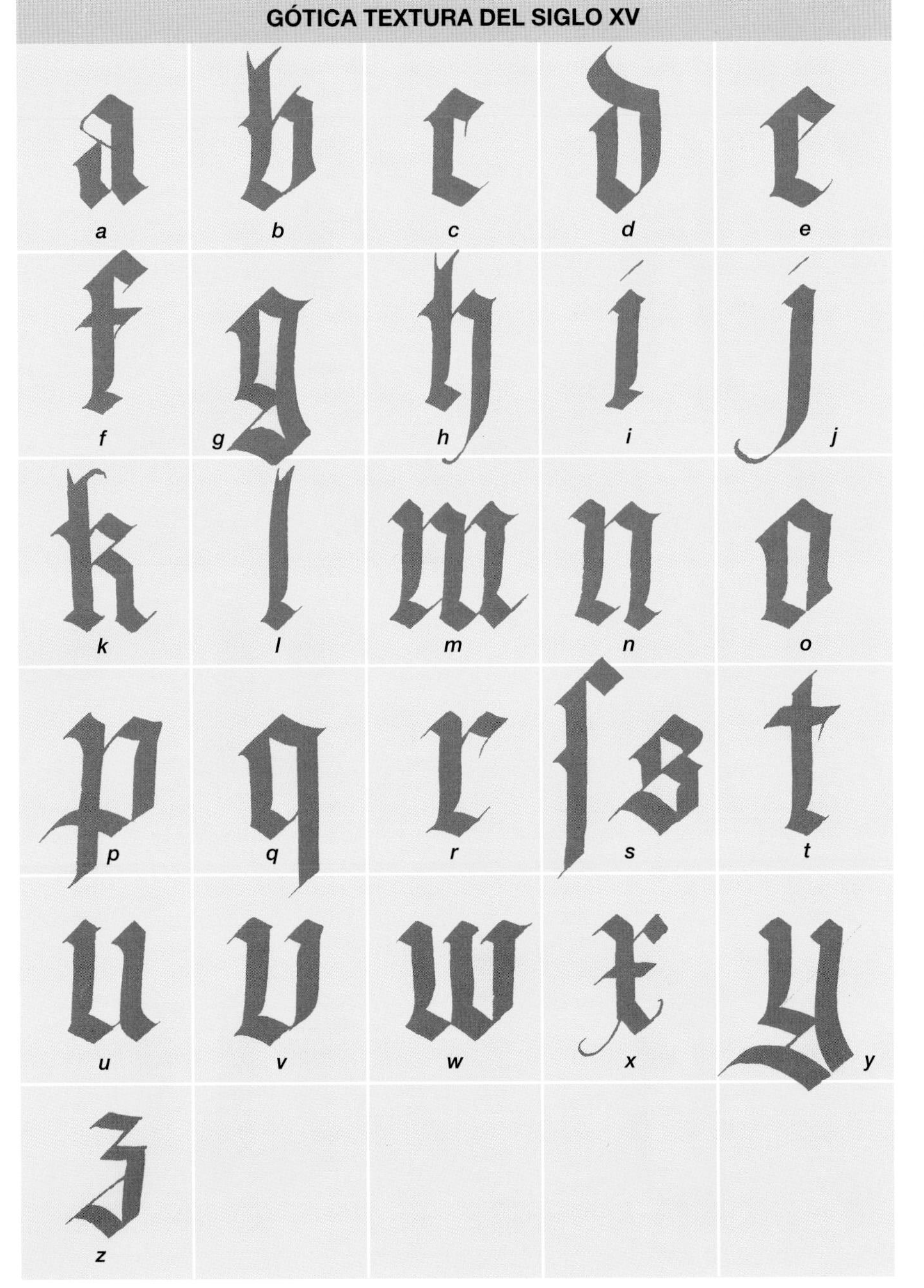

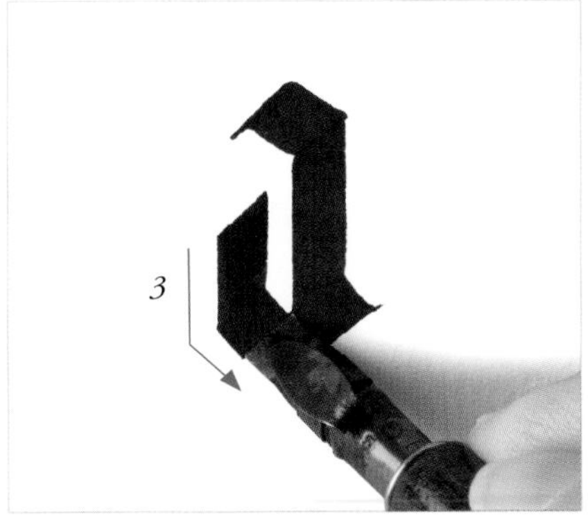

LA "B"

Se compone de ocho *ductus*. Primero se hace el asta vertical ascendente de la letra con el extremo superior más fino que el resto del asta y con un remate al final de ella.

Luego, se forma el anillo de izquierda a derecha, con una serie de trazos rectos pero con los bordes angulados. Finalmente se trazan pequeñas astas de decoración.

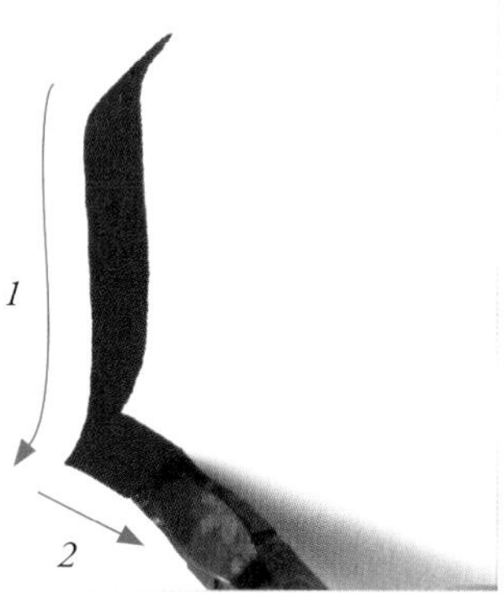

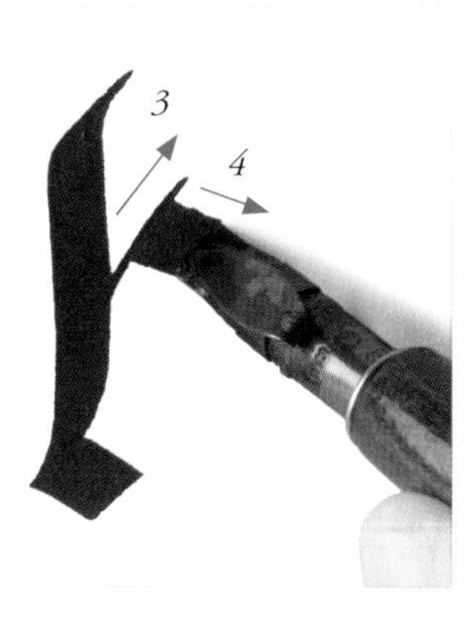

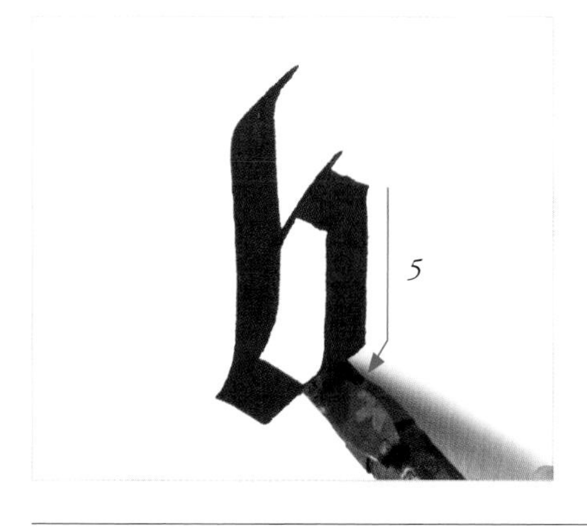

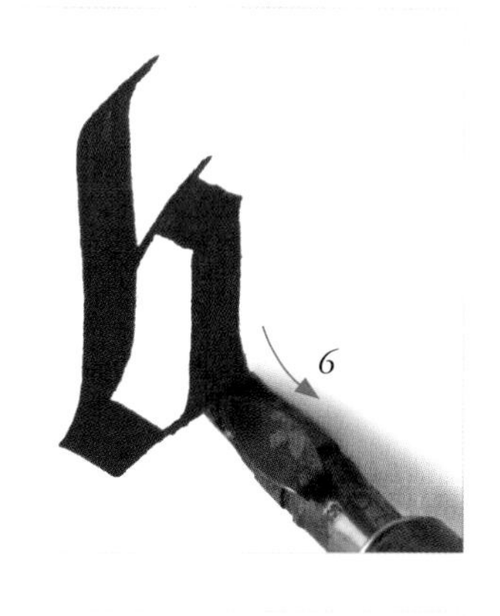

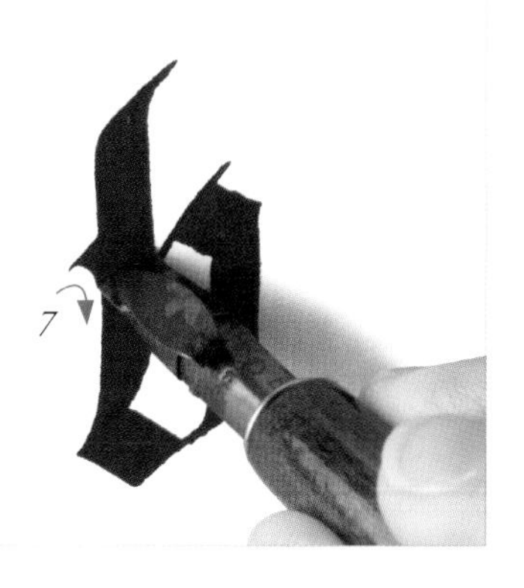

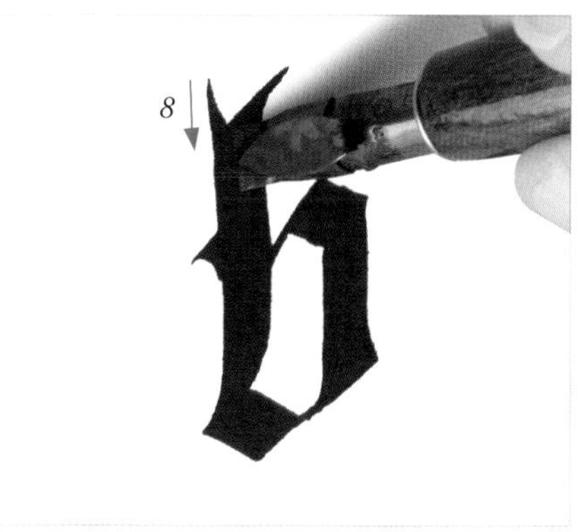

LA "W"

Consta de cinco *ductus*. Primero se hace el asta vertical con un pequeño remate al final de izquierda a derecha, luego se procede a realizar el mismo trazo inicial a la derecha de éste y a una distancia equivalente al ancho del trazo inicial y luego de igual modo se traza el asta vertical que cierra la letra.

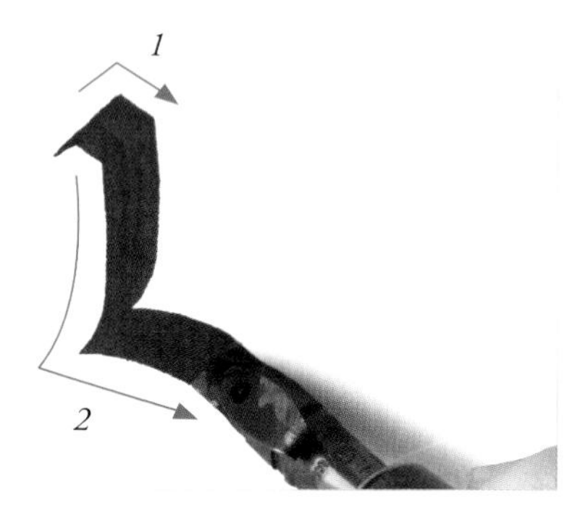

LA "X"

Esta letra, aunque de apariencia simple, se compone de nueve *ductus*. Se traza primero un asta diagonal, luego una corta asta vertical que termina en punta hacia la izquierda y, a continuación, esta punta se completa con un remate fino. En la parte superior del asta vertical se traza una línea fina hacia la derecha que luego forma una oreja de trazo ancho. Por la parte inferior derecha se traza la pata inferior, que termina con una línea fina ascendente. La letra se remata con un trazo horizontal diagonal de izquierda a derecha. Luego se traza una oreja de izquierda a derecha y un travesaño. Finalmente una curva floreada cierra la letra.

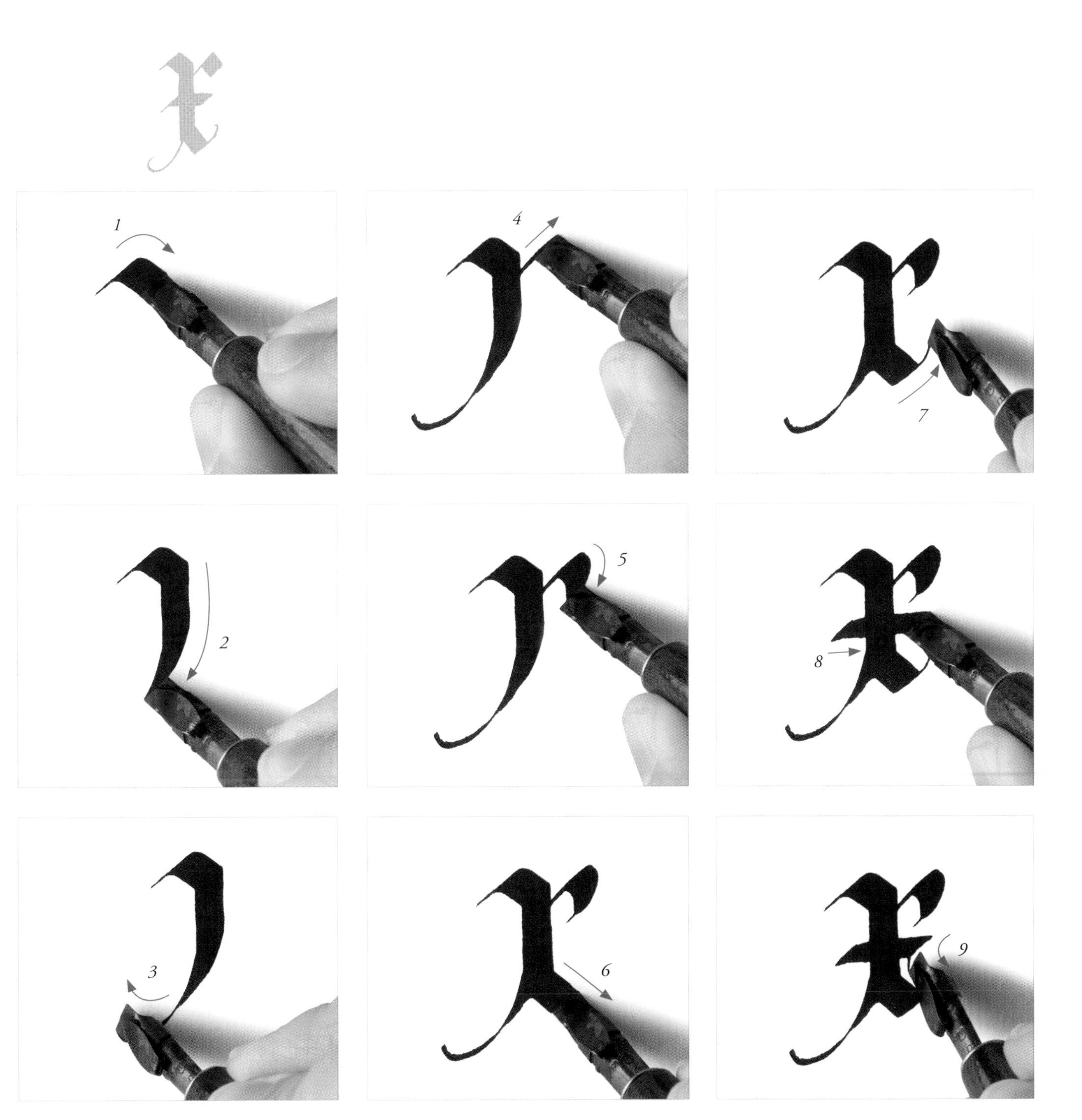

GÓTICA *FRAKTUR* DEL SIGLO XVI

Para escribir la gótica *fraktur* del siglo XVI se emplea una plumilla metálica. Como siempre, primero se hace una pauta, en ese caso con un ángulo de escritura de 45º, y 5 módulos y medio del ancho de una plumilla de 3 mm. Se muestra la realización de letras minúsculas significativas de esta variedad de escritura gótica que sirven de pauta para trazar las demás.

En la obra Solve & Coagula, *el calígrafo Gabriel Martínez Meave / Kimera Studio de Ciudad de México, escribió este lema de la alquimia en una letra gótica con tinta blanca y rojiza sobre lona negra. La tinta fue aplicada con un trozo de cartulina, con lo que logró una textura con transparencias muy interesante. La firma fue hecha con una pluma fina y flexible.*

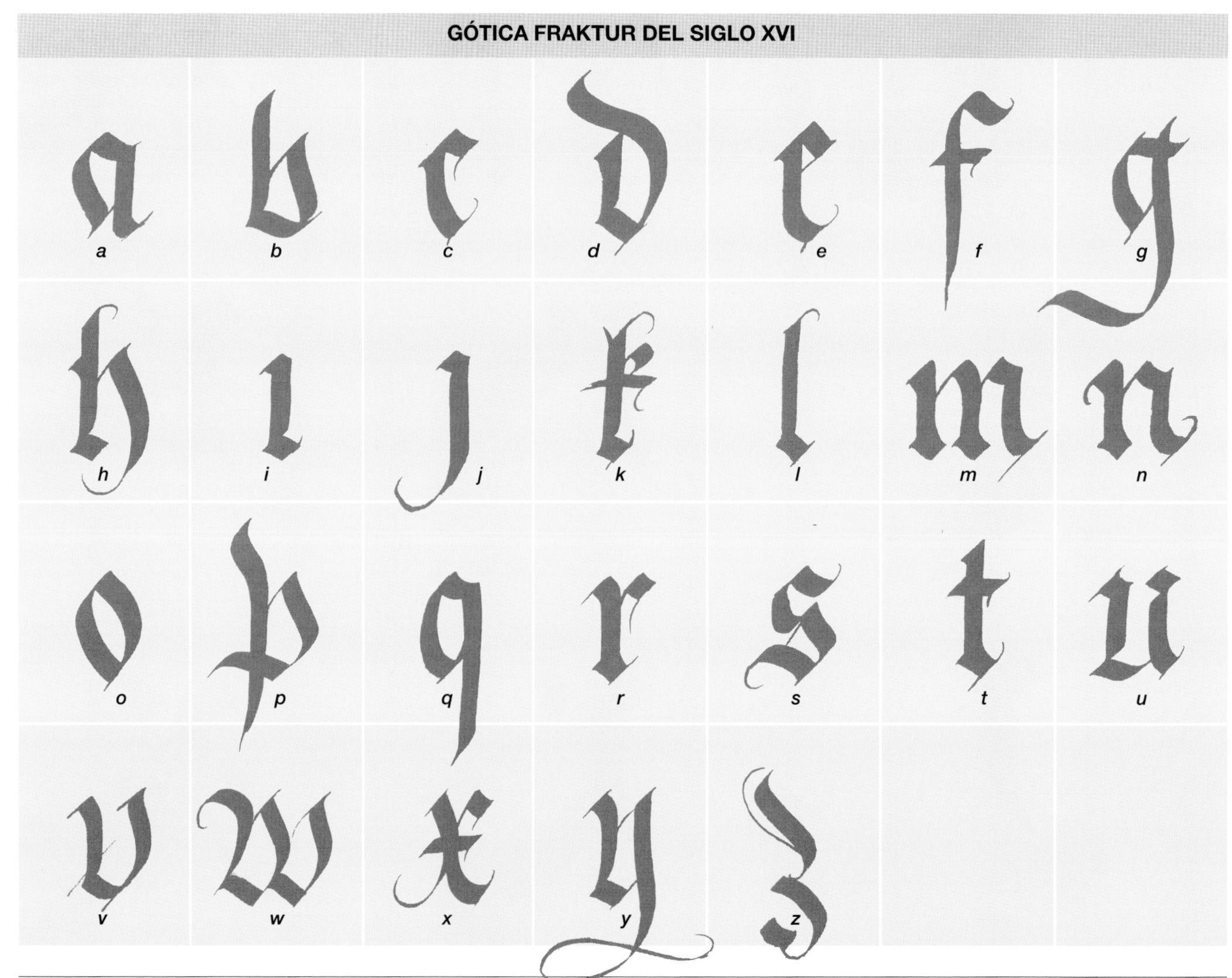

LA "A"

La primera vocal se compone de cinco *ductus*. El primer trazo es un asta diagonal que se une al asta vertical de la "a", y al final de ésta se traza un remate. Sigue el trazado de la formación del anillo, al que se le realiza un pequeño trazo en el extremo superior; es mera decoración pero muy importante. Por último, se cierra la letra con un asta ascendente muy fina que se une al trazo realizado previamente.

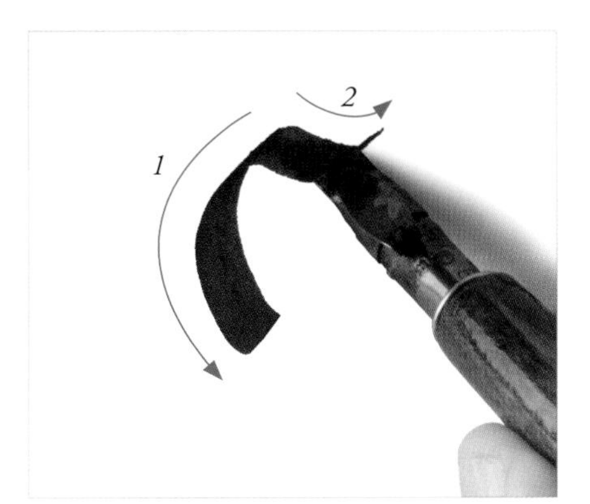

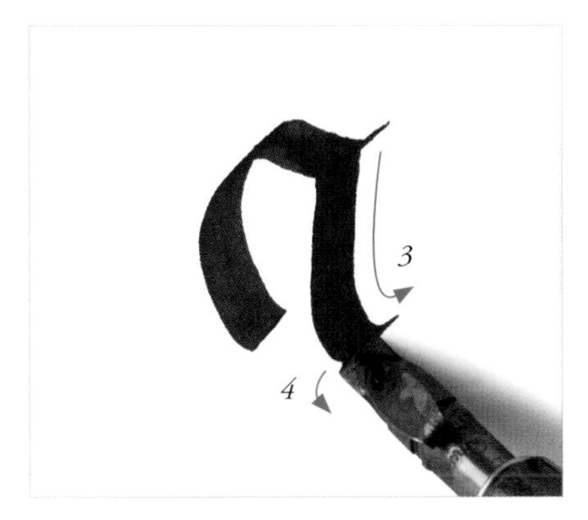

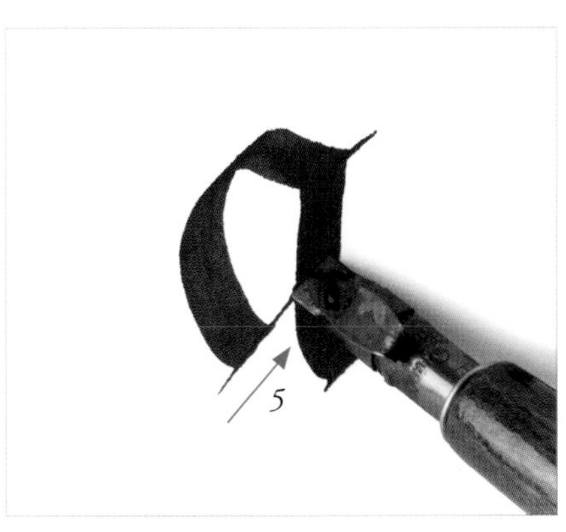

LA "D"

Se compone de cuatro *ductus*. Primero se hace el asta vertical ascendente de la letra, con el extremo superior más fino que el resto del asta y con un remate al final de ella. Luego, se hace el anillo de izquierda a derecha; finalmente se trazan pequeñas astas de decoración.

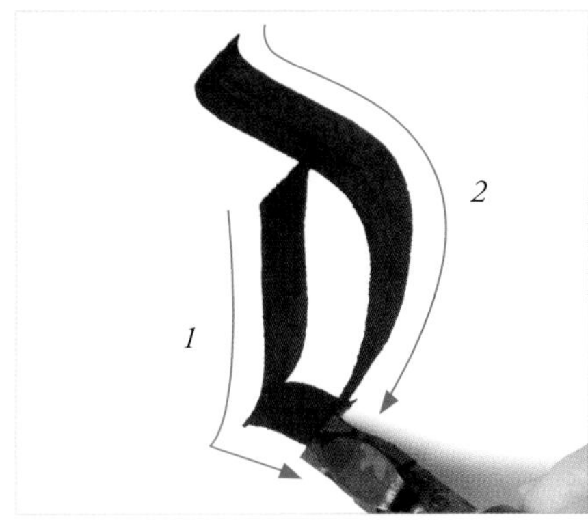

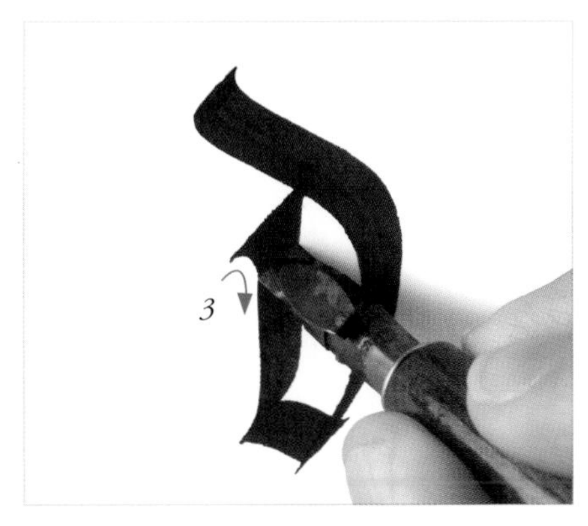

LA "F"

También se compone de cinco *ductus*. Primero se hace el asta vertical con el final cada vez más fino. Luego el arco de la "f" ligeramente curvado, que es un asta de izquierda a derecha y con decoración al final del trazo; y al final el travesaño, que para lograr una mayor armonía en la letra no se debe trazar en el medio exacto del asta vertical sino un poco más arriba, y también debe estar decorado.

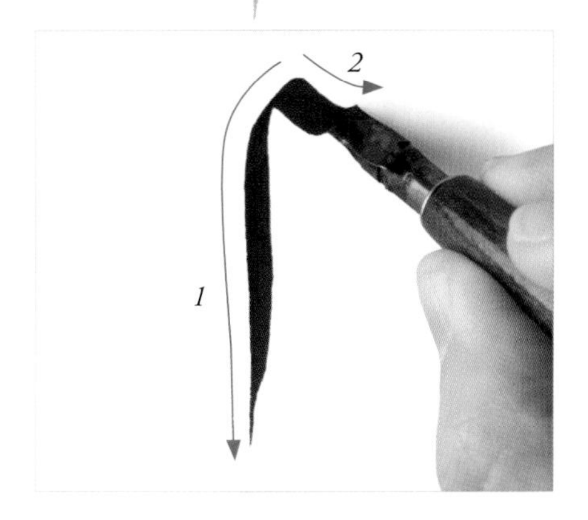

Caligrafía de Ricardo Rousselot titulada Lámpara InOut. *Es una obra para promocionar la lámpara InOut creada Ramón Úbeda y Otto Canalda para Metalarte. Para ello, el autor se ha decantado por una letra gótica muy decorada y ha usado una sola tinta, la negra. El resultado es una obra de gran impacto y actual.*

LA "H"

Se compone de seis *ductus*. Se empieza por el asta vertical, a la que se le hará un pequeño remate en el extremo inferior. Luego, se procede a realizar el segundo trazo –fino–, que formará la parte superior del arco; y al final la pierna de la "h". A modo de decoración, a la letra le podemos trazar unas pequeñas astas y rayas en el asta vertical en forma de remate ornamental.

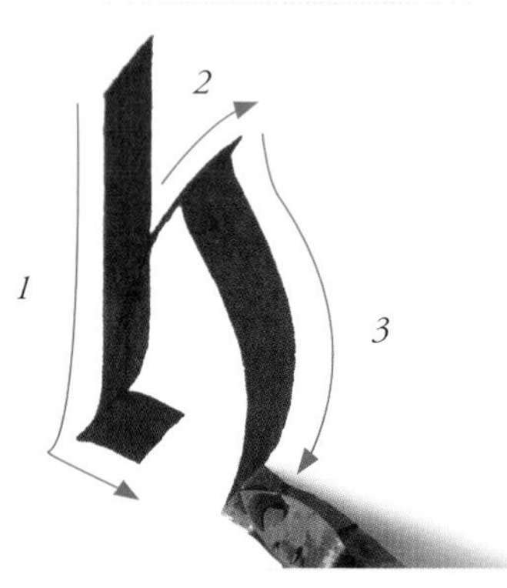

Caligrafía de María Eugenia Roballos titulada Consecuencias. *Realizada en témpera y* masking fluid *sobre papel Fabriano 50 % Cotton de 70 x 100 cm Para ello, utilizó una* Automatic Pen *y un instrumento experimental. La obra intenta ser un homenaje al alfabeto y por esto empleó la letra gótica textura como fondo y de figura, poniendo en evidencia no sólo sus formas sino también sus contraformas. El texto dice:* "La escritura puede existir sólo en una cultura y la cultura no puede existir sin escritura." *I. J. Gelb.*

LA "S"

Esta consonante se compone de ocho *ductus*. Se comienza por la espina o asta curvilínea, que tiene dos *ductus* diferentes. Luego se hace el remate inferior de izquierda a derecha –grueso– y de arriba abajo –fino–. Por último se traza el gancho superior de izquierda a derecha. Diversos trazos finos en los extremos y el interior de la letra servirán de remates decorativos.

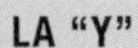

LA "Y"

La "y" se compone de tres *ductus*. El primero es el asta vertical de arriba abajo, el segundo es un asta diagonal de izquierda a derecha. Y luego se procede a trazar el asta vertical. Se empieza con una linea fina de abajo arriba y luego prosigue ancho el asta propiamente dicha, hasta hacer un trazo descendente algo curvilíneo. Se cierra la letra con una floritura que trazará un bucle.

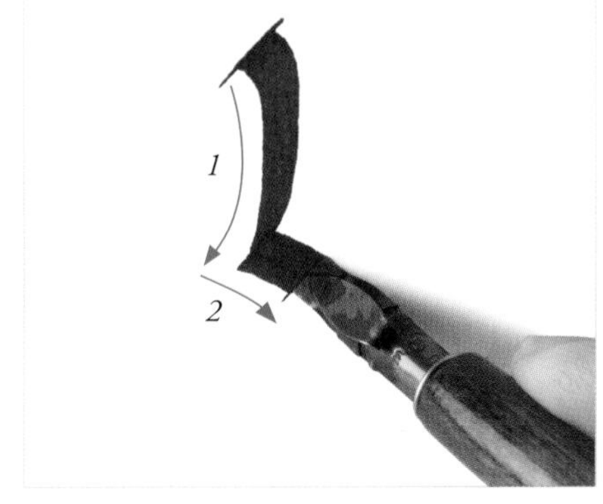

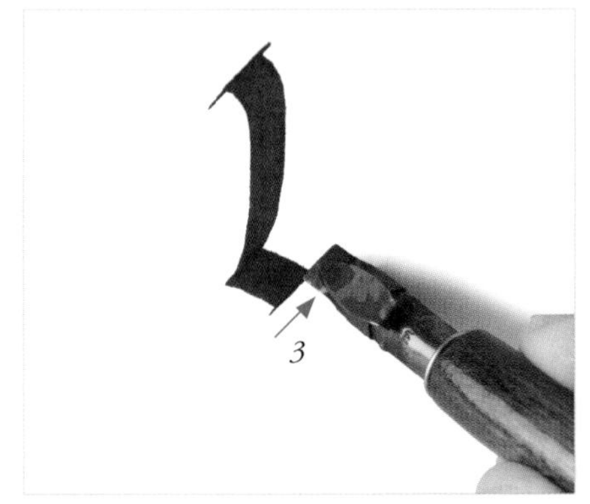

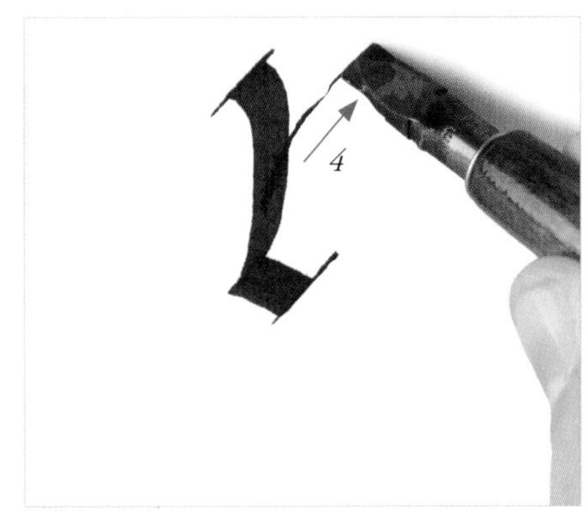

El Renacimiento: la escritura humanística

A partir del siglo XV, Europa vivió una época de cambios no sólo culturales sino en todos los ámbitos. El Renacimiento marcó el paso del mundo medieval al moderno. Fue un nuevo período que coincidió con la invención de la imprenta por Johannes Gutenberg, el descubrimiento del sistema heliocéntrico por Copérnico y, en 1492, el de un nuevo continente: América. Esta época de grandes revoluciones, de carácter tanto político y económico como religioso y cultural, estuvo marcada por el humanismo, que defendía el retorno a la cultura grecolatina con el fin de restaurar los valores humanos.

EL NACIMIENTO DE LA ESCRITURA HUMANÍSTICA

Mientras que la escritura gótica se adaptó perfectamente en la mayor parte de Europa, en Italia se buscó una escritura más redondeada. La escritura humanística nació en Italia de manos de Poggio Bracciolini (1380-1459) como evolución de la gótica rotunda y de la carolingia minúscula, en una época en que se retomaron los valores de la Antigüedad y se rechazó la estética gótica y de la Baja Edad Media en general. Durante este período se hallaron varios códices carolingios y la escritura humanística fue el resultado de la admiración por esos manuscritos.

Petrarca fue el primero en manifestar la inquietud por sustituir la escritura gótica por una letra inspirada en los códices hallados. Por ello, este poeta empezó a imitar la letra carolingia, la que se considera "gótica prehumanística". Pero, como se ha avanzado, la escritura humanística se atribuye a Poggio Bracciolini.

Las letras
son símbolos
que transforman
la materia
en espíritu.
LAMARTINE

Caligrafía de Claude Dieterich A. titulada Las letras, *escrita en letra humanística con una pluma estilográfica. Gracias a la simplicidad cromática de la obra podemos ver claramente la morfología de la letra, así como sus serifas.*

Por su inspiración se la llamaba también *lettera antica*, mientras que la gótica se denominaba *lettera moderna*. Fue una escritura muy elitista y, en consecuencia, poco extendida en muchas partes de Europa; una excepción fueron los reinos de la península Ibérica, en especial el de Aragón, más en contacto con Italia, donde esta letra se empleó ampliamente y se impuso sobre la gótica.

LA EVOLUCIÓN

A partir de 1416 apareció la variante cursiva de la humanística, llamada *lettera antica corsiva*. En ella, los interletrajes se aprietan y se acentúan las ligaduras, La variante humanística cursiva no difiere mucho de la gótica, sino que más bien es una lenta evolución de esta última. Se caracteriza porque el *ductus* se inclina ligeramente hacia la derecha; las letras se escriben bastante unidas y forman una palabra compacta. Es una escritura clara, sin decoración innecesaria que complique la lectura, a no ser algún rasgo gestual, hacia arriba o hacia abajo, para aportar elegancia a la letra. Esta escritura cursiva evolucionó de manera paulatina hacia la cancilleresca, todavía más inclinada y gestual.

CARACTERÍSTICAS DE LA ESCRITURA HUMANÍSTICA

En primer lugar, cabe señalar que hay varios tipos de escritura humanística, cuyas características difieren del resto en mayor o menor grado. A continuación se exponen las distintas variantes.

LA HUMANÍSTICA REDONDA

Se inspira de forma muy fiel en la escritura carolingia de los siglos X y XI. Destaca las redondeces y la aparición de ligaduras, pero con poca decoración y muy clara. Es una escritura en minúsculas y las mayúsculas están basadas en las capitulares romanas. Un elemento muy característico de esta variedad de escritura humanística es el travesaño de la "e", un asta ascendente en diagonal oblicua y ligeramente curvada.

LA HUMANÍSTICA CURSIVA

Se trata de la escritura humanística redonda, aunque el *ductus* se inclina hacia la derecha. Durante el siglo XVI fue el tipo de escritura preponderante en la península Iberica. Este estilo evolucionó hacia la escritura humanística cancilleresca, mucho más decorada y con el *ductus* aún más inclinado.

LA HUMANÍSTICA CORRIENTE

Con este término se denomina la escritura humanística cursiva pero de trazo rápido e informal, empleada para escribir apuntes o cartas.

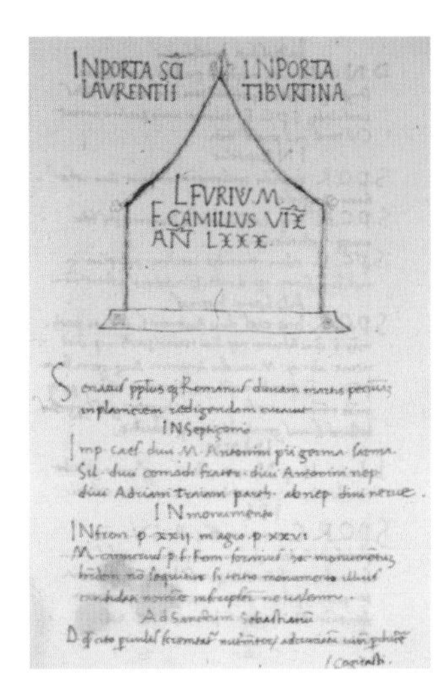

Folio de un libro manuscrito, atribuido a Poggio Bracciolini, en el que se describen los monumentos de la Roma de su época. Poggio, escribió y copió numerosas obras.

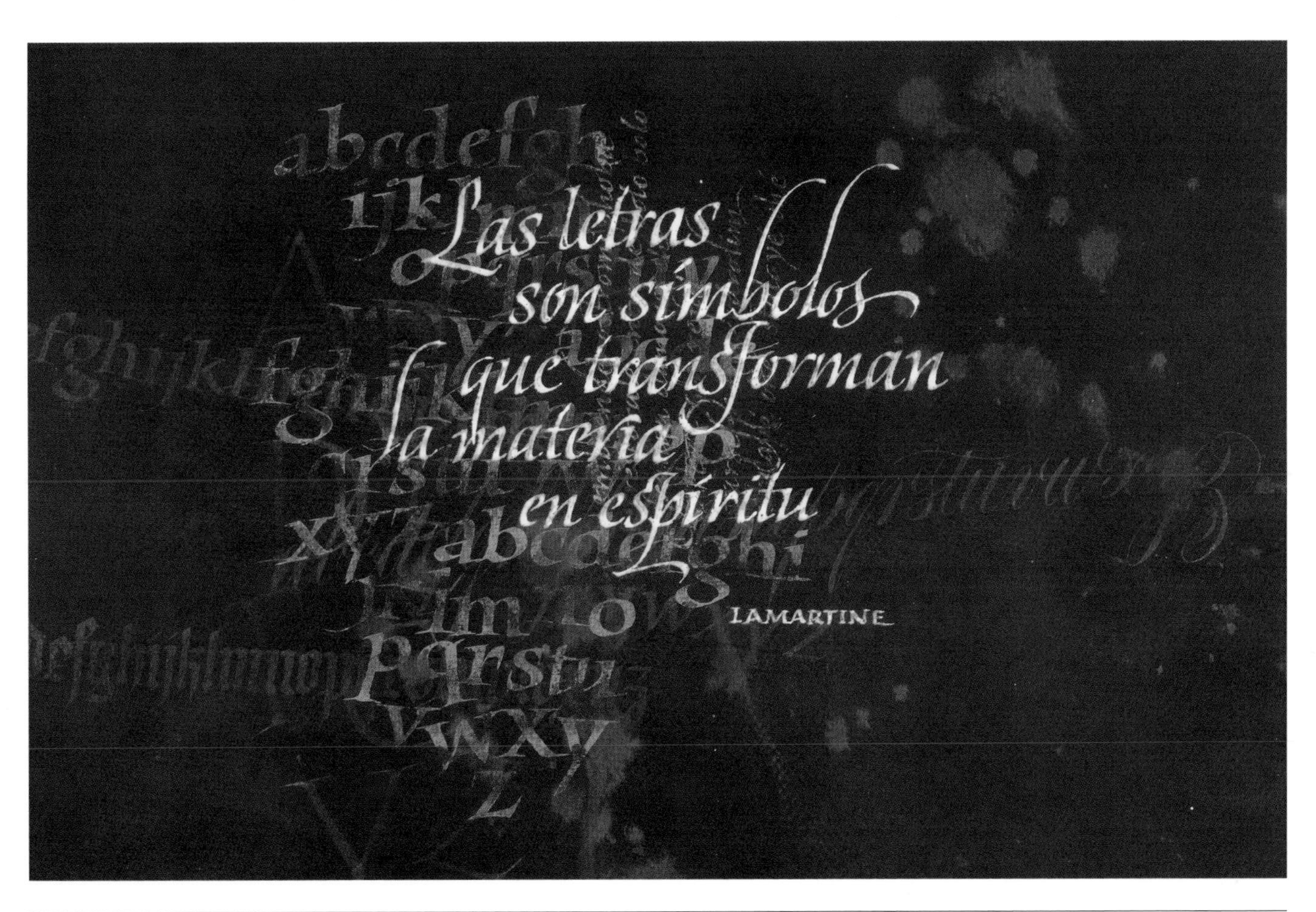

Obra de Claude Dieterich A. titulada Painting. *Está realizada en guache sobre un fondo oscuro mediante el uso de varias herramientas. Se pueden apreciar varios estilos de escritura; en blanco y en primer término se ha escrito en letra cancilleresca, y por debajo, en amarillo, se aprecian letras de un alfabeto en letra humanística y en gótica.*

La escritura cancilleresca o italiana

La escritura humanística redonda evolucionó hacia una variante cursiva, que a su vez acabó por originar la escritura cancilleresca. En su inicio, el uso de esta letra estaba reservado para manuscritos burocráticos y transacciones económicas de la Cancillería Vaticana, de ahí su nombre; poco después, comenzó a emplearse en otros documentos administrativos que debían ser firmados por el Santo Padre. Más adelante, durante el pontificado de Eugenio IV, el humanista Poggio Bracciolini introdujo la escritura cancilleresca apostólica en la totalidad de los documentos, aunque esta letra aún era incipiente y muy semejante a la humanística.

Ex-libris inspirado en la obra de Hermann Zapf, creado por el calígrafo Ricardo Rousselot.

LA APARICIÓN DE LA CANCILLERESCA

A principios del siglo XV, en la corte renacentista de los Medicis, en Florencia, surgió un nuevo estilo de escritura todavía más cursiva que la cancilleresca apostólica. Esta escritura, la propiamente cancilleresca, fue promovida por el erudito Niccolò Niccoli hacia 1420. El uso de la escritura cancilleresca pasó a Francia a través de la Cancillería de los papas de Aviñón, en la época del cisma de la Iglesia, y este traslado de la corte papal favoreció la extensión de su empleo por toda Europa.

Niccolò Niccoli (1364-1437) fue un humanista italiano del Renacimiento. Originario de Florencia, Niccoli destacó como coleccionista y copista de manuscritos antiguos. Tuvo contacto con códices muy relevantes de la Biblioteca Laurenciana florentina, entre ellos los textos de Lucrecio y doce comedias de Plauto, de los que quedó totalmente fascinado. Tras la admiración de los manuscritos antiguos, Niccoli creó y difundió la letra cancilleresca cursiva.

LA DIFUSIÓN

Tras la inserción, a través de Niccoli, de la escritura cancilleresca en los documentos papales, el nuevo estilo de escritura se popularizó y su empleo se extendió progresivamente al ámbito privado, en especial entre los humanistas, que de este modo recuperaban la obra clásica o escribían las suyas a imitación de los clásicos. Pero, en el ámbito privado, la escritura se distinguía por ser algo más pequeña, con más ligaduras y más sencilla que el estilo público utilizado en los documentos administrativos y señoriales de la Cancillería papal.

CARACTERÍSTICAS DE LA ESCRITURA CANCILLERESCA

A finales del siglo XV ya se encuentran textos escritos con los dos estilos de letra cancilleresca que se describen a continuación.

CANCILLERESCA DE USO POPULAR

Se trata de la escritura usada por los humanistas de la época en sus escritos literarios. Se caracteriza por las formas pequeñas y sencillas de las letras, que pueden ser escritas con rapidez. Este tipo de escritura fue la que inspiró a Aldo Manucio, quien tenía una activa imprenta en Venecia, para el diseño, grabado y posterior fundición de la tipografía itálica. De este modo, la cancilleresca popular fue el estilo de escritura caligráfica que se tomó como base para el diseño de las distintas tipografías conocidas como estilo itálico.

CANCILLERESCA DE USO DIPLOMÁTICO

Fue la letra usada en los manuscritos de la Cancillería papal y, por ello, es más formal y con rasgos ornamentales.

La cancilleresca diplomática se caracteriza porque sus trazados son más sencillos, formando una escritura más elegante y orgánica. Sus trazos son armónicos y curvos, con más ligaduras y decoración de los trazos ascendentes y descendentes en forma de florituras.

Detalle de una obra de Massimo Polello titulada Quest'arte ingegnosa di dipingere le parole… *Encabezada con una bellísima letra capitular en rojo, muestra un texto de Guillame Debebreufe escrito en cancilleresca, en blanco sobre un papel Fabriano negro de 70 x 50 cm, con una plumilla de la marca Brause.*

LA CANCILLERESCA DE NICCOLI

La escritura cancilleresca de Niccolò Niccoli se distingue por el uso de formas características de la minúscula carolingia y de una letra gótica de estilo cursivo usada en Italia. A su vez, las mayúsculas estaban basadas en las capitulares romanas.

El ángulo de escritura es de 45º. Morfológicamente, se distingue porque el módulo básico es la forma oval, sobre la cual se construyen varias letras del alfabeto como la "a", la "b", la "d", la "g", la "o", la "p" y la "q". Otra característica destacable es la verticalidad que presentan las mayúsculas y, en contraste, la cursividad de las minúsculas y la terminación de los ascendentes y descendentes en éstas, la cual puede ser en forma de lágrima o de remate.

LA ESCRITURA CANCILLERESCA O ITALIANA (MAYÚSCULAS)

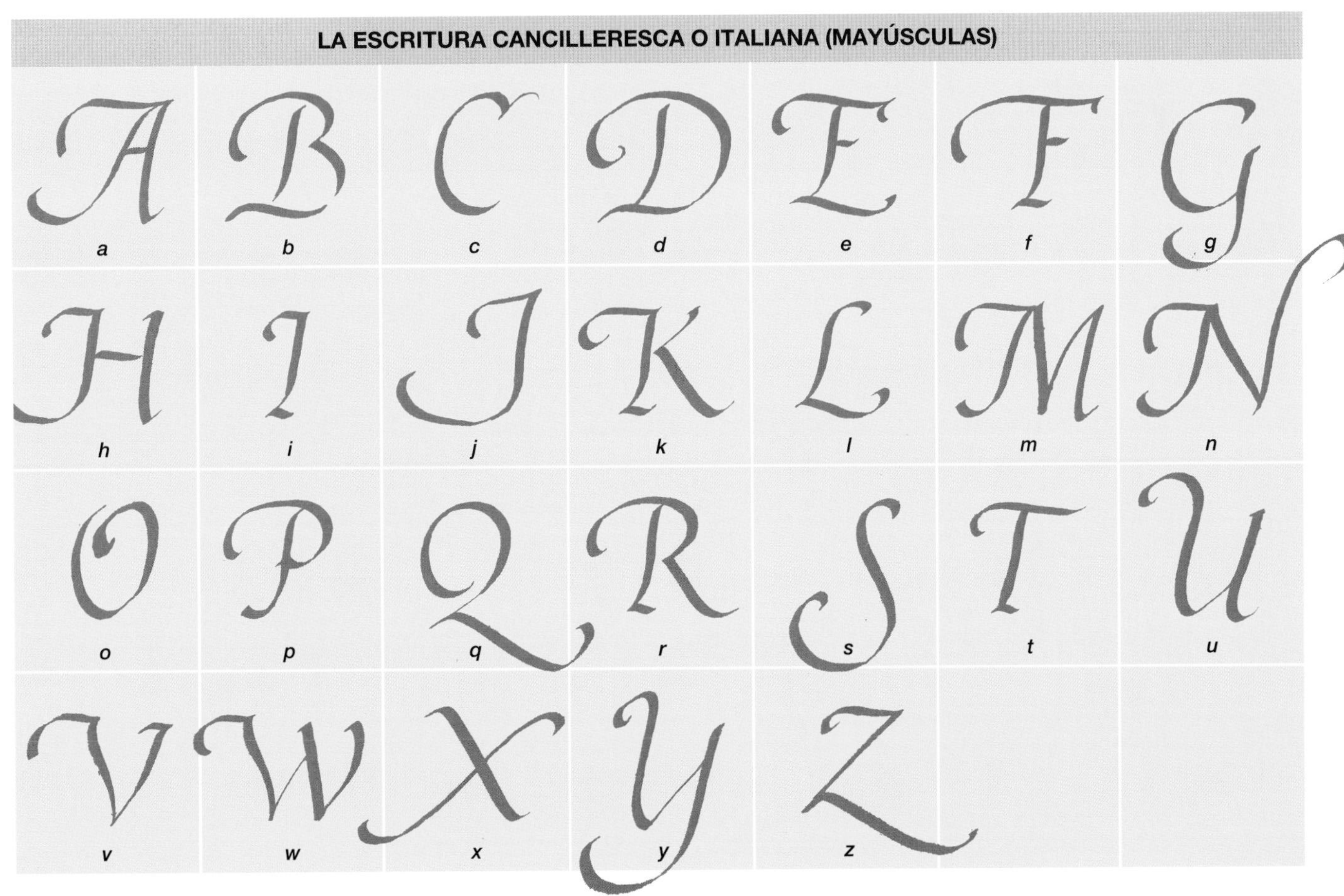

La letra inglesa o *copperplate*

La letra inglesa, también llamada *copperplate*, es un estilo inspirado en la cancilleresca cursiva. La letra inglesa se popularizó y fue empleada sobre todo en la creación de carteles y publicidad. En la actualidad, se utiliza principalmente para trabajos publicitarios o en diseños a los que se desea dar un aire refinado, delicado o femenino, como, por ejemplo, una tarjeta de invitación a una boda o la etiqueta de un perfume.

En la obra The person you love is 72,8 % water, *el calígrafo Peter Horridge utilizó una plumilla de* copperplate *y tinta. Se trata de una obra gráfica seriada para impresión giclée o digital encargada por un cliente.*

LOS ORÍGENES

Esta escritura se encuentra por primera vez en el libro *Les Œuvres* de Lucas Materot, escrito en 1608, pero fue en el siglo XVIII cuando calígrafos como William Brooks y John Bland le dieron su forma regular, uniforme y la hicieron cursiva, aspectos que tanto la caracterizan.

La letra inglesa se escribe con una plumilla metálica muy puntiaguda y flexible. Esto constituye un cambio respecto de la plumilla plana usada en la mayoría de las caligrafías hasta entonces. La escritura *copperplate* fue empleada de forma corriente en el siglo XVIII, en especial a partir de 1720 y hasta 1800, su época de esplendor. Se difundió por toda Europa y en especial en las fundiciones de tipografía. Es muy destacable la letra inglesa que grabó el tipógrafo francés Pierre Didot en 1798.

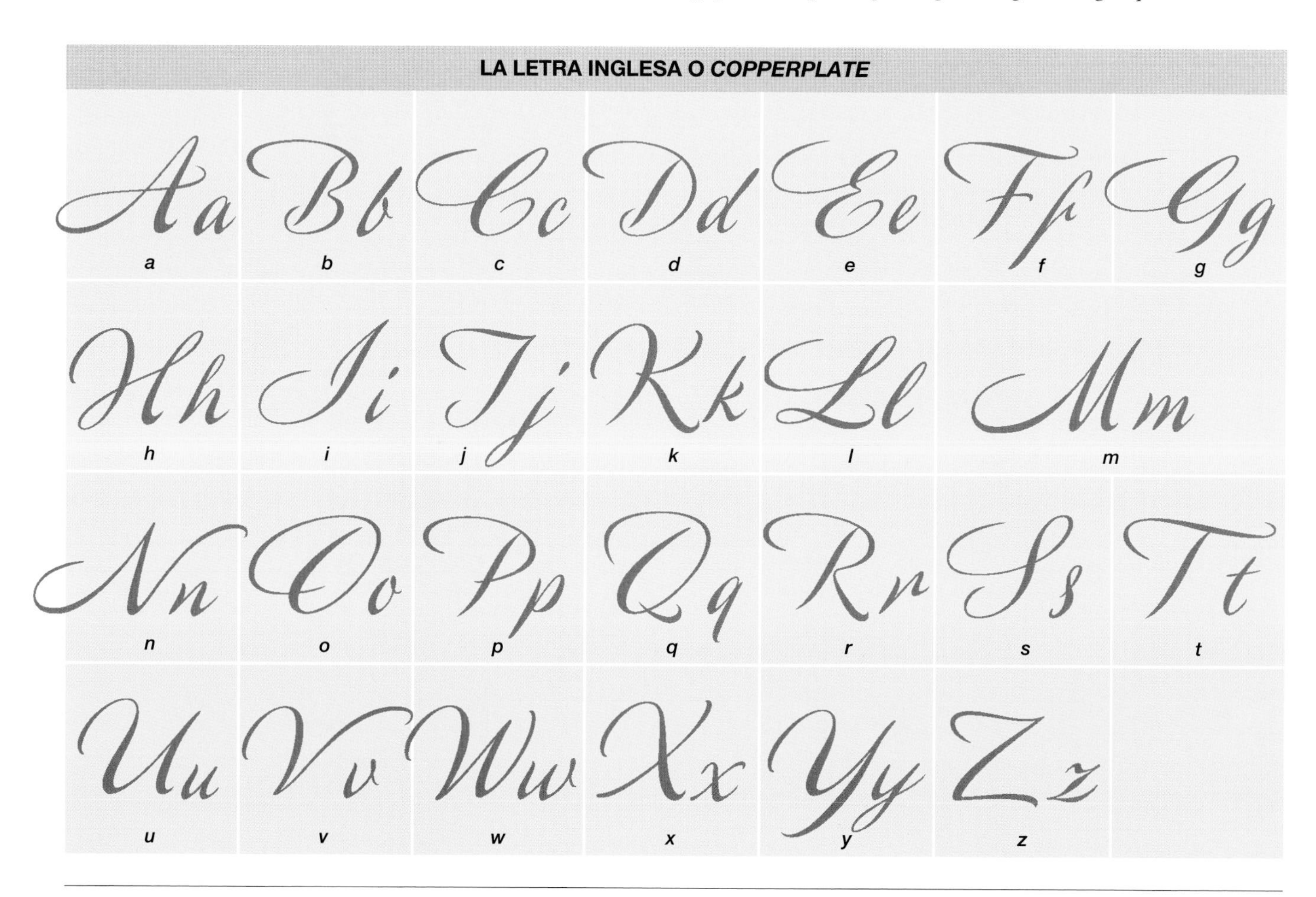

La copperplate *es una letra muy indicada, por sus ligaduras y formas suaves, para temas femeninos o para conceptos como el amor. Peter Horridge la empleó para escribir el nombre Love de esta caja de bombones de un prestigioso fabricante.*

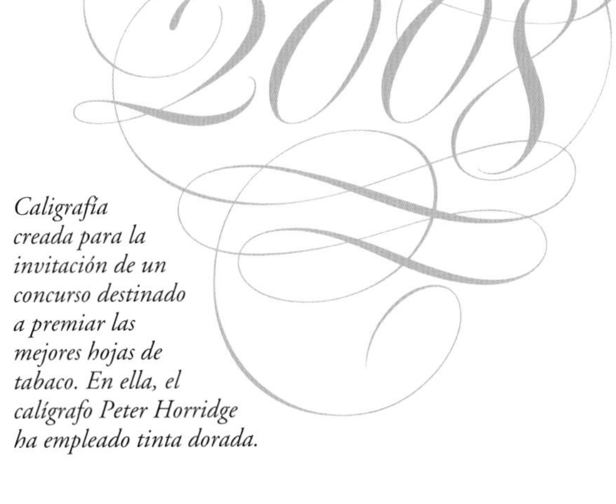

Caligrafía creada para la invitación de un concurso destinado a premiar las mejores hojas de tabaco. En ella, el calígrafo Peter Horridge ha empleado tinta dorada.

CARACTERÍSTICAS DE LA ESCRITURA *COPPERPLATE*

Se caracteriza por tener una alta precisión en los finos y gruesos de los trazos de sus letras. Estos trazos deben ser todos iguales y no se logran cambiando el ángulo de escritura de la plumilla, como ocurre en los otros estilos de caligrafías que se han explicado. En la escritura *copperplate*, los trazos gruesos y finos del trazo dependen de la presión ejercida por la plumilla sobre el papel: a mayor presión, más grueso quedará el trazo; a menor presión, menos grosor. El ángulo de escritura ideal es de 45º. Para facilitar el uso de la *copperplate*, existen en el mercado plumillas metálicas oblicuas especiales para este tipo de escritura, que tienen aspecto de "S", la punta muy afilada y una gran flexibilidad.

La escritura *copperplate* es más alta que ancha y tienen gran importancia los trazos ascendentes y descendentes, que son muy exagerados y pueden ser decorados con florituras. Todos estos adornos proporcionan a esta escritura un resultado muy barroco y recargado. Se trata, por tanto, de una caligrafía muy ornada, elegante y de calidad. No es fácil perfeccionarla, pero los trabajos realizados con este estilo de escritura alcanzan un nivel de prestigio muy apreciado.

Rótulo escrito en letra inglesa donde se aprecian los rasgos que unen dos letras tras formar el adorno. Estas composiciones, de gran originalidad, deben ser meditadas y ensayadas previamente para lograr la máxima armonía.

Caligrafía para una invitación del Príncipe de Gales. Peter Horridge empleó en ella un estilo de letra inglesa especialmente refinado.

La caligrafía actual

La caligrafía no es sólo el arte de un escriba que reproduce textos con los distintos estilos históricos caligráficos. Hoy en día, entendemos la caligrafía como una forma de expresión, un arte, un amor a la bella letra. El texto puede ser una excusa para crear una obra a veces tan cercana al arte que el texto queda registrado como un trazo, una abstracción. Para llegar a dominar el arte de la caligrafía *gestuale*, necesitamos aprender la forma y el *ductus* de la letra. Sólo cuando se consigue asimilar todas las normas de la caligrafía formal, se logra entender la estructura de la letra, su forma y su contraforma y se es capaz de convertirla en una gestualidad. En la actualidad, la caligrafía es también una herramienta para el diseñador a la hora de crear un logotipo, hacerlo único y exclusivo para su cliente. Por lo tanto, se la puede considerar una herramienta de prestigio para una marca y un medio para enriquecer un diseño. De este modo, como su evolución lógica, los *caligraffiti*, el arte de hacer *graffiti* mediante la caligrafía, han llegado a ser un medio de expresión.

CALIGRAFÍA *GESTUALE*

Derivada de la caligrafía formal, la *gestuale* es una evolución lógica del arte de la escritura. Mediante la gestualidad, el artista deja que la huella de su mano sea más patente en la obra, haciéndola aún más única y con un estilo propio. El artista traslada mejor su forma de crear los trazos, jugar con el ritmo y, en definitiva, hacer más expresiva la letra. Muchas veces, cuando se piensa en gestos, en trazos, viene a la mente la improvisación de los pintores abstractos. En la caligrafía no es así, no es equiparable pues, en realidad, no se busca una aleatoriedad, sino que, muy al contrario, el calígrafo debe dirigir su trazo, controlarlo y no olvidar la forma de la letra: cuanto más se asemeje a la morfología formal, más bella será la gestualidad.

Por lo tanto, no debemos olvidar que, para crear este tipo de caligrafía gestuale, se necesita dominar las normas, ángulos de escritura y, sobre todo, la morfología del estilo de letra que se ha elegido; sólo conociendo y dominando la caligrafía formal, podemos trasladarnos a la gestualidad. Por el contrario, si no dominamos la letra formal, rápidamente se cae en el error de reproducir nuestra propia escritura manual diaria, dejando atrás los *ductus* y ángulos propios de una cancilleresca o de una gótica, por ejemplo. Como se suele decir: para transgredir una norma, hace falta conocerla. Por otro lado, no debemos olvidar la máxima de la legibilidad; no por buscar la gestualidad de la letra y jugar así con su morfología, su forma y contraforma debemos hacer un resultado inteligible, el objetivo de la gestualidad es la búsqueda de una armonía en los trazos, un ritmo y sobretodo una personalidad en la letra final, pero sin olvidar su fin, la lectura, salvo que así lo decida el artista.

Il Cielo, *de Anna Ronchi, es un trabajo de caligrafía basado en un poema de Omar Khayaam, y realizado con plumillas y pincel metálico con guache y acuarela sobre papel.*

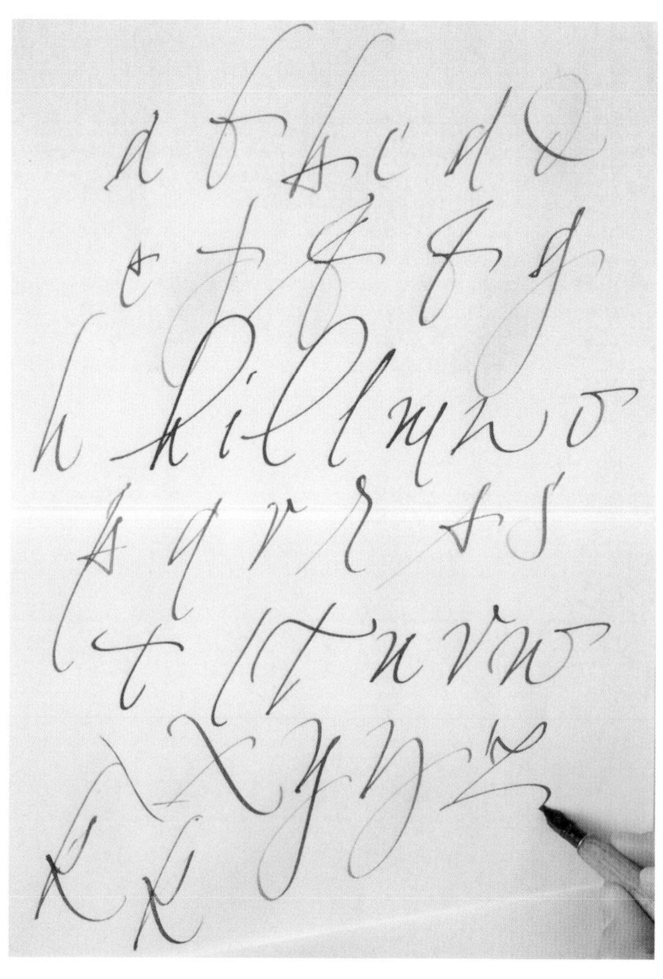

Alfabeto gestuale *creado con plumilla metálica y nogalina. La esencia es no perder la raíz de la escritura cancilleresca o su forma al tiempo que se buscan variantes que conviertan el resultad final en algo único y personal.*

Obra Sobre calígrafos, *de María Eugenia Roballos, realizada en acuarela y témpera sobre papel Rives BKF. Utilizó tiralíneas, pintel chato y plumas metálicas para escribir una frase del escritor argentino Pablo de Santis, con expresiva fuerza de ritmo.*

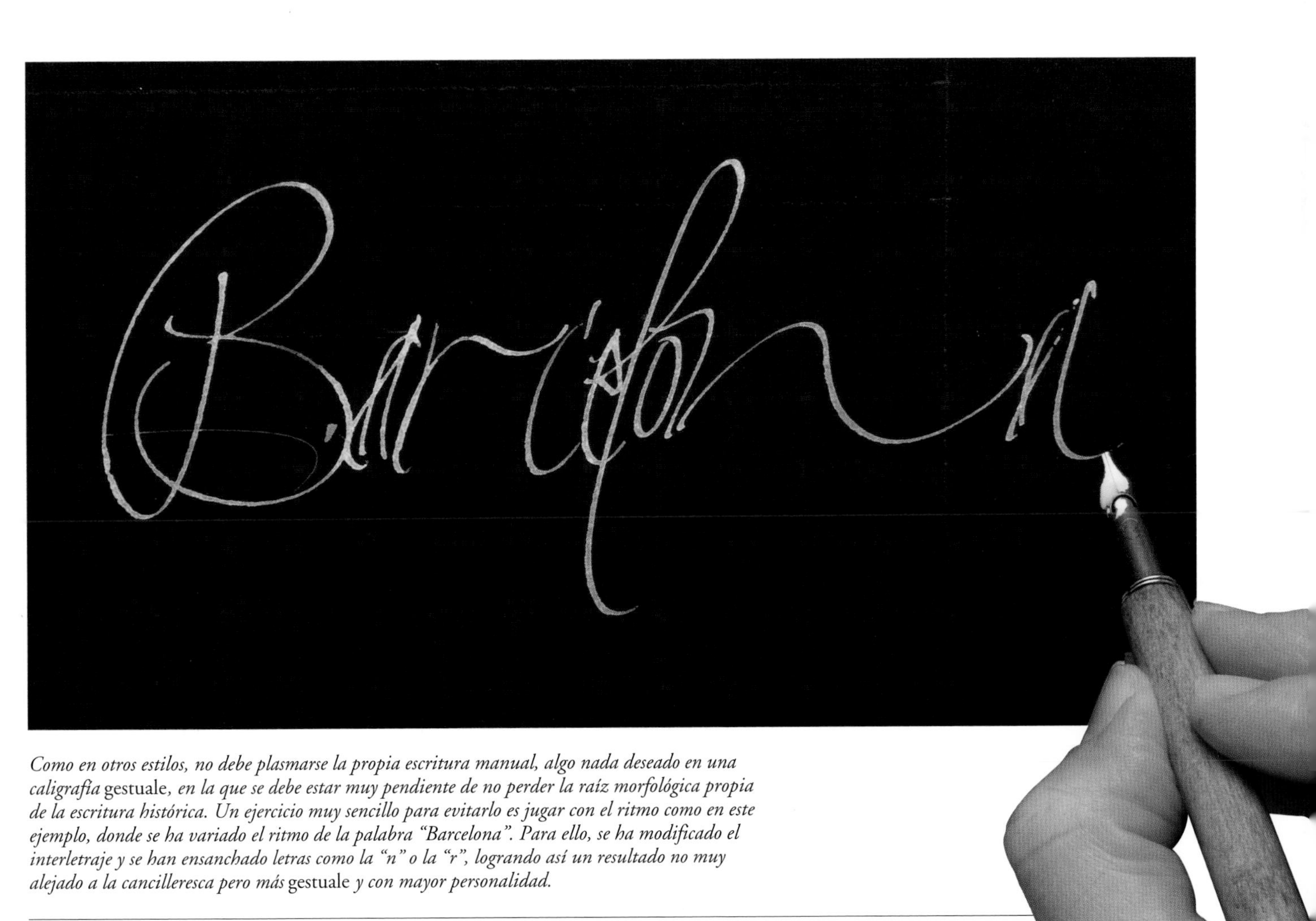

Como en otros estilos, no debe plasmarse la propia escritura manual, algo nada deseado en una caligrafía gestuale, *en la que se debe estar muy pendiente de no perder la raíz morfológica propia de la escritura histórica. Un ejercicio muy sencillo para evitarlo es jugar con el ritmo como en este ejemplo, donde se ha variado el ritmo de la palabra "Barcelona". Para ello, se ha modificado el interletraje y se han ensanchado letras como la "n" o la "r", logrando así un resultado no muy alejado a la cancilleresca pero más* gestuale *y con mayor personalidad.*

CALIGRAFÍA Y DISEÑO

En la era de la informática y lo digital, cada día se valora más lo manual, lo único, el gesto, en definitiva la mano irrepetible de un artista, su trazo, su escritura, la caligrafía.

Las marcas buscan ese emblema diferenciador en un mercado tan competitivo. La caligrafía otorga al logotipo o el eslogan de una campaña publicitaria ese carácter único, tan deseado por los clientes. Por lo tanto, es frecuente encontrar ejemplos de grandes marcas o agencias publicitarias que contratan calígrafos para hacer este tipo de trabajos. No es raro ver anuncios con mensajes escritos con una bella cancilleresca, presente también en la etiqueta de un vino, o un *flyer* en el que destaca una gótica con un toque grafitero, que puede encontrarse también en la portada de un disco de jazz o en cartel de cine.

Evidentemente, en esos usos de la caligrafía, la legibilidad debe ser una obligación. Para que un mensaje llegue a su público, debe ser lo más directo posible: cuanto antes se entienda un mensaje, mejor es su diseño.

En la valla publicitaria para anunciar un perfume de la marca Armand Basi, se puede ver un eslogan caligrafiado por Ricardo Rousselot mediante el uso de pincel. Es un claro ejemplo de la comunión entre publicidad y caligrafía, logrando así, como dice el eslogan, un resultado "exceptusual".

Etiqueta caligrafiada por Anna Ronchi para las cervezas Domm, Brighella y Ghisa del Birrificio di Lambrate (Milán, Italia). Un ejemplo de colaboración entre una calígrafa y un estudio de diseño, en este caso Ronchi Tubaro Thom.

Imagen corporativa del Hotel Los Patios (Almería), creada por Queralt Antú Serrano. Se usó una caligrafía gótica decorada con motivos de los patios del sur de España, así como imágenes de carteles antiguos de películas, pues en esta región se filmaron los famosos spaghetti westerns.

CALLIGRAFFITI

El término *graffiti* proviene del latín *graphiti*: en italiano, *graffiti* es el plural de *graffito*, que significa "marca o inscripción hecha rascando o rayando un muro". Con esta denominación se conocen las inscripciones que han quedado en las paredes desde tiempos del Imperio romano, por lo tanto, esencialmente no se puede decir que sea un arte nuevo. Pero fue en la década de 1960 cuando, en Nueva York, se recuperó esa definición y se empezaron a practicar pintadas en paredes y espacios públicos, que llamaron *graffiti*. Entre los grafiteros más famosos destacaron Cornbread, Bansky, Keith Haring o Basquiat (de hecho, las pinturas de este último despertaron un gran interés en el también artista Andy Warhol). Considerados a menudo una muestra de vandalismo, los graffiti pueden ser verdaderas obras de arte.

El *calligraffiti* es una corriente muy actual que une el *graffiti* y la caligrafía. Los caligrafiteros se interesan en aprender bien el arte de la escritura para, con ella, enriquecer sus obras. Un claro ejemplo son los *calligraffiti* de Luca Barcellona o los de Inocuo The Sign (Javi Gutiérrez), donde se puede apreciar su gran dominio de la caligrafía formal y en los trasladan su propia personalidad y su emotividad a la letra para lograr unos resultados sorprendentes.

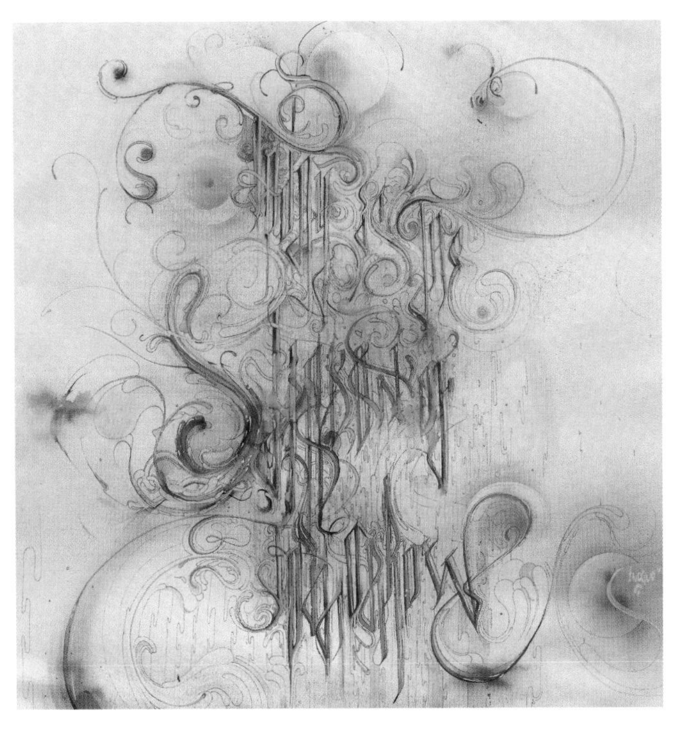

Today is the Shadow of Tomorrow, calligraffiti *realizado por Inocuo The Sign en 2007. En esta obra, creada a lápiz y coloreada posteriormente con acuarela, se puede apreciar la combinación de la caligrafía con los elementos propios del lenguaje grafitero.*

Como en la escritura *gestuale*, el buen conocimiento de la forma y los ductus de cada letra también es obligado en el calligraffiti. Puedes llegar a diseñar tu propia escritura, pero para ello hay que aprender el arte de la caligrafía histórica previamente.

Básicamente, los *calligraffiti* se crean con marcadores tipo *taker* o esprái y el uso de sus diversas boquillas que permiten diferentes acabados. Sin embargo, también se pueden usar pincel y pintura de exteriores, lápices o incluso el arte del colage o el estarcido, o ambos, en sus acabados.

EL ORIGEN DEL *TAG*

El *tag* se popularizó en la década de 1970, en que cubrió los vagones y túneles del Metro de Nueva York. Los primeros tags se atribuyen a un artista que firmaba como Taki 183, aunque su verdadero nombre era Demetrius y trabajaba como cartero en Nueva York, por lo que tenía la necesidad de marcar su ruta de entregas. Sus firmas se hicieron famosas y lo siguieron varios imitadores. Por lo tanto, el origen del *tag* es, fundamentalmente, una firma, un grito de "existo y he estado aquí". Visto así, es muy coherente que Inocuo siga esta tradición para crear logos.

Caligrafía de Julien Breton titulada El saber enseña a los que nada poseen, *según una frase de Khalil Gibran. Los trazos rojos fueron realizados con una automatic pen y el texto negro con plumillas y pincel sobre cartón, 65 x 45 cm. La escritura, inspirada en la latina y la árabe, fue creada por Julien.*

Inocuo The Sign (Javi Gutiérrez) ha creado logotipos mediante la técnica del tag.

Galería de calígrafos

Desde que la escritura existe, el empleo preponderante ha sido para transmitir mensajes o bien registrar pensamientos, resultados contables, narrar historias reales y de ficción y otros muchos usos de índole práctica. Sin embargo, la escritura también ha servido desde hace siglos para, dentro de su función principal cual es transmitir un mensaje, crear también arte. Las recreadas letras capitales de los códices medievales son una muestra bien palpable de ello. En los dos últimos siglos, en consonancia con la evolución del arte, la caligrafía también sigue transmitiendo ideas, mensajes o deseos pero con un sentido artístico que sorprende por la variedad de formas, soportes, medios y, en resumen, la creatividad de todas ellas. En las siguientes páginas ofrecemos muestras de todas estas posibilidades.

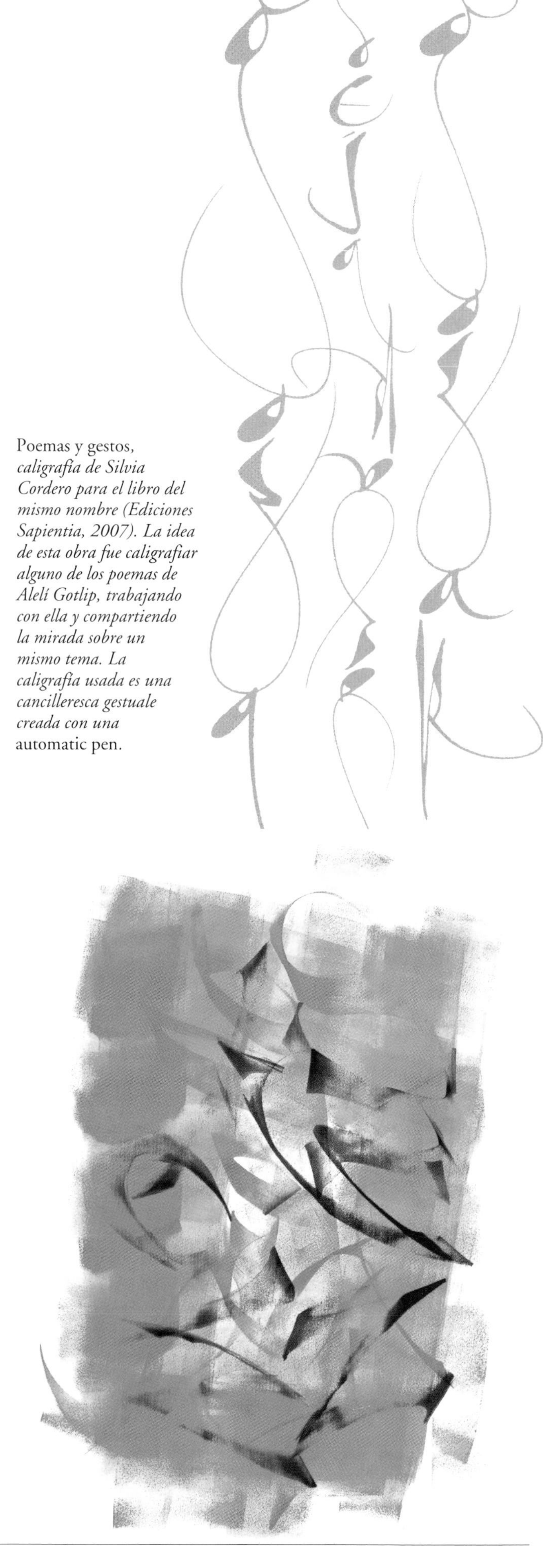

Poemas y gestos, *caligrafía de Silvia Cordero para el libro del mismo nombre (Ediciones Sapientia, 2007). La idea de esta obra fue caligrafiar alguno de los poemas de Alelí Gotlip, trabajando con ella y compartiendo la mirada sobre un mismo tema. La caligrafía usada es una cancilleresca gestuale creada con una* automatic pen.

Caligrafía de Silvia Cordero, titulada My Lips Against Yours, *donde se puede apreciar una bella cancilleresca* gestuale. *El soporte elegido por Silvia es el colage de diferentes papeles de colores variados sobre un bastidor de tela que enriquece la obra, con lo que se consigue una mayor textura.*

Caligrafía de María Eugenia Roballos titulada Attimo. *Realizada en témpera y tinta para estilógrafos sobre papel Arches Graphia, 70 x 50 cm. Se utilizó un instrumento chato experimental y un rodillo. La superposición de texturas crea una bella veladura, La técnica de la veladura consiste en aplicar la mínima cantidad de pintura o medio posible, capa tras capa, de modo que las capas superiores dejen translucir las inferiores.*

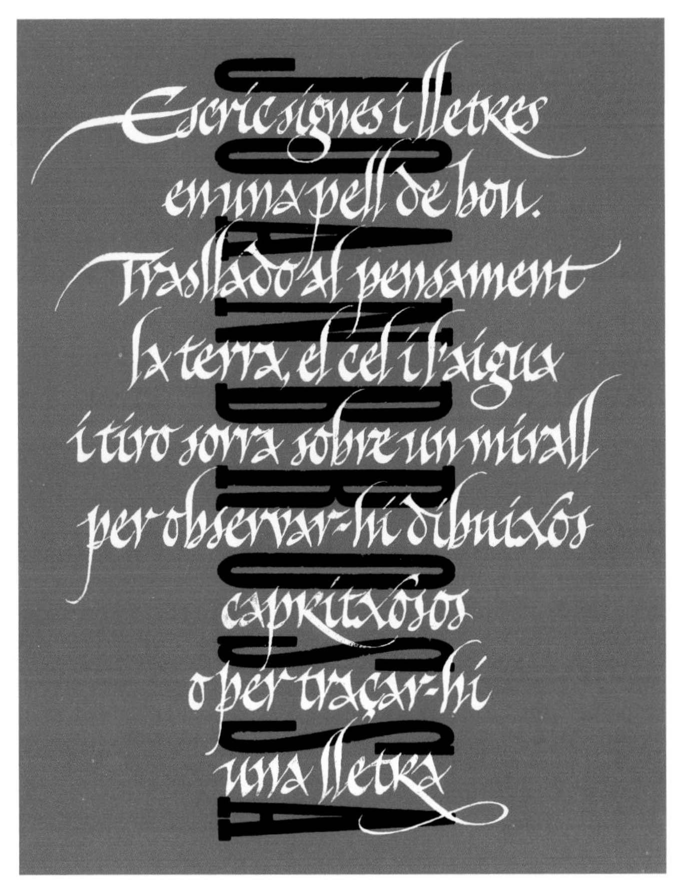

Trabajo de Ricardo Rousselot titulado Joan Brossa. *En esta obra creada con plumilla y tipografía, el contraste de los colores, elegidos por el calígrafo entre los más habituales del cosmos del poeta y artista catalán Joan Brossa, hace que el conjunto produzca un gran impacto visual.*

Firma caligrafiada de Ricardo Rousselot sobre un papel de color negro en la que se han utilizado varias tonalidades de naranjas, amarillos y blanco. Las ligaduras envuelven una caligrafía en letra cancilleresca.

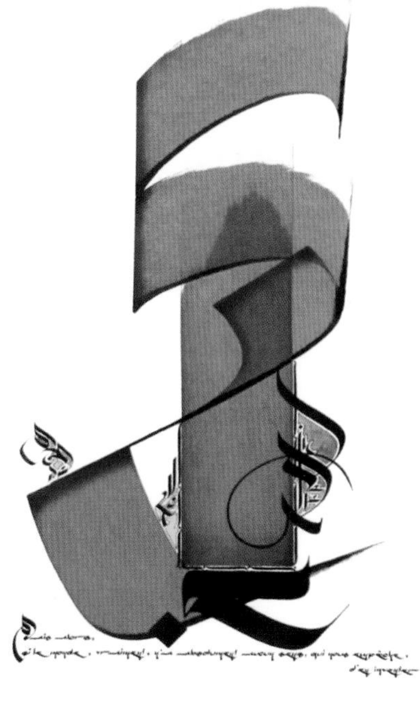

Caligrafía de Julien Breton con el título Mais alors, si le monde, vraiment, n'a absolument aucun sens. Qui nous empêche d'en inventer un?, *extraído de Alicia en el país de las maravillas, de Lewis Carrol. Fue creada con una* automatic pen, *plumillas y pincel sobre cartón (65 x 35 cm). El estilo de escritura usado es un alfabeto latino influido por la estética del árabe.*

Esta obra creada por el calígrafo Julien Breton y el fotógrafo Guillaume J. Plisson, titulada Lumière et fraternité, *fue creada en la punta de Combrit, Bretaña (Francia). En esta obra lo insólito es el material empleado: la luz. Esto se logró mediante una larga exposición, que Julien aprovechó para crear una bella y efímera caligrafía, la cual fue captada por la cámara de Guillaume. El estilo de escritura es el árabe.*

Uno, *caligrafía de Fabián Sanguinetti basada en la letra del tango Uno de Enrique Santos Discépolo. Realizada en acuarela, acrílico, tinta de nuez y transfer sobre papel (47 x 69 cm), para su creación se usaron pincel y pluma metálica. Esta obra destaca por su ornamentación, por los elementos de colage y, en especial, por estar escrita sólo en mayúsculas.*

Obra de Fabián Sanguinetti titulada La creación de Kóoch. *Esta caligrafía se basa en una leyenda tehuelche sobre Kóoch, el dios que creó la Patagonia. Realizada con acuarela, acrílico y témpera sobre papel (48 x 70 cm) y trazada con tiralíneas, obtuvo el tercer premio de los VI Premis Internacionals Catalunya de Cal·ligrafia Argilés i Solà (Barcelona, España) en 2002.*

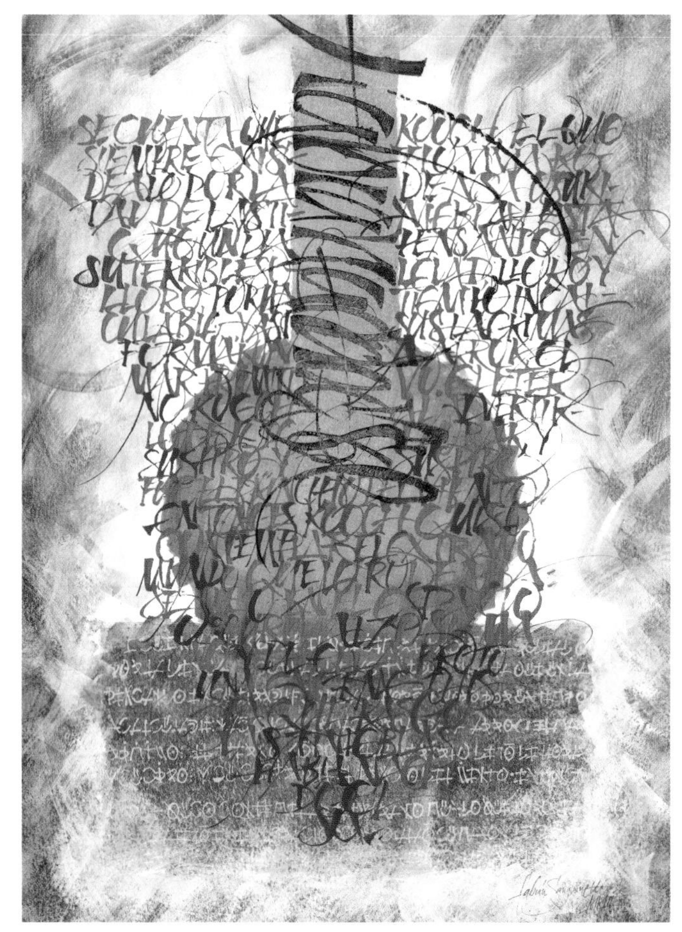

Caligrafía de Marco Campedelli Studio denominada AZ, *con un alfabeto de estilo* gestuale. *Esta obra, hecha mediante la técnica del grabado, fue impresa en una prensa manual.*

Marco Campedelli Studio realizó la caligrafía Lámpara. *Campedelli muestra así que es posible caligrafiar sobre cualquier soporte y crear, por ejemplo, una interesante pantalla de lámpara. En ella, el autor usó pincel y tinta negra sobre una pantalla confeccionada con papel de arroz.*

Obra de Betina Naab titulada Distancias. *Representa la distancia entre Argentina y Japón. Ambos países están separados por turbulentos océanos y se encuentran en hemisferios opuestos; cuando en un país está anocheciendo, en el otro amanece. Las herramientas utilizadas son el tiralíneas, el pincel chato y la pluma metálica, sobre papel de 32 x 50 cm.*

Dover Beach, *caligrafiada por Betina Naab. Trabajo realizado por encargo como regalo de bodas, con fragmentos de un poema de origen inglés que habla sobre el amor como única esperanza en tiempos oscuros de guerra. Se utilizaron el tiralíneas, el pincel chato y la pluma metálica. Tiene detalles en dorado mediante el uso del pan de oro. Medidas: 35 x 70 cm.*

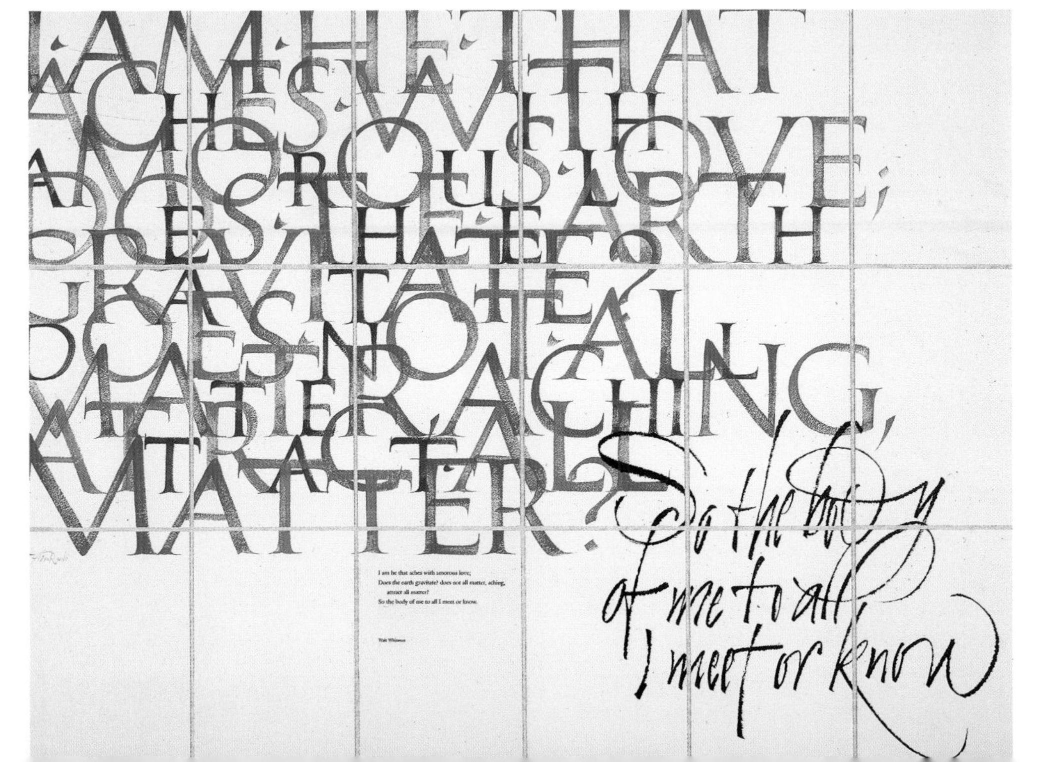

I am he that aches with amorous love, *obra caligrafiada por Anna Ronchi. Basada en un poema de Walt Whitman, la obra se puede ver tanto compuesta en forma de libro o bien con las páginas desplegadas a modo de cartel, como aquí se muestra.*

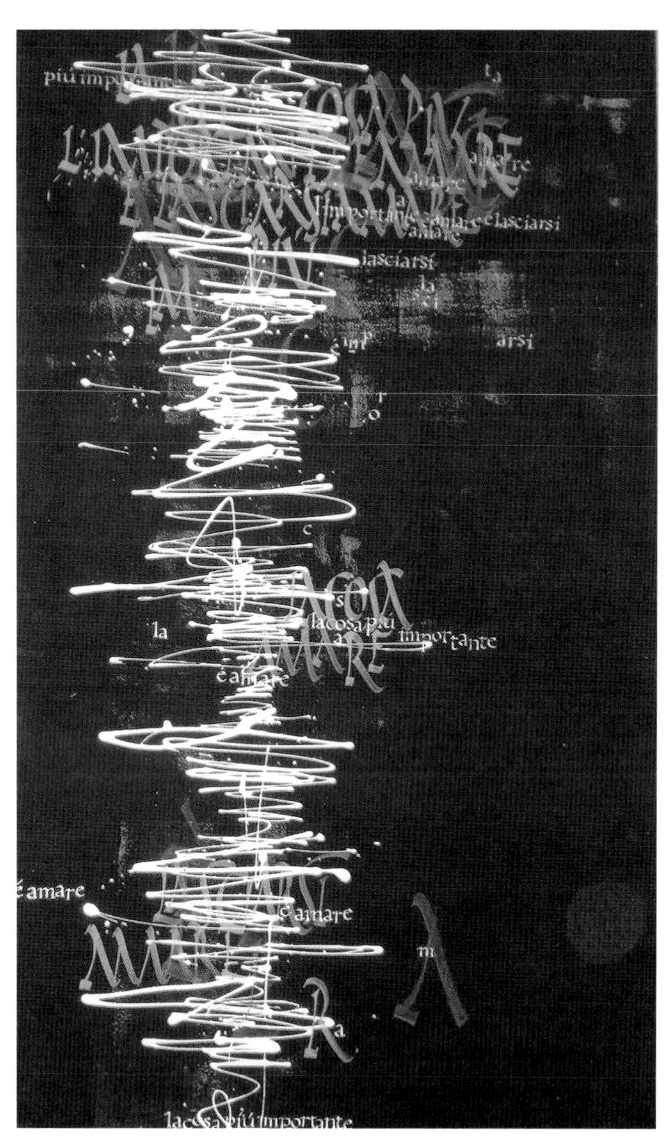

Massimo Polello, ...che il vostro amore non sia una prigione, *caligrafía basada en un texto de G. K. Gibran. La fuerza de esta obra recae en la combinación del* dripping *de pintura esmalte brillante de color blanco y la escritura en guache a pincel de media densidad de capitulares rústica y escritura humanística, sobre un papel negro de 100 x 55 cm.*

Obra de Massimo Polello titulada Le lettere sono simboli e melodia interiore. *Esta caligrafía, basada en un texto de W. Kandinsky, superpone texturas y técnicas: un colage de* dripping, stamping *y caligrafía en guache sobre bastidor, 100 x 100 cm.*

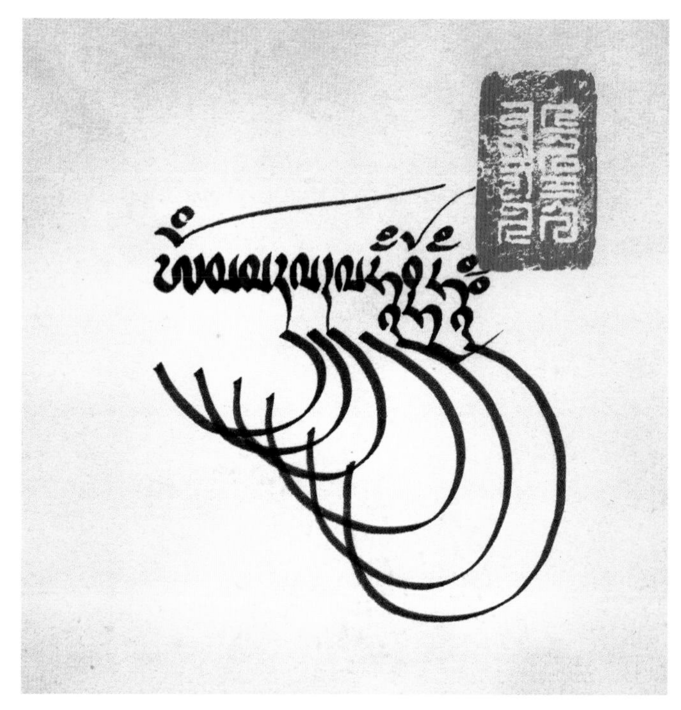

Caligrafía de Jean-François Bodart titulada Ekajati's mantra. *Se trata de un mantra tibetano escrito en escritura tibetana mediante una plumilla metálica sobre papel de algodón 100 % previamente tintado con té negro para conseguir su aspecto envejecido.*

Logograma realizado por Di Spigna para la entidad Antinuclear Proliferation Organization, cuya misión es evitar la amenaza de las armas nucleares en el mundo.

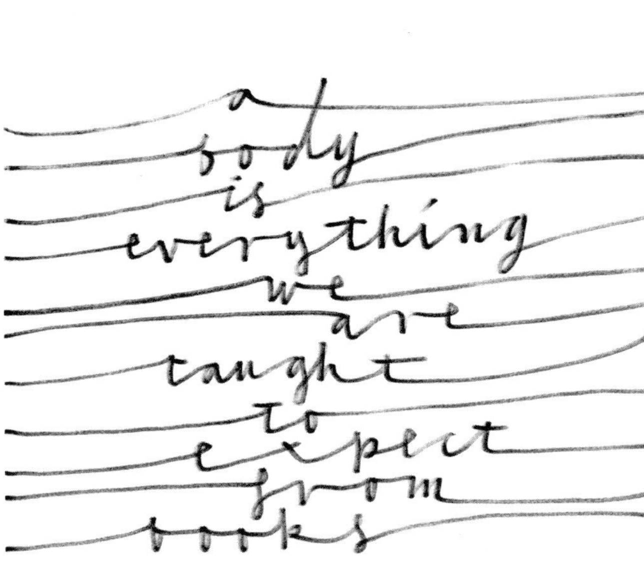

Libro con caligrafías de Monica Dengo realizadas sobre papel y sobre cuerpos desnudos, estos últimos fotografiados por Marco Ambrosi, y con textos extraídos de los poemas de Tsering Wangmo Dhompa. La caligrafía se integra perfectamente sobre los cuerpos contorneados, creando en conjunto formas muy sinuosas.

Lokhel, *caligrafía de Jean-François Bodart creada por encargo para el* Buddhadharma Magazine. *En ella se empleó la escritura tibetana "trust", trazada con tinta negra de la India y la ayuda de un pincel.*

Caligrafía de Marina Soria titulada Mensajes del pasado. *Su autora ha utilizado* gesso *y arena sobre tela, tinta de nuez y sumi, papel japonés, 80 x 100 cm. Basada en un texto original: "Cuanto más se alejan una cultura y su mitología de las formas simples y cuanto más complicado se vuelve su mundo espiritual, más se dificulta su interpretación". Marina Soria se ha centrado en los orígenes de la escritura y en los sistemas de códigos o signos. La obra se estructura en dos planos. El del fondo está construido por franjas horizontales con pictogramas primitivos sumerios y fenicios, así como ideogramas chinos, jeroglíficos, fonogramas etruscos y runas. Los orígenes de nuestro alfabeto son los signos griegos y latinos. Finalmente, las últimas tres franjas representan sistemas de escritura aztecas, mistecas y mayas.*

Creación de un logotipo caligráfico

Dentro de un mundo seriado y con primacía de lo digital, los trabajos basados en un trabajo manual son muy apreciados. Uno de los ejercicios más valorados es el diseño de un logotipo. Un emblema que puede hacer de una empresa su icono y cuánto más original sea, mejor. Para realizarlo se debe tener muy claro el *brief* deseado por el cliente. El logotipo debe representar la empresa, por lo tanto, debe reflejar bien su dedicación. Y el cliente debe sentirse cómodo con su imagen, pues seguramente perdurará durante un tiempo largo. En este caso práctico, se va a exponer el paso a paso de la creación real de un logotipo para un programa de televisión de una cadena pública catalana. Fue realizado en dos fases, una manual, creativa, y otra, la del acabado, con el empleo del ordenador. Aunque pueda parecer un contrasentido, se quiere mostrar también las ventajas de un empleo mixto, donde la informática amplía y mejora el trabajo manual, hecho absolutamente extendido en el mundo actual.

EL *BRIEF*

Desde la productora de televisión, se planteó a Alberto G. Arellano y a Queralt A. Serrano, de Goal Studio, la necesidad de crear un logotipo para un programa sobre los sueños. El nombre del programa era *Somiers*, y el nombre ya plantea un doble juego, pues por un lado el somier es el soporte sobre el que se coloca el colchón, y por lo tanto, para dormir, acto que favorece los sueños; y por el otro la palabra *somiers*, en catalán, viene a significar "soñadores", en castellano. Un bonito juego de significados que sin duda nos puede ayudar en la realización del logotipo.

1. Con una pluma estilográfica con punta de pincel se realizan varios bocetos. La herramienta es práctica ya que, gracias a su cartucho de tinta, no requiere ir cargándola de tinta a cada momento y eso facilita el trabajo.

MATERIALES Y UTENSILIOS

Para la realización de un logotipo en caligrafía, se pueden necesitar útiles de dibujo como lápices de grafito para hacer los bocetos iniciales, útiles de caligrafía, como plumillas metálicas, pinceles u otros, materiales como tinta negra y papel blanco. Por último, será necesario un ordenador equipado con un escáner.

EL PROCESO

La realización de un logotipo es un trabajo entretenido. El logro de un buen resultado implica mucha reflexión, trabajar mucho realizando unos cuantos bocetos con distintos procedimientos, como se muestra en este ejercicio.

La realización de los bocetos se inicia trabajando primero a lápiz sobre un papel. A partir de estos primeros bocetos, se concluye que el logotipo para un programa sobre sueños debía ser caligráfico, reforzando así el concepto de "onírico". Para empezar se trabajan varias texturas.

2. Tras varios intentos se sigue experimentando, ahora con una plumilla metálica, buscando una forma más onírica. Esta idea finalmente se descartó por la semblanza con los logotipos de los títulos de crédito de las obras del cineasta Tim Burton.

3. Se sigue experimentando con más texturas. Ahora se utiliza una herramienta de madera que originalmente sirve para trabajar con arcilla pero que, para la práctica de la caligrafía, es recomendable. Los trazos logrados ofrecen unas transparencias muy sugerentes. Para cerrar el logotipo se traza una floritura, inspirada en las usadas en los escritos de los siglos XVI a XVIII.

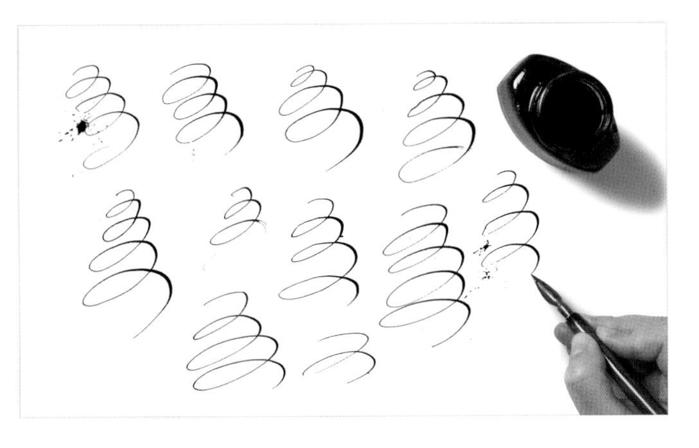

4. Precisamente ésta floritura es la que inspira la idea principal del concepto del logotipo final. Dicha floritura sugiere la forma de un muelle, pieza muy característica en los colchones; muebles flexibles que al dormir crujen o chirrían al cambiar de posición durante el sueño. El muelle sin duda es un buen concepto. Mediante el uso de una plumilla metálica, se ensayan múltiples formas orgánicas que recuerdan la forma de un muelle.

5. Lo más importante y difícil en la creación de un logotipo es lograr un concepto. Y cuánto más claro y directo es el concepto, luego más universal es la idea y más llega el mensaje al público. Sin lugar a duda, ese es el máximo objetivo en un logotipo. Para conseguirlo hay también un factor importantísimo cual es la legibilidad. La forma de muelle resulta, en un principio, difícil de integrar sin que pierda esta cualidad.

6. Para buscar esta legibilidad hay que volver al uso del lápiz. Este proporciona agilidad en el trabajo al ser más rápido en su uso, y además ayuda a ser más reflexivo. Cualquier espacio en la hoja es interesante y se va llenando trazando, girando el soporte y buscando cuál es el mejor ritmo de escritura sin que se pierda legibilidad.

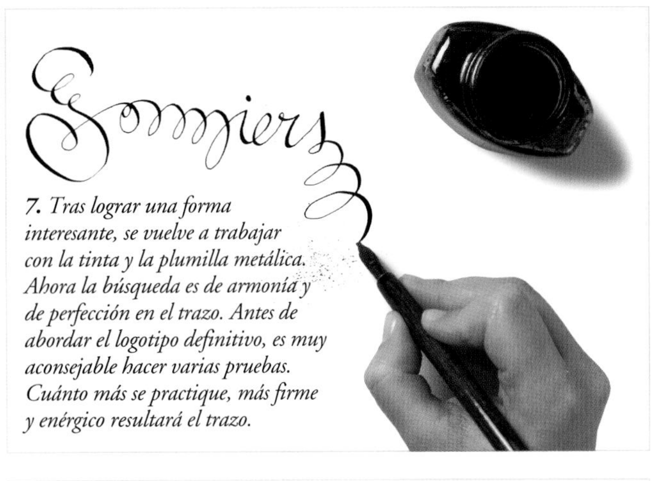

7. Tras lograr una forma interesante, se vuelve a trabajar con la tinta y la plumilla metálica. Ahora la búsqueda es de armonía y de perfección en el trazo. Antes de abordar el logotipo definitivo, es muy aconsejable hacer varias pruebas. Cuánto más se practique, más firme y enérgico resultará el trazo.

8. Se prueba también sobre diferentes soportes. Un papel más rugoso puede dar una textura interesante y conviene comprobarlo.

9. A menudo resulta complicado lograr una perfecta armonía en todas las partes del logotipo; por ello es muy aconsejable practicar las partes por separado. Como se verá en los siguientes pasos, mediante el uso de un escaner y un ordenador equipado con un software adecuado, pueden juntarse luego las diferentes partes caligrafiadas y así lograr el mejor de los resultados.

EL TRASPASO DE UNA CALIGRAFÍA AL ORDENADOR

Siguiendo el ejercicio, se va a explicar cómo pasar un logotipo, en este caso el que se está diseñando, al ordenador. Una vez realizados varios bocetos y logrado un resultado que satisfaga plenamente, hay dos opciones para terminar este proyecto. Aunque se puede terminar un original único sobre papel u otro soporte adecuado, lo más normal en estos casos profesionales es preparar el logotipo para usos diversos, entre ellos la impresión, y para ello debe digitalizarse la caligrafía.

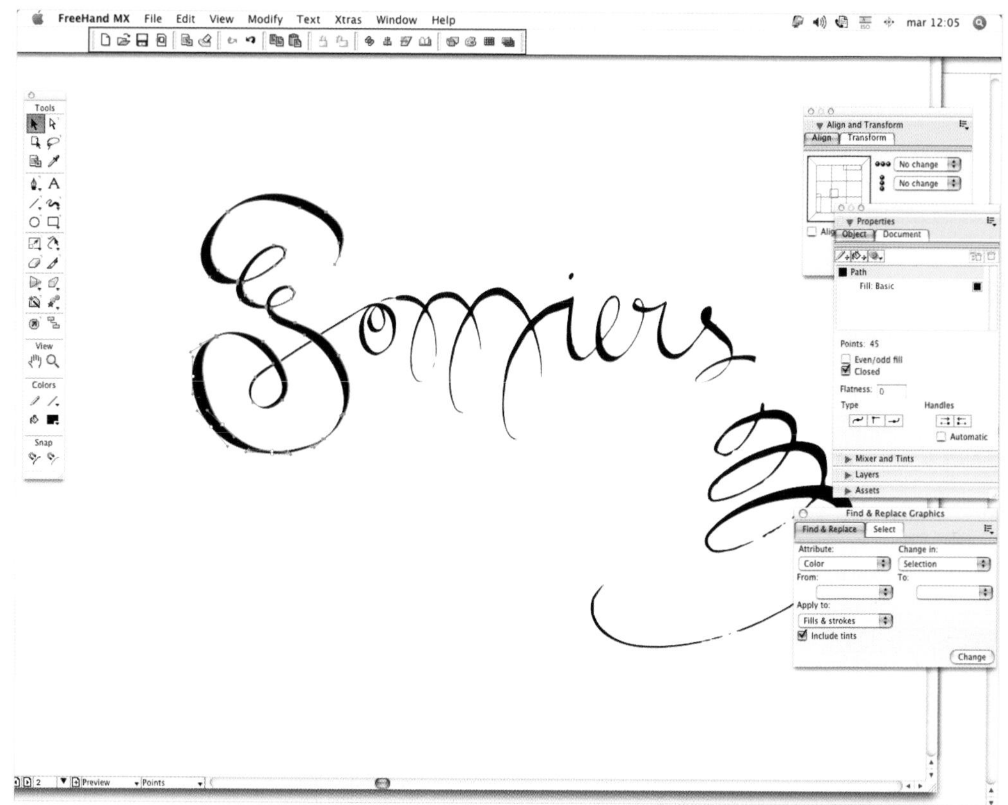

10. Para convertir la caligrafía en un formato vectorial y crear así un pluma, debe emplearse un software *de vector. Para vectorizar el logotipo, se parte de la imagen escaneada y se realiza un proceso de trazados, logrando así tener el logotipo delimitado por nodos.*

EL PROCESO DE ESCANEADO

Para digitalizar el logotipo se empleará un escáner, mejor de una cierta calidad. La imagen debe ser digitalizada con una resolución de al menos 300 dpi (*dots per inche* = puntos por pulgada) y pasada al ordenador. Entonces debe tenerse en cuenta que, si la finalidad el trabajo es imprimir la imagen, ésta ha de guardarse en modo CMYK o bien en escala de grises, es decir, en blanco y negro. Si, por el contrario, el trabajo se utilizará en un formato audiovisual o tendrá un uso digital (ya sea visualizarlo en un ordenador o por internet), la imagen debe guardarse en modo RGB.

LOS FORMATOS DE MAPA DE BITS Y VECTORIAL

Una vez que la imagen está en el ordenador, puede optarse por dejar el resultado en un formato de mapa de bits o fotográfico, donde se aprecian la gestualidad y las transparencias del trazo y su textura original. Todo dependerá de la resolución de escaneo. Hay diversos programas adecuados para este uso final, que permiten corregir las curvas o bien las tonalidades del logotipo. Si por el contrario se desea convertir la caligrafía en un formato vectorial y crear así un original pluma, es decir, en blanco y negro como de tinta china bloqueada, usaremos un *software* de vector.

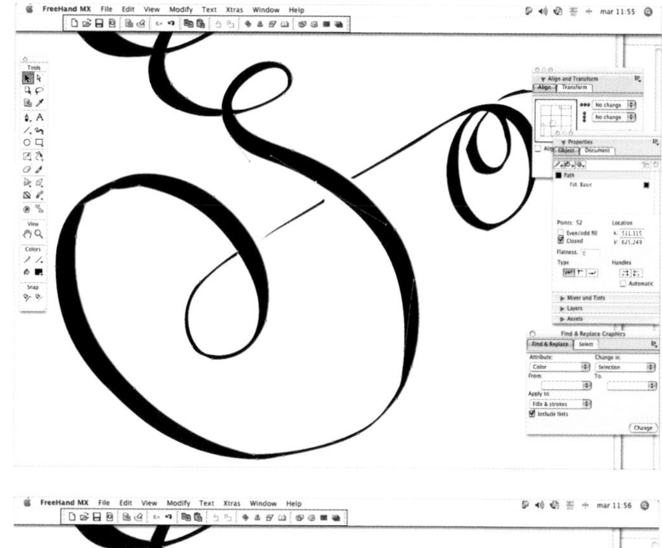

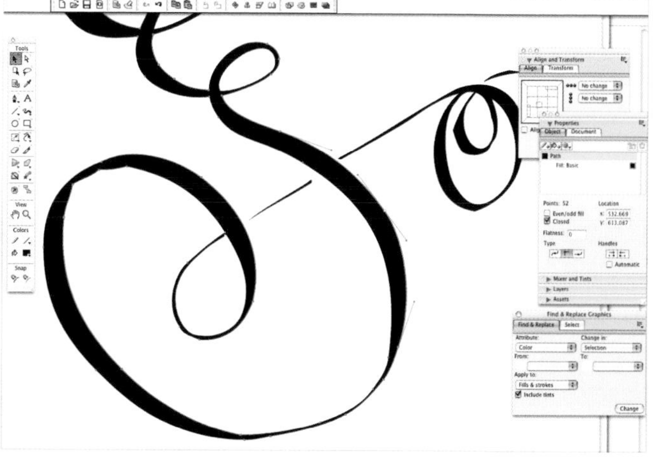

11 y 12. Una vez se tiene el logotipo vectorizado con nodos, pueden corregirse las imperfecciones de trazo manual y suavizar las curvas cambiando las herramientas. Estas no son difíciles de manejar y a cambio pueden lograrse resultados muy refinados y bellos.

13. Tras el trabajo delicado de retocar las curvas de los nodos generados al vectorizar el logotipo, se logra un resultado uniforme. Es el resultado deseado.

14. Otro ejercicio necesario que debe tenerse en cuenta al realizar un logotipo es crear el negativo, es decir, que el trazo esté en blanco sobre fondo negro. Al realizar esta inversión, sucede un efecto óptico que debe paliarse, pues el ojo tiende a adelgazar el trazo blanco sobre el negro y puede perderse definición e incluso legibilidad. Para ello es preciso engrosar ligeramente el trazo, con el fin de lograr un efecto de grosores similar al obtenido en el logotipo en negro sobre fondo blanco.

15. Al final se ha logrado un logotipo bello y, sobre todo, con un concepto claro. En este ejemplo, el logotipo se ha insertado digitalmente sobre la imagen de una almohada.

16. Escena del programa de televisión Somiers *con la imagen del logotipo creada a partir de los pasos mostrados en este ejercicio. Careta creada por Goal Studio (Alberto G. Arellano y Queralt Antú Serrano).*

Diseño de un monograma y de una invitación de boda

El proceso para crear un monograma personal no se aleja mucho de la creación de un logotipo. Un monograma es un símbolo creado a partir de las propias iniciales y, a la vez, es un grafismo personal que define a quién lo hace. Debe, por lo tanto, identificar al autor de alguna forma. Los monogramas son interesantes como membrete o ex-libris, sello grabado que se estampa en el reverso de la tapa de los libros y en el cual consta el nombre del propietario, y también para otros escritos como una invitación de boda.

MATERIALES Y UTENSILIOS

Para la realización de un monograma en caligrafía se puede necesitar: lápices de grafito para los bocetos; utensilios para hacer la caligrafía propiamente dicha, como pinceles, plumillas metálicas u otros más especiales. Y, por supuesto, materiales como la tinta y papel blanco. Si el papel es especial, conviene disponer un trozo de él aparte o más de una hoja en blanco para hacer ensayos.

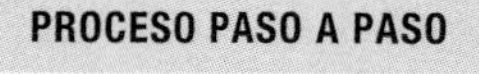

PROCESO PASO A PASO

En los siguientes pasos se va a mostrar cómo realizar un monograma en dos fases. La primera consiste en el ejercicio de hacer un monograma a partir de un nombre y, en la segunda, se muestra cómo se hizo el monograma de una invitación de boda.

Queralt Serrano

1. Para realizar un estudio del monograma, hay que caligrafiar el nombre en un estilo de letra que represente bien la personalidad. En este caso se ha usado la escritura cancilleresca. Para lograr un resultado interesante, se hacen varios bocetos a lápiz hasta lograr una composición armónica.

2. Tras escribir el nombre completo, se procede a diseñar el monograma, que constará de las letras iniciales, en este caso la "Q" y la "S". Primero hay que combinar las iniciales, sin adornos, y hacerse una idea de las posibilidades que las letras ofrecen. Dependerá de la morfología de las letras que encajen mejor o no. La "Q" y la "S" contienen trazos descendentes interesantes que, combinados, pueden ser un camino para la creación del monograma.

3. Un ensayo interesante es combinar las descendentes de las iniciales.

4. La superposición de las letras también puede resultar un ejercicio interesante. Se sacrifica un poco la legibilidad pero, al ser sólo dos letras se puede arriesgar algo más; también podrían separarse usando colores diferentes para cada letra.

5. Por último, otra opción es potenciar una letra por encima de otra; en este caso, la "Q", por su rareza en el uso en nombres, es más representativa que la "S" y así se refuerza esta idea.

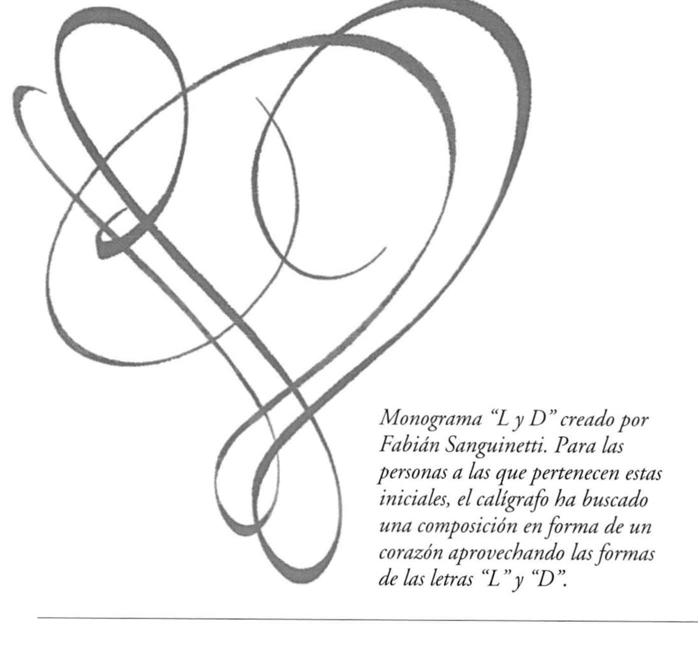

Monograma "L y D" creado por Fabián Sanguinetti. Para las personas a las que pertenecen estas iniciales, el calígrafo ha buscado una composición en forma de un corazón aprovechando las formas de las letras "L" y "D".

Invitación de boda profusamente caligrafiada por Ricardo Rousselot.

INVITACIÓN DE BODA

Para anunciar la ceremonia en un día tan especial, por lo general los novios siempre desean formalizarlo de una forma personal e irrepetible y, para esta ocasión, se muestra como se confeccionó el monograma de sus iniciales y la caligrafía de sus nombres para la tarjeta de invitación.

MATERIALES Y UTENSILIOS

Para la creación de esta invitación de boda se utilizaron los siguientes útiles y materiales: lápices de grafito para realizar bocetos, utensilios para la práctica de la caligrafía como pinceles, plumillas metálicas u otros; materiales como tinta negra, papel blanco y, en este caso, un ordenador equipado con un escáner.

Caligrafía para una invitación de boda creada por Ricardo Rousselot.

1. *El diseño de la invitación de boda comienza con la creación de un monograma con las iniciales de los novios: "B" de Bárbara y "H" de Héctor, que irá en la portada de la tarjeta. Para potenciar el concepto de unión, se entrelazaron las formas horizontales de las letras, uniéndolas mediante el trazo central.*

2. *En el interior de la invitación, los dos nombres de los novios deben centrar la atención. Por tanto, se realizan varias pruebas a lápiz hasta unirlos. Una vez hallada una solución, se pasa a tinta con plumillas metálicas.*

3. *Tras realizar el monograma y el interior de la invitación, se escanean las caligrafías y se pasan al ordenador. Con un* software *adecuado de diagramación se compone el resto de la invitación y se integran las caligrafías realizadas en el diseño. Una parte importante del diseño consiste en elegir un papel interesante y original para la impresión de la invitación. En este caso se ha elegido un papel hecho a mano con pétalos de flores. Un papel artesano para imprimir una invitación realizada con caligrafía a mano.*

4. *Este es el aspecto de la invitación de boda terminada con el monograma de las iniciales y los nombres de los partícipes.*

El caligrafiado de un poema

En este ejercicio, el calígrafo Oriol Ribas mostrará la composición de un poema mediante el uso combinado de dos tipos de escritura, unas capitulares romanas que trazará mediante el uso de un pincel y la capitular versal que caligrafiará con tinta y café.

MATERIALES Y UTENSILIOS

Para la creación de la caligrafía de un poema tal como lo ha propuesto el calígrafo, se precisan un lápiz portaminas de grafito del 0.5 para realizar la pauta, papel Canson en hojas de 70 × 50 cm, plumillas metálicas y un portaplumas, pinceles de 2 y 4 mm, tinta negra, guache de diversos colores, café y papel blanco.

RECOMENDACIONES PREVIAS

Antes de empezar cualquier ejercicio, deben realizarse previamente pruebas aparte sobre un papel blanco cualquiera, de la misma medida o en todo caso proporcional. Servirá para calcular bien los espacios entre letras, el ritmo de la obra y así no desperdiciar ni tiempo ni un papel valioso. También deben observarse distintos tipos de escritura para elegir la letra más adecuada para el resultado que se persigue.

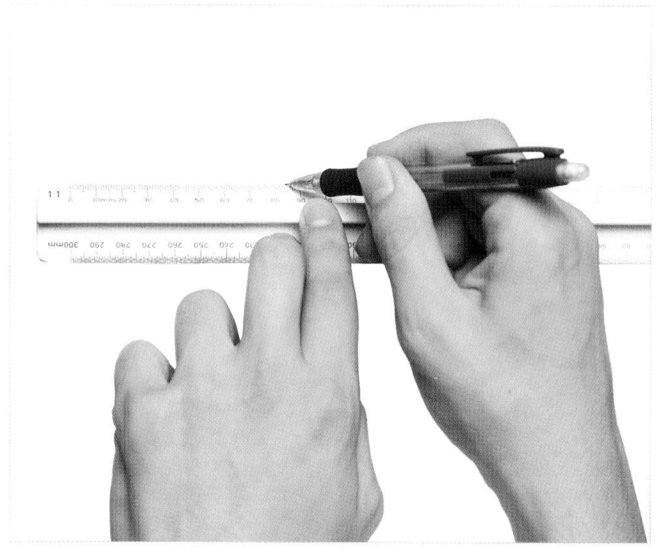

1. Una vez se tiene clara la distribución del texto que se desea caligrafiar gracias a un boceto previo, se empieza el ejercicio trazando una pauta. Para ello debe calcularse el módulo. La pauta para capitulares romanas, si se usa el pincel de 4 mm, es de 3 cm de altura para la letra y con 3 mm de espacio entre línea y línea. Se emplea un lápiz con minas de grafito del 0.5 con el que, suavemente, se trazan las líneas que conforman el pautado.

3. El interlineado elegido por el calígrafo es reducido, de solo 3 mm entre línea y línea, logrando así un efecto óptico interesante.

2. Mediante el pincel se empieza a escribir el poema que se ha elegido. Se usa guache espeso para que el pincel no patine y sea más fácil su control y precisión. El color del guache puede ser cualquiera, es una elección libre, pero para este ejercicio Oriol Ribas ha optado por un lila muy oscuro. Se recuerda que en todo momento conviene colocar un papel debajo de la mano para proteger la obra del sudor o de posibles manchas.

4. Se sigue escribiendo el poema, dejando espacios pensados con detenimiento antes de comenzar. El aspecto final es de cierta irregularidad en la composición. La poesía permite una composición más irregular por su naturaleza musical.

ÉS
QUAN
DORMO
VEIG
CLAR
FOLL
DOLÇA
METZINA

5. Al terminar la primera fase de la obra, se aprecia un resultado vertical donde hay espacios que irán muy bien para rellenar con el resto del texto del poema pendiente.

6. *Para escribir "que hi", el autor ha optado por el uso de otro pincel más fino, de 2 mm, como consecuencia de una nueva pauta. Para trazar este nuevo pautado, se crean unas líneas de 2 cm de alto de letra y se centran dentro de la pauta trazada anteriormente.*

7. *Ahora se repite el paso anterior para las palabras "d'una" centrándolas respecto de la palabra "foll" de la izquierda.*

8. *Para buscar más color, interés y dificultad se vuelve a escribir el poema pero esta vez con capitulares versales. Para ello se trazan previamente las palabras a lápiz, muy suave, a modo sólo de pequeña guía. Luego se contornean a plumilla con tinta negra para luego rellenarlas con café mediante el uso de un pincel fino.*

9. *El café da un tono marronáceo irregular, logrando así un aspecto envejecido muy atractivo. Otras alternativas para lograr un efecto parecido pueden ser las anilinas de colores o la nogalina.*

10. *Se dispone la nueva composición lo más centrada posible, pisando en ciertos momentos las letras trazadas previamente. El resultado es musical y orgánico.*

11. *Este es el resultado final del poema escrito con dos tipos de letra y dos tonos de color.*

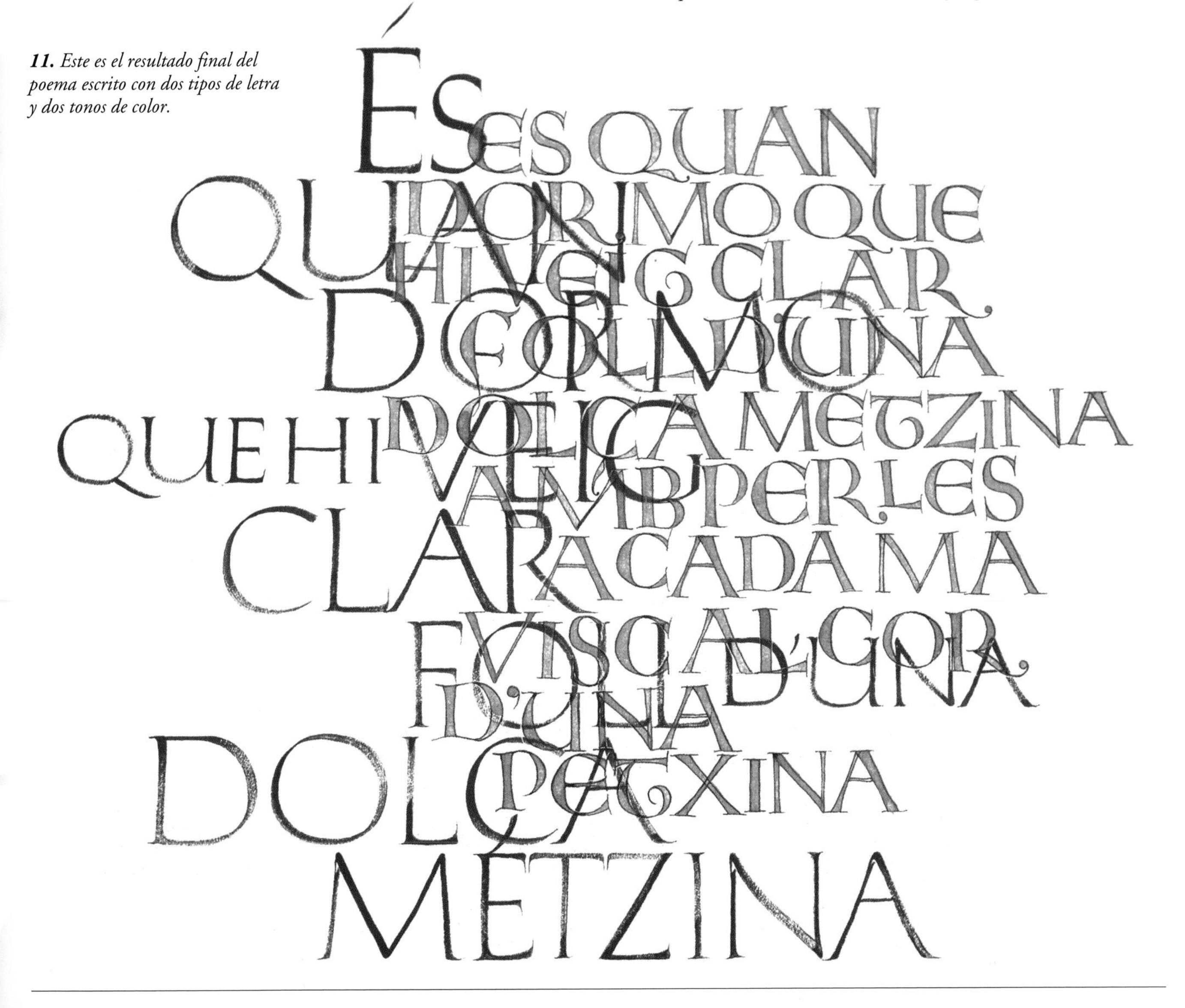

Composición caligráfica libre con una *cola-pen*

En este ejercicio, el calígrafo Oriol Ribas realizará una caligrafía con una herramienta creada por él mismo, una *cola-pen*. El resultado obtenido es más flexible y dinámico, aunque se pueden lograr obras muy expresivas según la dureza de la *cola-pen*: cuanto más blanda sea, resultará más expresiva pero, a su vez, más difícil de controlar. En este caso la composición es un tema libre que puede inspirar trabajos semejantes realizados como entretenimiento.

MATERIALES Y UTENSILIOS

Para este ejercicio de caligrafía se van a precisar los siguientes utensilios y materiales. En primer lugar, un lápiz o un portaminas de grafito para realizar la pauta, papel hecho a mano, una *cola-pen* y también plumillas metálicas, guache de colores negro y rojo, café, papel blanco y pan de oro.

***1.** Para empezar, se trazan unas capitulares mediante el uso de una* cola-pen *y café a modo de tinta.*

***2.** La composición es libre, pero el calígrafo Oriol Ribas ha optado por una irregular y muy armoniosa.*

***3.** Para escribir un texto en forma circular se deben hacer pruebas previamente, pues resulta más difícil encajar un texto ya que el calígrafo puede quedarse corto de espacio o bien dejar demasiados blancos. Un truco para escribir en círculo es dejar la capitular inicial del texto para el final, así, puede jugarse con ese espacio. Si falta, se traza la capitular de forma más ancha para rellenar el hueco, y se estrecha en el caso de que quede poco. Debe probarse previamente cómo se encaja. Para este ejercicio se emplea una plumilla de 2 mm por lo que se traza una pauta circular preparada al módulo de una plumilla de 2 mm. La tinta usada es un guache marrón oscuro.*

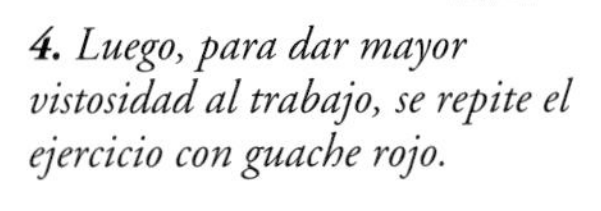

4. Luego, para dar mayor vistosidad al trabajo, se repite el ejercicio con guache rojo.

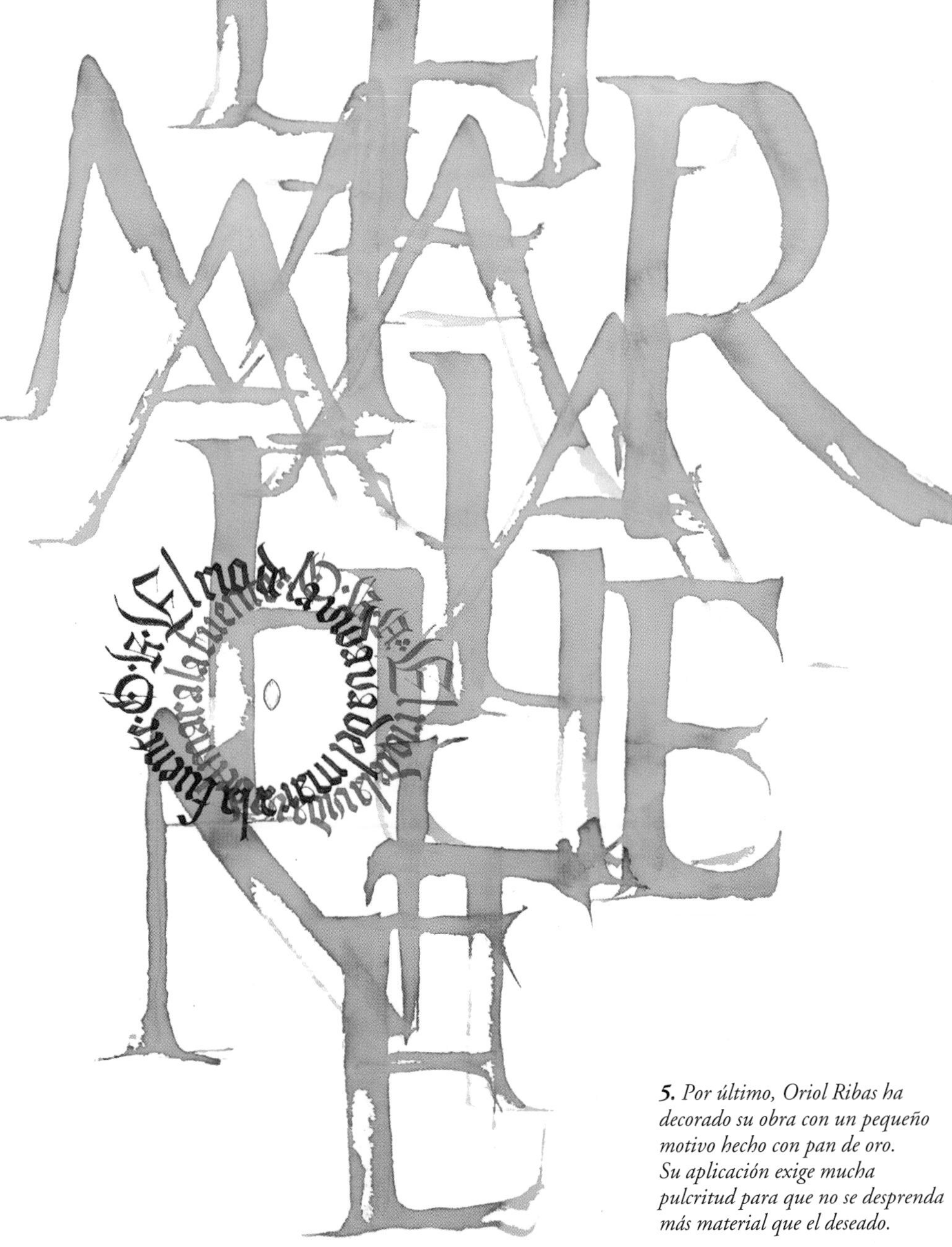

5. Por último, Oriol Ribas ha decorado su obra con un pequeño motivo hecho con pan de oro. Su aplicación exige mucha pulcritud para que no se desprenda más material que el deseado.

Caligrafía con efecto de degradado

En el presente ejercicio, Oriol Ribas caligrafía un texto en letra gótica sobre un fondo de papel Canson negro. Para ello emplea pintura guache, que por su naturaleza opaca es la más idónea para estos trabajos sobre papel oscuro.

MATERIALES Y UTENSILIOS

En la realización de este trabajo se precisará papel Canson negro, guache de colores amarillo, blanco y naranja, una plumilla metálica de 2,5 mm, un lápiz de 0,5 mm y papel blanco.

__1.__ Una vez aprobado el boceto, se empieza el ejercicio trazando una pauta. Para ello se calcula el módulo. Con el lápiz de minas de grafito del 0.5 se trazan suavemente las líneas del pautado. Luego se prepara el guache que se va a usar, en este caso de color amarillo y naranja.

RECOMENDACIONES PREVIAS

Se recuerda una vez más que, antes de empezar cualquier ejercicio, es necesario hacer repetidas pruebas con la pintura. Por un lado, para comprobar el tono; por otro, para ver su grado de fluidez sobre un papel normal antes de comenzar el trabajo, y si se puede sobre un trozo del definitivo hasta lograr un resultado satisfactorio, en especial si no se ha probado nunca el efecto perseguido. Cuando ya se tiene la certeza, entonces puede procederse a crear la obra final sobre el papel deseado.

Para caligrafiar sobre una superficie de papel oscuro, lo más aconsejable es el uso del guache por ser un tipo de pintura con pigmentos opacos y por su fácil manejo al ser soluble en agua. Antiguamente, en la Edad Media, los escribanos de los monasterios usaban una mezcla de agua y pigmentos y clara de huevo como aglutinante, pero también para lograr volumen y dar un aspecto abrillantado a la letra. Si se desea, se puede realizar un ejercicio como éste con una mezcla semejante.

__2.__ Para lograr un efecto de degradado en la primera línea del poema, en un pequeño recipiente se aplica un poco de guache blanco con el amarillo y se mezcla bien. Al escribir la segunda línea, la mezcla ha de tener un poco menos de blanco y más amarillo, y así sucesivamente en cada línea.

__3.__ En la quinta y sexta línea ya se escribe con guache amarillo directo sin mezclar, con lo que ya se aprecia el degradado de color deseado.

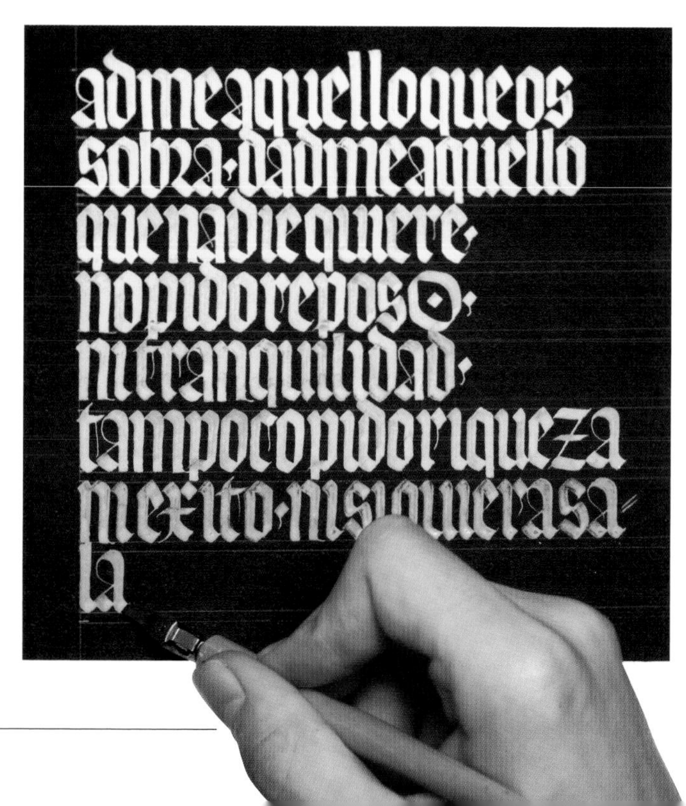

__4.__ En las líneas siguientes, a partir de la séptima se mezcla ya el guache naranja, de menor a mayor intensidad, de forma sucesiva.

5. *En la octava y novena líneas, ya se añade en la mezcla un poco más de naranja.*

6. *La última línea se escribe ya con el color naranja puro, sin mezcla.*

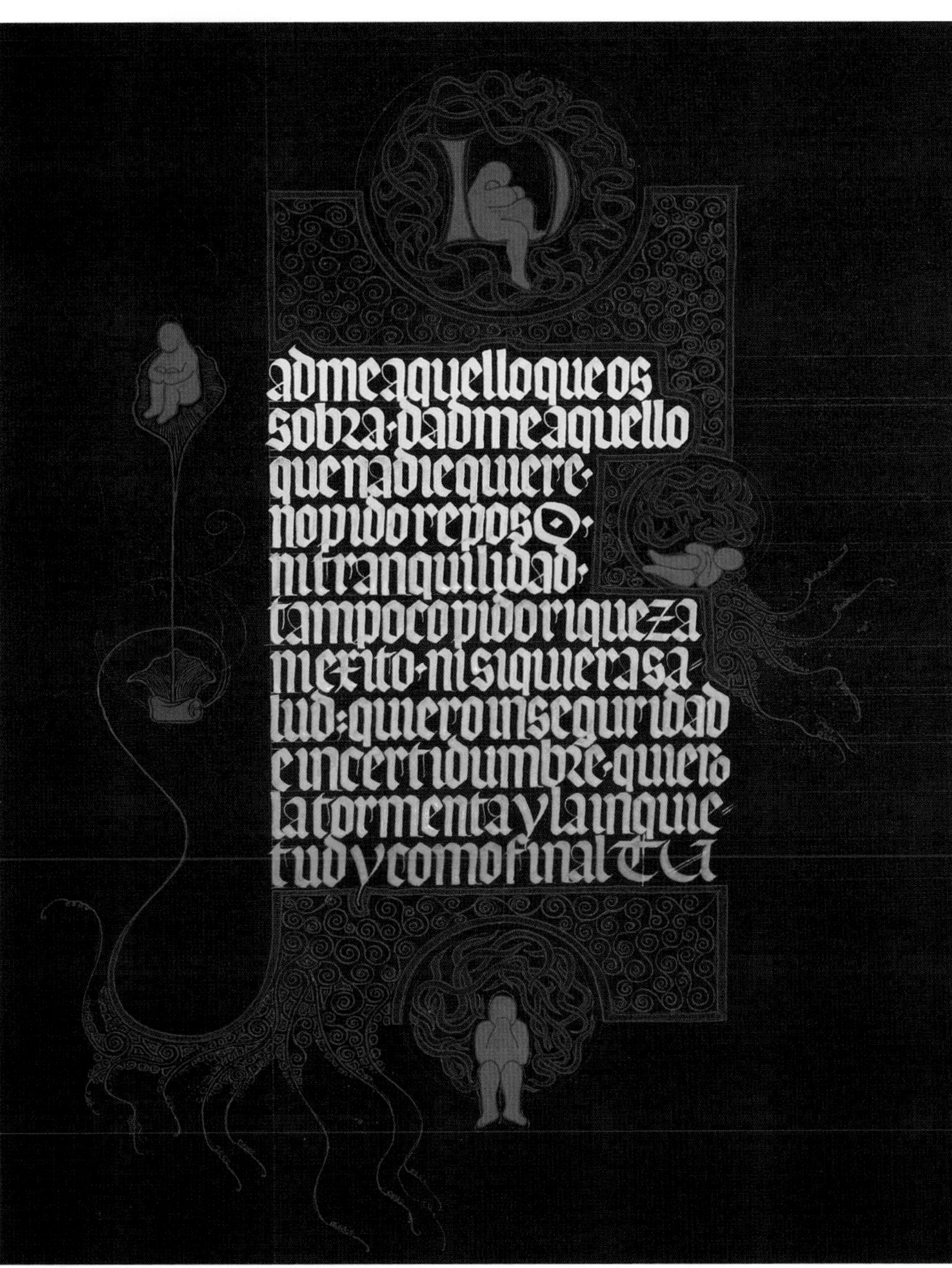

7. *Para finalizar la obra, Oriol Ribas la ha decorado con unas iluminaciones con guache verde que incluyen la letra capital y enmarcan la caligrafía.*

Un ejercicio de caligrafía china

La caligrafía china es una de las escrituras más ancestrales, más gestuales y más artísticas, hasta el punto que en China es considerada un arte sublime, al mismo nivel que la pintura. Por ello se ha creído oportuno ofrecer un ejercicio paso a paso pues, además, muestra el trabajo de realización de caligrafía con pincel chino. Siguiendo las explicaciones de su autor, Walter Chen, se podrá ver cómo debe escribirse la palabra "suerte".

MATERIALES E INSTRUMENTOS NECESARIOS

Para escribir caligrafía china se necesitan una serie de útiles y materiales propios de aquella civilización y que son considerados por los calígrafos chinos como los "cuatro tesoros del escritorio". Estos son: el papel de arroz, los pinceles, la tinta *sumi* y el tintero de piedra *suzuri*. Para realizar una buena caligrafía, estos útiles y materiales deben ser de buena calidad, cualidad que luego se refleja en el resultado final.

LA PALABRA "SUERTE"

Para escribir de forma correcta esta palabra "suerte" se realizan nueve trazos fundamentales en un orden y dirección concretos, lo que sería el *ductus*. Por lo general, el orden de la escritura china es de arriba abajo, y como se compone de dos partes verticales, se escribe primero el lado de la izquierda y luego el de la derecha. En el estilo de escritura regular o *Kai shu*, que se va a practicar en este ejercicio, todas las letras chinas se escriben tomando un modelo ya consagrado por la tradición. En otros estilos, como el abstracto o *Tsao shu*, el calígrafo puede reflejar más su personalidad en su obra.

ANTES DE EMPEZAR

Es muy importante la colocación del cuerpo para la práctica de la caligrafía china. Es imprescindible tener la espalda completamente recta, pero sin tensión. En la mesa se coloca un trozo de fieltro negro debajo del papel de arroz para que absorba la humedad sobrante de la tinta. Se dispondrá también un trozo de papel para pruebas, un trapo y, naturalmente, el tintero con una cantidad de tinta suficiente para el ejercicio. Una vez elegido el pincel adecuado, se toma éste en posición vertical entre el dedo índice y medio.

1. Empieza la escritura por la parte superior de la letra, que corresponde al trazo de la tilde.

2. A continuación se traza una raya horizontal de izquierda a derecha, haciendo más presión en su inicio. Así se logra un trazo con un extremo más grueso que el otro. Conviene siempre ensayar en otro papel.

3. Ahora se procede a hacer un trazo corto de derecha a izquierda.

4. Se hace un trazo vertical de arriba abajo, con una tilde a la derecha del trazo vertical, visible en el paso siguiente.

5. En este paso se empieza a escribir la segunda parte vertical, a la derecha de la que acaba de hacer. Se comienza por hacer un trazo horizontal de izquierda a derecha, con grosor decreciente.

6. Ahora se traza una forma rectangular de izquierda a derecha.

7. Sigue una forma compuesta en primer lugar por un trazo horizontal y luego dos verticales en los bordes de la anterior. Es importante concentarse en el trabajo para lograr el perfecto enlace de los trazos. Al final de ellos quedan unos remates obtenidos al hacer un leve movimiento de muñeca cuando se levanta el pincel del papel.

8. Ahora se realiza un trazo horizontal que une los dos verticales anteriores.

9. Luego, se hace un trazo vertical, que empieza rozando el trazo horizontal. Al final se hace un trazo horizontal en la parte inferior.

10. En China, la caligrafía bien hecha, con excelencia, es una obra de arte. Al finalizarla, el calígrafo la firma mediante el uso de un sello personal untado en una tinta roja especial.

***11.** La palabra "suerte" terminada y, arriba, la firma del autor.*

Caligrafiado de un automóvil

La caligrafía es un arte del que se suele creer que sólo se practica sobre una hoja de buen papel u otro soporte noble. En realidad, se puede hacer caligrafía sobre cualquier soporte por extraño que llegue a parecer: una lámpara, la fachada de un edificio o un automóvil. Esta última forma tiene la cualidad de presentar el trabajo caligráfico a lo largo de cuantos kilómetros recorra. También es una vía para presentar una faceta más profesional de la caligrafía, como la personalización de un vehículo con fines comerciales o publicitarios. A través de este trabajo de Oriol Ribas, se aborda el tuneado de un automóvil mediante la caligrafía.

MATERIALES Y UTENSILIOS

Para caligrafiar unos textos sobre un automóvil, debe tenerse en cuenta la naturaleza de los distintos soportes que pueden encontrarse. En primer lugar, la chapa metálica con pintura esmaltada propia de los automóviles, el vidrio de las lunas y hasta el caucho de las juntas. También podría darse el caso de carrocerías plásticas, fabricadas con resinas, aunque no son tan comunes. El tipo de pintura puede ser la misma, aunque debe poseer la adherencia suficiente para los distintos materiales y, además, ser resistente a los agentes exteriores, en especial a la luz solar. En todo caso, antes de comenzar, la superficie ha de estar perfectamente limpia de polvo y bien seca.

Para que un trabajo sea permanente, la pintura idónea es la que utilizan los carroceros para pintar, y el trabajo se realiza con la ayuda de dos pinceles: uno plano mediano y otro fino para los detalles.

EL PROCESO

Puede caligrafiarse cualquier parte de un automóvil, desde un rincón al vehículo entero. Este último caso, mostrado en estas páginas, es el más complejo por la gran cantidad de textos que deben caligrafiarse. Por ello, conviene planificar tanto las superficies como las formas, las letras, los colores y los textos que se escribirán. Este proceso es recomendable para personas con alguna práctica, pues el encaje de las letras en las formas sinuosas requiere cierta destreza. Como la superficie que se va a pintar es bastante extensa, en este apartado sólo se presentan los detalles principales.

1. Para comenzar el proceso, Oriol Ribas ha optado por un lugar fácil y uniforme como la cubierta delantera del motor. En primer lugar, escribe un texto en círculo con pintura de color naranja. Lo hace a mano alzada, sin pauta, pero ésta podría dibujarse con la ayuda de una cuerda fina y un lápiz graso atado en su extremo para trazar una tenue línea de puntos.

2. Tras escribir el primer texto en círculo, empieza a caligrafiar un texto en amarillo que, comenzado en perpendicular respecto al círculo inicial, se acerca a éste y casi lo envuelve completamente por fuera.
En el extremo derecho de la cubierta del motor, esta caligrafía se separa del texto circular. En la parte central se pinta un adorno.

3. A continuación, se caligrafían textos en círculo en el lateral derecho. En este lugar se encuentran otros materiales sobre los que pintar: los embellecedores de plástico.

4. Se sigue por la puerta trasera, donde se caligrafía sobre el vidrio y las gomas que lo sujetan. En esta parte se trabaja con diferentes colores, como el naranja y el azul ultramar.

5. Con la ayuda de una escalera, se empieza a caligrafiar en el techo del vehículo. El calígrafo escribe bien centrado, según el ancho, un texto en círculo con una pintura roja oscura.

6. A partir del círculo y con una pintura azul, se caligrafía un texto con líneas muy juntas y justificadas; este texto se reparte, con el mismo ancho, por los vidrios de la puerta izquierda.

7. El trabajo sigue por otras partes del vehículo, como en el lado derecho. El calígrafo cambia los colores de acuerdo con una idea preconcebida. Aunque todavía queda mucho trabajo por hacer, el esquema básico está completo.

8. Esta ilustración y las siguientes muestran el resultado final desde distintos lados del vehículo. En esta imagen del frontal, se aprecia que la inscripción inicial se ha enriquecido con distintas formas, letras y colores.

9. Vista del caligrafiado del portón trasero.

10. Aspecto de la parte lateral trasera.

Sumario

115418